그녀의 여자

그녀의 여자

서영은 장편소설

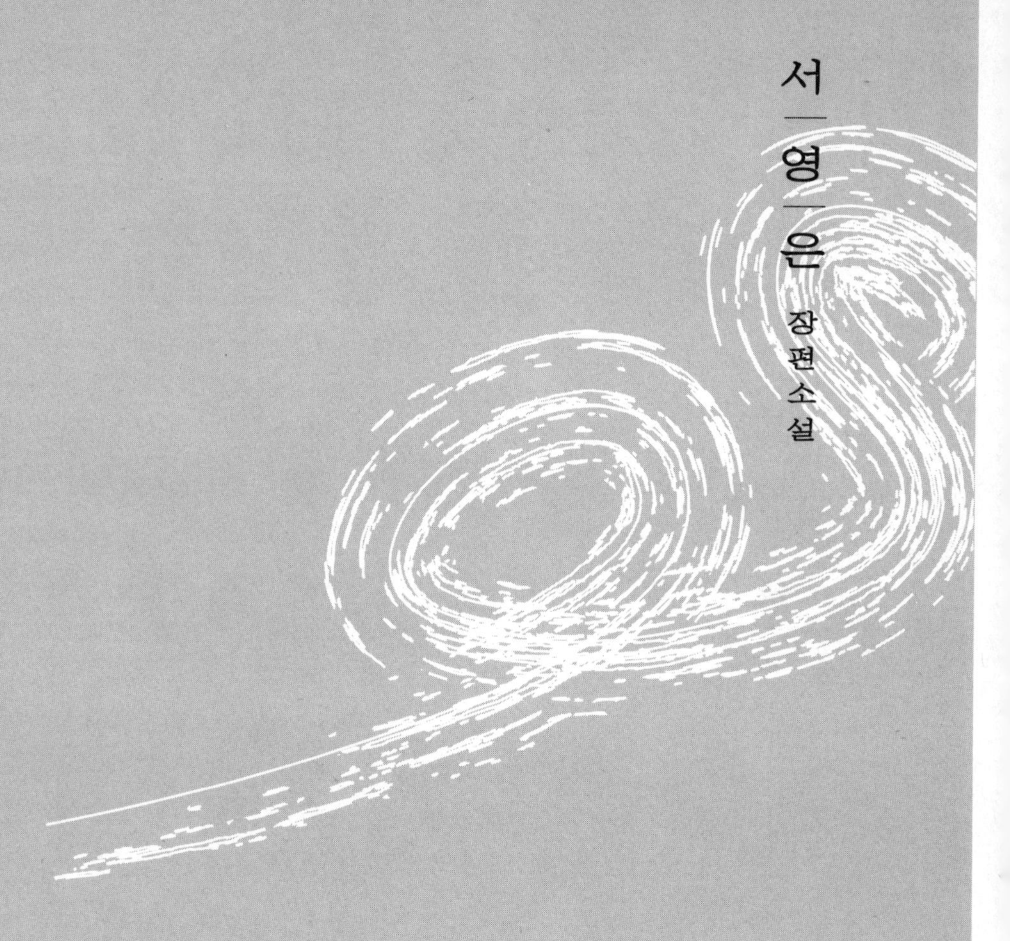

문학사상사

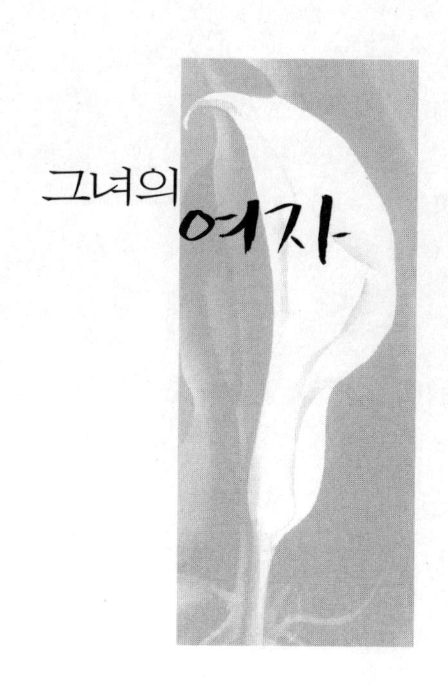

● 차례

……이들 괴물이 추락할 때 지구를 뒤흔들어 명부(冥府)의 왕인 하데스를
놀라게 했다. 그는 자기 왕국의 비밀이 폭로되지 않을까 근심했다.
이런 근심을 품고 그는 검은 말이 이끄는 사륜마차를 타고 탐색의 길에 올랐다.
그가 피해 정도를 둘러보고 있는 동안에 아프로디테는 에릭스 산 위에서
아들 에로스와 놀고 있었다. 하데스를 발견하자 아들에게 다음과 같이 말했다.
"아들아, 제우스까지도 정복할 수 있는 너의 화살로 저기 가는 저 명부의
왕의 가슴을 쏘아라. 왜 그만 놓아둘 필요가 있겠느냐?
너와 나의 영지를 넓힐 기회를 놓치지 말아라.
천상에서까지도 우리의 힘을 멸시하는 자가 있는 것을 너는 아느냐.
지혜의 여신인 아테나와 수렵의 여신 아르테미스가 우리를 멸시하고 있다.
그리고 또 케레스의 딸(새벽의 여신)도 그들의 흉내를 내고 있구나.
만약 네가 너 자신의 이해나 나의 이해에 대해 관심이 있다면,
이 두 가지를 똑같이 보아라. 너의 이해가 나의 이해요,
나의 이해가 곧 너의 이해니까."
에로스는 화살통을 풀어 가장 예리한 화살을 골랐다.
그리고 무릎에 대고 활을 구부려 활시위를 메겼다.
비늘 돋친 화살은 날아가 하데스의 가슴 한복판에 깊숙이 꽂혔다.
엔나의 골짜기 숲속에는 나뭇잎으로 가려진 호수가 하나 있었다.
숲은 꽃으로 덮여 있어서 그곳은 언제나 봄이었다.
페르세포네는 백합꽃과 오랑캐꽃을 바구니와
앞치마에 하나 가득 따놓고 동무들과 놀고 있었다.
이때 하데스가 그녀를 보고 사랑에 빠졌다. 하데스는 그녀를 납치했다.
그녀는 살려 달라고 어머니와 동무들에게 외쳤다.
놀란 나머지 그녀는 앞치맛자락을 놓쳐서 꽃을 모두 땅에 떨어뜨렸다.
그녀의 애통한 마음에는 이 꽃을 잃은 것이 또 하나의 슬픔처럼 느껴졌다.
하데스는 미친 듯이 말의 이름을 하나하나 불러대며 고삐를 당겨 말을 몰았다.
키아네 강에 도착한 하데스는 강이 앞길을 가로막자 삼지창으로 강가를 내리쳤다.
순간 대지가 갈라지며 명부에 이르는 길이 열렸다.

— 〈죽음의 세계로 끌려간 페르세포네〉 중에서

제1부

시간의 얼굴

예 감

아무런 느낌도 의욕도 없이, 세상을 놓고 지낸 기나긴 공허감은 그날에 와서 끝이 났다.

그날은 아침에 눈을 뜨자마자 기묘한 설렘이 마음을 저릿하게 파고들었다. 부인은 잠자리에 누운 채 몸을 뒤척이며 간간이 심호흡을 했다. 잠이 든 침상에서 다시 잠이 깼을 뿐인데, 자신이 아주 다른 사람이 되어 있는 듯했다.

머리맡 탁자 위의 시계는 열두 시를 가리키고 있었지만, 그것은 멈춰 버린 상태의 시각이었다. 정오 또는 자정에.

부인은 기억을 더듬어 보기 시작했다. M화랑의 큐레이터가 암스테르담에 다녀온 기념으로 사왔다는 물감을 두고 갔고, 모친상을 당한 K화백을 문상했고, 아들의 잠옷을 사러 백화점에 다녀왔다. 습관의 충실한 종복인 몸이 더듬어 보이는 행적은 그 정도였다. 그러나 의식의 아슴푸레한 밑바닥에는 감출 수 없는 어떤 거친 호흡의 발자국이 새겨져 있었다. 그 발자국의 희미한 진동이 계속되고 있음에도, 자신에게 임한 설레고 떨리고 흥분되는 기묘한 울렁거림의 정체가 무엇인지 알 수가 없었다. 의식의 밑바닥으로까지 가라앉아 보려 해도, 마음은 이미 그 무엇에게 점령당한 듯 얼얼했다.

도대체 나에게 무슨 일이 일어난 것일까. 십자로 얽은 두 팔로 가슴을 지그시 누르며 그녀는 생각했다. 내 마음아 진정해 다오. 이 떨리는 울렁거림이 나를 어디로 이끌고 갈지 두렵다.

일상의 지표로부터 날아오는 것들—이웃 공사장에서 연일 계속되고 있는 석판 자르는 소리, 야채 상인이 마이크로 호객하는 소리, 개 짖는 소리, 자동차 오가는 소리, 아래층에서 세탁기 돌아가는 소리 등—도 부인이 마음을 진정시키는 데는 아무런 도움이 되지 못했다.

전화벨이 울렸으나 그녀는 받기를 주저했다. 벨 소리가 네 번 울려서야 손을 뻗어 수화기를 집어들었다.

"어머니, 저 지금 나가요."

"그러니? 지금 몇 시지?"

"열 시 이십 분이에요. 어디 편찮으세요?"

"아니다. 괜찮아. 잠옷은 맘에 드니?"

"그럼요. 촉감이 아주 좋던데요. 아주머니가 맛있는 국을 끓여 놓으셨어요. 내려오셔서 아침 드세요. 그리고 저녁 다섯 시 약속 잊지 마세요."

"다섯 시? 무슨 약속이었지?"

"제 친구 전시회 오픈 말예요."

"아, 그렇지. 그래 알았다. 거기서 만나자."

전화를 끊고 나서도 그녀는 여전히 자리에 누운 채 천장에 시선을 꽂고 있었다. 마치 침상에 등을 꽉 붙이고 있는 것이 그나마 안심이 된다는 듯이. 그녀는 의식적으로 바깥에서 들려오는 소리에 매달려 보았다. 아들이 나가면서 현관문을 여닫는 소리, 뜰에서 뛰노는 개를 휘파람으로 부르는 소리, 그러다 이윽고 대문이 열렸다 닫히는 묵중한 소리…….

잠시 후 잠자리에서 몸을 벌떡 일으킨 부인은 옷도 갈아입지 않고 서랍장을 정리해야겠다고 맘먹었다. 왜 그 생각을 떠올리게 되었는지 알 수 없는 채로, 그녀는 서랍을 하나씩 열어젖히고 옷가지들을 끄집어내어 침대 위에 던졌다. 여섯 개의 서랍을 가득 채웠던 옷들. 아직 잠자리도 정돈되지 않은 데다, 여름옷, 겨울옷, 속옷, 겉옷 등이 뒤죽박죽 엉켜서 침대는 순식간에 옷무더기 속에 파묻혀 버렸다. 그것은 생활의 일부분이었음에도 마치 더 이상 그 자리로 되돌아갈 수 없는 허물처럼 보였다.

부름…….

다른 세계로부터의…….

그 어떤.

한동안 부인은 꼼짝도 않고 가만히 앉아 있었다.

서랍 하나를 간신히 정리하긴 했으나, 뭔가를 겨우 참아 낼 때처럼 호흡이 힘이 들었다. 남은 서랍을 마저 정리하고 나면 녹초가 될 것 같았다. 그때 문 밖에서 노크 소리가 났다. 부인은 하던 일을 내팽개칠 구실이 생긴 것에 숨이 트이는 것 같았다.

"손님이 오셨어요."

"아주머니, 이 방 좀 부탁해요."

가운을 걸치고 아래층으로 내려가는 그녀의 옷자락이 표연히 어둠을 가로지르는 밤새의 날개처럼 계단 하나하나를 쓰레질했다. 그녀가 계단을 다 내려온 뒤에도 옷자락은 접히지 않은 채, 현관과 거실 입구에 놓인 커다란 장식 꽃병을 쓰러뜨렸다. 병은 여지없는 어떤 힘으로부터 일격을 받은 것처럼 산산조각이 났다. 자신의 실수를 내려다보는 부인의 표정은 안타깝기보다 보이지 않는 경계를 넘어선, 서늘한 비장함이 있었다.

무늬 없는 옅은 회색의 양탄자와 벽돌색 소파가 있는, 단순하고 썰렁한 느낌을 주는 거실에서 두 남자가 앉았던 자리에서 벌떡 일어났다.

"아, 별일 아녜요. 아주머니, 여기 이 유리조각 좀 치워 주세요."

한 사람은 키가 작고 정장 차림의 머리가 희끗한 중년이었고, 또 한 사람은 얼굴이 희고 몸이 밋밋한 젊은 청년이었다. 그는 카키색 바지에 검은 티셔츠와 헐렁한 바바리를 걸치고 있었다.

"우리가 조금 일찍 왔나 봅니다. 사실은 제가 오늘 이 박 감독과 점심 약속이 있었습니다. 다른 날로 미룰까 하다가 함께 왔지요. 여기, 이 박 감독은 최근에 〈방과 방 사이〉란 영화로 상을 받았고, 지난번 부산영화제에서도 관객들의 호응이 대단했었지요. 자, 박 감독, 이분은 잘 아시겠지만 현석화 여사이십니다."

케이블 TV 사장인 정용근 씨의 소갯말은 그다지 장황한 것이 아니었음에도, 그녀는 젊은 감독을 가볍게 스쳐만 보고 나서, 시선을 창 밖으로 옮겼다.

정용근 씨와 박 감독은 서로 어색한 눈짓을 주고받았다.

세찬 바람 속에서 뜰의 나무들이 휘청거리고 있었다. 간간이 바람에 묻어서 날리는 것은 아직 단풍도 채 들지 않은, 담쟁이덩굴에서 떨어져 나온 푸른 잎새들이었다.

"바람이 많이 부는군."

뜰의 한 지점을 깊숙이 바라보며 부인은 혼자말로 중얼거렸다.

"어젯밤엔 더 심했습니다. 제주도에 태풍이 상륙했다는 소식이 들리던데요."

"태풍? 태풍, 좋지요."

그 말을 한 번 또 한 번 나직하게 읊조리더니 그녀는 돌연 박 감독 옆의 소파에 털썩 주저앉았다.

나흘 전 전화 통화에서 점심 초대를 받은 정 사장은, 부인의 소홀한 옷차림도 의아했지만, 무엇에 사로잡힌 듯 몽롱한가 하면, 돌연

한 격정에 휘말리는 기묘한 몸가짐과 말투가 낯설고 당혹스러웠다.

그는 이 년 전 부인의 남편이 타계하기 전, 바로 이 거실에서 목격한 끔찍한 광경이 떠올랐다. 광풍이 휩쓸고 지나간 것처럼 기물들이 파손되어 나뒹굴고 있었다. 산산이 금이 간 거실과 뜰 사이의 전면유리, 쓰러져 엎어져 있는 탁자, 커버가 찢어져 있는 소파, 바닥에 나뒹굴고 있는 책자들, 사진틀, 전화기, 쿠션, 물인지 술인지로 흥건히 젖어 있는 양탄자……. 거기에서 입은 옷이 갈가리 찢겨져 상대에게 치명적 상처를 입힌 암수 사자 모양 피를 흘리며 헐떡거리는 부부. 피가 철철 흐르는 손으로 백발이 성성한 자신의 머리칼 속으로 깊숙이 손가락을 쑤셔 넣고 웅크리고 앉아 신음하는 남자는 이미 이 세상 사람 같아 보이지 않았다.

그로부터 몇 달 뒤였다. 현 여사의 남편이 교통사고로 그 자리에서 즉사했다는 소식이 들려왔다. 그에게 상해를 입힌 택시기사는, 죽은 사람 스스로가 달리는 차 속으로 뛰어들었다는 내용의 탄원서를 경찰서에 냈다고 했다.

혼자된 뒤의 부인은 겉으로 보기엔 여전히 흐트러짐이 없는 단아하면서도 위엄 있는 몸가짐으로 자신을 잘 추스르는 듯이 보였으나, 가끔씩 몸을 흔들어 가며 큰 소리로 웃는 텅 빈 속마음이 엿보여 어딘지 위태로워 보였다.

큰 소리로 웃을지라도 삭막한 회색의 그늘 속에 잠겨 있는 그녀의 눈은 조금도 웃고 있지 않았다.

그런데 지금은 어둡고 깊고 형형한 그 눈빛이 닿기만 해도 마음이 옥죄는 듯했다. 그는 자기 내면에서 한 번도 시험당해 본 적이 없는 어떤 은밀한 감정이 꿈틀거리는 것을 느꼈다.

하지만 그는 동행한 박 감독을 의식하지 않을 수 없었다.

"현 여사, 이제 뭔가를 떨치고 일어나시는 것 같군요."

다리를 꼬고 소파 속에 깊숙이 파묻힌 자세로 그녀는 건너편에 앉아 있는 정 사장을 향해 고개를 끄덕거렸다.

"그래요. 황폐함이 죽음에 이를 만큼 깊었었죠. 하지만 이제는 살고 싶네요. 그 전과는 다른 방법으로."

"그 양반이 워낙……."

"날 사랑했던 게 아녜요. 자신이 본 삶의 끝, 외로움, 공허로부터 달아나고 싶었던 거죠. 그 양반이 죽지 않았으면 내가 그를 죽였을 거예요."

부인은 잔잔한 미소를 머금었다. 그 미소는 그녀의 입가에 뚫린 구멍처럼 사라질 것 같지 않았다. 갑자기 부인은 탁자 위의 은제 담배통을 열었다. 통은 비어 있었다. 옆에서 박 감독이 담배 한 개비를 뽑기 좋게 만들어서 내밀었다. 부인은 갑째 받으려다 이미 뽑혀져 있는 담배를 뒤늦게 보았다. 그녀는 담배를 뽑아 거꾸로 물고 불을 붙였다.

"이제는 인생에서 무엇이 중요하고 무엇이 덜 중요한지 구분할 수 있는 정도는 되었지요."

침착한 듯하지만 떨리는 손으로 담배를 돌려 문 다음 다시 불을 붙이는 그녀를, 놀라움과 호기심으로 지켜보면서도, 두 남자는 안 보는 척하려고 애썼다.

정 사장이 훌륭한 사교적 몸가짐으로 표정을 가다듬으며 점잖게 말머리를 돌렸다.

"혹시 박 감독 영화를 보신 적이 있습니까? 비디오로도 출시되어 있는데."

"못 봤어요."

짧은 대답이었다. 박 감독은 으레 그 말 뒤에 따를 법한 부연 설명이 있지 않을까, 귀를 기울였으나 그뿐이었다.

박 감독의 얼굴이 슬그머니 붉어졌다. 그는 부인의 앞으로 팔을 뻗어 자신의 담배를 집어 왔다. 팽팽하게 당겨진 그의 입술이 담배

한 개비를 물었다가 떨어뜨렸다.
"박 감독의 누님도 그림을 그린다고 했지요? 성함이……."
정 사장은 노련한 미소를 입가에 띤 채 자칫 어색해지려는 분위기를 대화의 테이블 위에 얹어 보려고 애썼다.
"박정지라고 합니다. 작년에 뉴욕에서 돌아오자마자 '한가람'에서 전시회를 했었죠. 내년 봄에 두 번째 전시회를 앞두고 있습니다."
"현 여사도 그 즈음에 전시회를 하신다고 들었습니다만."
"아, 재미없는 얘기로군요."
사실 부인은 정 사장의 기분을 상하게 할 입장이 못 되었다. 남편과의 오랜 친교로 봐서도 그렇고, 그를 점심에 초대한 목적으로 봐서도 그랬다. 얼마 전까지만 해도, 부인은 어떤 예술단체 후원회의 발기인으로서, 자신의 사교적 인맥을 모두 동원하는 성의를 보였다. 정 사장도 그 중의 한 사람으로서, 그녀는 그에게 후원회를 위한 모금을 부탁할 참이었다. 하지만 이제 그 일은 그녀의 관심 밖으로 지나가 버리고 말았다. 남편의 친지들에 대한 사교적 배려, 후원회, 전시회, 또는 영화예술상, 그 모든 것이 다 무어란 말인가.
그녀의 내면 가득 갑작스럽고도 절박하게 차오른 생에 대한 명쾌한 확신, 그것은 날아가 꽂힐 과녁을 찾아야 했다. 죽음에 이르도록 깊이 꽂힐…….
"현 여사님이 그렇게 시니컬한 분인 줄 몰랐습니다. 현 여사님 연배의 어른들은 세상에서 무엇을 포기하고, 무엇을 끌어안아야 하는지 대충 알고 계실 것 같은데요."
박 감독이 담배 연기 사이로 완곡하게 반격을 시도했다.
"나는 시니컬한 게 아니에요. 다만 사람들이 보지 못한 것을 봤을 뿐예요. 이제는 군더더기들을 벗어내고 중심을 향해 곧게 걸어가고 싶을 뿐예요."
"그것은 용기입니까?"

"아뇨. 내 삶이 이르러 있는 마음자리예요. 자기 자신과 세상에 대해서 여지없고 가차없어진다고 할까."

"그게 바로 용기 아닙니까?"

"용기는 대상화한 감정이지요. 내 경우는 살아 있음의 끝 같은 거예요."

"전시회가 재미없다고 하신 것도 그런 맥락입니까?"

"뿐만 아니라, 자기 작품을 할 때도 기만이나 위선, 타협, 거짓이 얼마든지 섞여들 수 있지요. 내가 내년에 전시회를 한다면, 사람들이 가지고 있는 내 작품들을 모두 거두어들여 걸어 놓고, 내 마음의 총구로 한 방 한 방 총을 쏘아서 남는 작품이 몇 개나 되는지 확인하고 싶군요."

"삶이란, 중요한 것을 가지기 위해서 덜 중요한 것을 참는 게 아닐까요."

정 사장이 진지하게 끼여들었다.

"덜 중요한 것을 관통할 수만 있다면 참을 필요가 있겠어요?"

말은 정 사장에게, 눈은 박 감독을 보고 있었다. 박 감독은 머뭇거리다가 자신도 부인을 똑바로 쳐다보았다.

"그것은 힘입니까, 지혜입니까?"

"삶이 나를 통해 스스로를 보여 주는 것이겠죠. 기요틴처럼 무자비하게."

숙연한 침묵이 감돌았다. 그러나 세 사람의 침묵의 깊이는 서로 달라서 섞이지 않았다. 왼손으로 턱을 괴고 팔걸이에 얹고 있는 오른손을 끊임없이 털고 있는 정 사장, 밋밋한 상체를 탁자 위로 푹 꺾고 두 손을 모아서 턱을 받친 채 생각에 잠겨 있는 박 감독, 그러나 부인의 침묵은 과녁에 꽂혀 있는 화살과 같았다.

심연의 얼굴

평소에 화장을 거의 안 하는 부인이 화장대 앞에 앉기는 실로 오랜만이었다. 아들의 청만 아니라면, 또 그것이 단지 친구의 전시회 오프닝에 와달라는 것만이 아니라, 전시회에 나타날 자기의 여자친구를 봐달라는 청이어서, 부인은 성가시지만 잠시 다녀올 생각이었다.

하지만 그녀가 화장을 하려는 것이 그 대수롭지 않은 외출을 위함일까. 부인은 화장대 앞을 가득 채운 화장품들을, 마치 마음속에 떠오른 영감을 입히기 위해 물감들을 이것저것 만지작거릴 때처럼, 신중하고도 흥분된 감정으로, 뚜껑을 열어 냄새도 맡아 보고, 손가락으로 찍어서 손등에 발라 보기도 했다.

거기엔 한 번도 쓰지 않은 채 라벨이 그대로 붙어 있는 팬케이크 콤팩트와 무지개 빛깔의 구슬들로 이루어진 분, 갤랑, 겐조, 디오르, 니나리찌, 입생로랑 등의 향수가 있는가 하면, 짙은 색에서 옅은 색에 이르기까지 다양한 빛깔의 쓰다 만 입술연지들, 볼연지분과 아이섀도우에 필요한 색조 화장품, 로션, 크림 들이 가득 있었다.

이만하면 충분하겠어. 부인은 흡족한 미소를 지었다. 그 미소는 얼굴을 매만져 아름다워 보이려는 여인다운 감정에서 우러나는 것과 전혀 다른 것이었다.

부인은 이제까지 한 번도 밖으로 끌어내어 본 적이 없는 자기 심연의 얼굴을, 그림을 그릴 때와 같은 촉수로 더듬어, 사람들이 현석화라고 알고 있는 그 얼굴 위에 새로이 그려 넣을 참이었다.

그것은 형상이라기보다 격렬한 소용돌이를 이루고 있는 의식과 기억 저 너머의 원초적 존재감, 여성도 남성도 아닌, 선도 악도 절망도 희망도 사랑도 상처도 순간도 영원도 아닌, 그러나 동시에 그 모든 것일 수 있는…….

거울은 캔버스와 같았다. 그녀는 가끔씩 눈썹을 그리다가, 립펜슬로 입술 윤곽을 그리다가, 자기 손끝이 마음 밑바닥까지 더듬어 참담하도록 두려운 진실을 정직하게 대면하고 있는지 확인해 보려고 움직임을 멈춘 채 얼굴을 바짝 거울 앞으로 가져가 들여다보곤 했다.

마침내 거울 속에 떠오른 얼굴을 노려보며 부인은 처연하게 중얼거렸다.

"피할 수 없어."

슬픔과 울음

기자들이 대부분 자리를 비운 편집국 안의 오후의 일시적인 적요 속에 맥놓고 앉아 있노라면, 내 나이의 젊음이란 것이 너무 안이하게 짜여진 판 속으로 들어가 일찍 안주해 버린 것이 아닐까, 스스로 자문하게 된다.

물론 신문사라는 거대한 조직의 생리가, 소속된 개인의 영혼을 잉크로 삼아, 익명의 대중들이 아침 잠자리에서 또는 변기에 앉아, 지하철을 타고 심심풀이로 읽을 거리를 찍어낸다는 비정한 진실을 감추고 있긴 하다. 하지만 자신의 영혼이 잉크로 쓰임 당하는 데서 오는 고통은 비현실적이지만, 대중 속으로 파고드는 말의 힘은 엄청나다. 그러니까 말의 힘은 대중 스스로가 낳는 건데, 기자들은 종종 그 힘을 자신의 것으로 착각하여 자기 삶의 입지로 여긴다.

스물일곱, B신문사의 사백오십 대 일의 경쟁률을 뚫고 공채된 여기자. 그 이전에도 입학과 졸업, 졸업과 입학을 되풀이해 온 나의 짧은 이력에서 나는 늘 일등의 자리를 지켰다. 사람들이 나에게 보내는 선망과 갈채가 내 젊음을 온통 축하의 꽃다발로 장식해 왔음에도, 내 마음속엔 끔찍한 회색지대가 있다.

초등학교 졸업의 학력이 전부인 나의 어머니는, 영화배우보다 잘 생기고 일본 유학까지 하신 나의 아버지를 만나 사남매를 낳으셨다. 나는 막내다.

나의 아버지는 평생 직장에 다녀 보지 않았다. 집 안의 돈을 긁어 가기 위해 잠시 집에 들렀다가는, 어머니를 또는 언니를 울려 놓고 훌쩍 떠난 뒤에는 몇 달씩 소식이 없었다. 그러다가 돈이 떨어지면 집으로 돌아오시곤 했다. 아버지에겐 여자도 없었고, 도박을 하시는 것도 아니었다.

대학에 갓 입학했을 무렵이었다.

친구들과 함께 백화점에 갔다가 아버지를 먼발치로 보게 되었다. 아버지는 잘 차려 입은 난봉꾼 같은 모습으로 취한 듯 진열장을 들여다보고 있었다.

어머니는 혼자 힘으로 우리를 키우고 공부시켰다. 아버지가 없는 집에서 평생 소처럼 일만 하셨다. 어머니는 좀체 화를 내시지 않았지만, 딱 한 번 식칼을 들고 아버지를 찾아 나섰을 때가 있었다. 그날 아버지가 집 안을 뒤져 가져가신 돈은, 오빠가 신문 배달을 해서 모아 놓은 등록금이었다.

나의 어머니는 삯바느질, 연탄 배달, 구멍가게, 과일가게, 쌀장사 등 돈이 된다 싶은 일이면 무엇이든 다 하셨다. 그럼에도 궁핍은 늘 우리 가족을 놓아 주지 않았다.

초등학교에 들어가기 전, 우리 가족은 지하에 있는 방 한 칸을 빌려서 살았다. 우리는 그 방 한 칸 안에 자기 자리를 지니고 있었는데, 아버지는 아랫목에 이불을 깔고 누워 계셨고, 오빠는 동쪽 구석에, 큰언니는 서쪽 구석에, 작은언니는 남쪽 구석에, 그리고 어머니는 방 가운데서 바느질을 하셨고, 나는 천장에서부터 내려온 기둥을 내 자리로 여기고 있었다.

기둥에는 개미의 집이 있어, 낮이고 밤이고, 개미들의 행진이 줄을 잇고 있었다. 어린 시절, 나의 유일한 친구는 그 개미들이었다.

기둥을 등지고 개미들을 들여다보고 있노라면, 말다툼하는 아버지와 어머니, 발에 입은 동상 때문에 괴로워하는 오빠, 학교에 가져갈 납부금 때문에 울고 있는 큰언니, 어머니의 꾸중에도 자기 벽에다 끊임없이 낙서를 해대는 작은언니, 그들 모두가 나하고 무관해지는 것 같았다. 아니, 어쩌면 우리 가족 한 사람 한 사람을 파먹고 있는 근심 걱정이 줄을 잇고 있는 개미들의 행진으로 가로막혀 나에게는 범접하지 못하는 것 같기도 했다.

어느 날 나는 힘겹게 먹이를 물어 나르는 개미들을 위해 그들의 먹이인 빵부스러기를 집어다 기둥 가까이 옮겨 놓았다. 개미들은 대열을 풀고 사방으로 흩어져 버렸다. 흩어져 버린 대열은 다시 모이지 않았다. 나는 슬픔을 가누지 못해 엉엉 울었다. 아버지도 어머니도 오빠도 언니들도 나를 달래 보려고 애썼다. 나는 울음을 그칠 수가 없었다. “무슨 일이야?” “왜 그러는 거니?” 하는 다그침에 나는 그저 더 큰 울음으로 답하는 수밖에 없었다.

어린 소견에도 나는 좀 알 것 같았다. 어머니는 가끔씩 실이 바늘에 꿰어지지 않는다거나, 우리가 신발을 가지런히 벗어 놓지 않는다거나 하는 아무것도 아닌 일로 대성통곡하며 우시곤 했다. 사실 개미들이 대열을 풀고 흩어져 버린 일은 나에게도 아무것도 아닌 일이었다.

학교에 입학한 뒤, 공부를 잘한다, 일등만 한다는 것이 내 인생에 어떤 의미가 있는지 나는 깊이 깨닫지 못했다. 동급생 또는 전교생들로부터, 그리고 교사들로부터 선망과 칭찬을 받으면서도 나는 열등감에 시달리고 있었다. 자가용을 타고 등교하는 아이들, 점심때 가정부가 보온도시락을 가져다 주는 아이들, 신문지상에 이름이 오르내리는 저명인사를 부모로 가진 아이들 앞에서는 공부를 잘한다는 것이 아무것도 아닌 것처럼 느껴졌다.

하지만 공부를 잘한다는 것은 나 자신도 알지 못하는 사이에 부모님들과 다른 삶을 살 수 있는 위치로 나를 옮겨다 놓았다. 나는《파리마치》를 구독하고, 사회 저명인사들을 만나 그들이 내 기분이 어떤지를 엿보게 하며 인터뷰를 하고, 오페라와 심포니 초대권들 중에서 정상급들의 연주만 골라서 가며, 작가와 화가와 연출가와 성악가와 비평가들과 교제하며, 고위관리들과 함께 미식가들을 위한 프랑스 요리로 저녁을 먹기도 한다.

오늘 저녁엔 내 남자친구의 친구의 전시회 오프닝에 가야 한다. 지방에 파묻혀 그림만 그려 온 화가의 첫 나들이 전시회였다. 도록을 보니, 색채는 강렬한데 울림이 없는 도안 같은 느낌을 주는 그림들이었다. 내 남자친구의 부탁만 아니라면 굳이 혼잡한 저녁 도심을 뚫고 찾아가서 볼 만한 전시회는 못 되었다.

내 남자친구는, 이름이 잘 알려져 있고, 호당 그림값이 A급에 속하는 여류화가의 아들이다. 그는 방송국의 PD인데, 장기 기획프로인 자연 다큐멘터리를 만들어 잔잔한 화제를 불러일으켰다.

그는 용모가 수려하고 체격이 건장하여 함께 팔짱을 끼고 걸으면, 내가 그의 연인이 된 듯, 그가 나의 연인이 된 듯한 기분이 들게 하지만, 서로 마음을 열어 그 사실을 확인해 본 일은 아직 한 번도 없었다. 그의 눈매를 좋아한다는 것과 사랑한다는 것 사이에는 분명 큰 차이가 있을 듯싶다.

어쨌거나 나는 크게 소망한 바가 없었음에도, 지금 내가 누리는 것들을 가능하게 해주는 곳에 자일을 박았다.

자기 내면이 맑게 들여다보이는, 혼자만의 시간을 맞게 될 때, 나는 간혹 대성통곡하며 울고 싶어진다. 볼펜이 책상 밑으로 떨어졌기 때문에……?

덮 침

압구정동에 있는 그 화랑에 도착한 것은 여섯 시 무렵이었다. 박스 기사를 한 꼭지 써야 했기 때문에, 시간 맞춰 일어날 수 없었고, 자동차를 가지고 나온 것이 잘못이었다. 그렇잖아도 지훈 씨가 귀띔을 해주었었다.

"화랑 위치는 잘 알고 있지요? 거기는 주차할 곳이 마땅치 않아요. 택시나 지하철을 타고 와요."

화랑을 앞에 두고도 주차를 하지 못해 이십 분이나 차를 끌고 맴돌아야 했다. 그 사이 삐삐는 계속 들어왔다. 입력되는 전화번호는 화랑 전화번호일 듯싶었다. 지훈 씨는 나에게 삐삐 신호를 보낸 일이 한 번도 없었다. 그가 오늘 나를 보려는 것은 무슨 각별한 뜻이 있는 걸까?

리본이 묶여 있는 화분들이 서너 개 놓여 있는 화랑 입구를 지나 안으로 들어섰다. 홀 한쪽으로 오드볼 테이블이 차려져 있었다. 음식은 거의 그대로 있었고, 스무 명이 채 못 되는 사람들이 그림을 보기도 하고, 두세 사람 모여 서서 얘기를 나누는 등 조촐한 분위기였다.

나는 지훈 씨부터 찾았다. 그는 안쪽으로 놓인 탁자 앞에 둘러앉은 사람들 속에서 나를 보고 자리에서 일어났다. 그의 손에는 칵테일 잔이 들려 있었지만, 얼굴이 다소 상기되어 있는 것은 다른 이유 때문인 것 같았다.

"늦었어요. 많이 기다리셨죠?"

"우선 주인공하고 인사부터 나누지."

지훈이 나에게 소개시켜 준 남자는 키가 작은 편이었고, 근육이 탄탄해 보이는 정력적인 인상이었다. 말총머리에 갈색 샌들, 세피아색 멜빵바지 차림의 그는 어딘가 옷에 물감을 묻혀 가지고 있을 듯싶어 보였다.

"소연 씨가 기구(氣球)를 좋아한다는 얘기, 들었습니다."

화가는 거두절미하고, 짧고 힘이 넘치는 팔뚝을 내밀어 악수를 청했다.

"뿐만 아니라, 겨자와 식초도 좋아해요."

나는 그의 손을 살짝 잡았다 놓았다. 이어서 지훈은 그 자리에 둘러앉아 있던 한 여자와 두 남자를 연달아 소개시켰다. 나는 내 또래의 그 여자가 나를 심상치 않은 눈으로 지켜본다는 것을 느꼈다.

누군가 내 손에 칵테일 잔을 들려 주었고, 의자를 권하기도 했다.

"아뇨, 괜찮아요. 전 아직 그림을 못 보았어요."

그림을 둘러보려는데, 누군가 또다시 내게 팸플릿을 주었고, 나는 선 채로 팸플릿 앞부분에 인쇄되어 있는 화가의 작품 세계에 대한 해설을 몇 줄 읽어 보았다.

그때 지훈이 내게 다가와서 은밀하게 속삭였다. 그는 마직 천의 양복에 녹색 타이를 매고 있었다.

"저 안으로 잠깐 들어갈까요?"

지훈이 저 안이라고 말한 곳은 화랑의 사무실 겸 내실이었다. 장방형의 긴 방은 책이며 그림들로 가득 차 있었고, 가운데 긴 테이블이 놓여 있었다. 테이블을 사이에 두고 앉아 있는 두 여성 중, 한 사람은 입구 쪽이 바라보이는 방향이었고, 다른 한 사람은 비스듬히, 등을 진 앉음새였다.

나는 지훈을 따라 그쪽으로 다가가면서도, 등을 지고 앉아 있는 그 사람이 몸을 돌려 이쪽을 바라보면 어쩌나 싶게 마음이 두렵고 떨렸다. 무슨 이유에선지는 몰라도, 그녀가 몸을 돌리게 되면 나는 그 자리에서 얼어붙은 듯 몸이 굳어질 것 같았다.

그것은 그저 사람이 앉아 있는 뒷모습이 아니었다.

어쨌든 그녀는 몸을 돌리지 않았다. 앞에 앉아 있는 여성으로부터 누군가 다가오고 있다는 기미를 충분히 느끼고 있었음직한데도. 나는 그녀의 등으로부터 세 걸음쯤 떨어진 데서 다가가기를 멈추었다.

"어머니, 제 친구예요."

드디어 그녀가 몸을 돌렸고, 나를 똑바로 쳐다보았다. 무언가 광폭한 바람의 자락 같은 것이 나를, 확 덮는 듯했고, 엄청난 무게가 내 위로 실리며 옴짝달싹도 할 수 없었다. 공포가 나의 내부로 쩌르르 스쳐 지나갔다.

한숨을 쉬며 그녀의 깊고 타는 듯한 눈길이 나를 풀어 주었다. 나는 다시 숨을 쉴 수 있게 되었고, 몸에 기운이 쫙 풀렸다.

"뵙고 싶었어요."

"나두요."

비로소 현 여사의 머리 모양, 얼굴 생김새, 옷차림이 눈에 들어왔다. 희끗한 머리칼을 틀어 올려 핀을 꽂았고, 망토식의 소매가 널따란, 하얗고 치렁치렁한 긴 통다지 옷에는 금빛 벨트가 묶여 있었고, 소매와 브이네크 라인에도 금빛 실로 섬세한 무늬가 수놓여 있었다. 하얀 샌들을 신고 있는 발과 흰빛의 커다란 보석알이 박혀 있는 반지를 낀 손은 야윈 듯 뼈마디가 도드라져 있음에도, 강인하고 억센 힘이 느껴졌다. 또한 그녀의 얼굴, 판판하고 시원한 이마에 주름살이 거의 없고 눈매가 깊고 콧날이 우뚝한 그 얼굴은, 나이와 성별이 사라진 기묘한 분위기였다.

뒷모습에서처럼 그렇게 강렬하지는 않아도, 압도하는 듯한 마력이 그녀의 온몸을 휘감고 있었다.

나와 무관한 일이야. 혼란스러움을 멈추어 보려고 나는 입술을 지그시 깨물었다.

나는 다시 화랑 주인에게 소개되었고, 인사를 나누었다.

"자, 거기 좀 앉으세요. 방소연 씨."

"아녜요. 저는 밖에 있겠어요."

얼른 벗어나고 싶었다. 이 방에서 걸어 나가기만 하면, 나를 덮친 무게, 질식할 것 같은 무엇, 그것은 나와 무관한 것이 될 것이다.
나는 황망히 돌아섰고, 내 뒤를 지훈 씨가 따라왔다.

사로잡힘

아들의 친구, 그녀가 방에서 나가자 텅 빈 듯한 적막감이 엄습했다. 그녀를 만난 것은 분명 처음인데, 낯익음, 너무나 낯익어서 자기 영혼이나 살의 일부를 얻은 것처럼 흡족한 신음소리가 새어 나왔다. 그 충만감이 남긴 희열은 이제 그 무엇하고도 비길 수 없고, 바꿀 수가 없을 것 같았다.

반면에 더 크게 드러난 마음의 구멍, 공허, 슬픔의 심연. 아픔과 슬픔이 배가되는 감미롭고 저린 고통의 단근질.

그녀의 무엇이?…… 알 수 없는 일이었다.

다만 분명한 것은 아침부터 자신을 휘청거리게 했던 그 설렘의 정체가 이제야 모습을 드러낸 것이라고 깨달아졌다. 아니면 그 설렘이 스스로 번제의 희생물을 찾아낸 것일까? 하지만 왜 하필 그녀란 말인가? 단지 그 순결하고 풋풋한 젊음 속에 드리워져 있는 슬픔과 상실의 그림자를 보았다는 것만으로?

"아드님의 친구가 아주 귀엽군요. 두 사람이 좋아하는 사이인가요?"

"글쎄요, 그렇게 보이나요?"

"사실, 젊음이란 서로 옆에 세워 놓기만 해도 사랑을 만들어 내는 게 아니겠어요."

현 여사는 두 손으로 머리를 감싸쥐었다. 푸른 정맥이 팔목 위로 불끈 튀어나와 있었다.

"왜 그러세요."

"머리가 좀 아프군요."

자리에서 일어난 부인은 그녀를 한 번 더 보기 위해서 밖으로 나가 봐야겠다고 생각했다.

"얼굴이 창백하신데 약을 좀 드릴까요?"

"괜찮아요. 이젠 가봐야겠어요."

전시장은 처음보다 다소 흐트러지고 어수선해진 분위기였다. 부인은 그녀를 시선으로 찾았다. 푸른색이 주조를 이룬 어느 그림 앞에서 소연은 화가와 얘기를 나누고 있었다. 얼굴이 희고 키가 큰 그녀는 먼빛으로도 나이에 비해 성숙하고 은밀한 분위기로 주위 사람들과 구별이 되었다.

그녀가 시선 속에 다시 들어옴으로써 부인은 숨쉬기가 한결 편안해졌다. 아들이 어디선가 나타나서 그녀의 곁으로 왔다.

"어머니, 저희들이랑 저녁 같이 드실 수 있어요?"

"글쎄, 함께하면 좋겠지만 다른 약속이 있다."

"약속 장소는 어딘데요?"

"역삼동 쪽이야."

"제가 모셔다 드리면 좋겠는데, 전 차를 방송국에 두고 왔거든요. 잠깐요, 친구한테 부탁해 보겠어요."

부인은 아들이 소연을 데리고 오는 것을 꼼짝 않고 지켜보았다. 짧고도 긴 시간이었다. 아이, 이런— 부인은 운명이 둔기를 휘둘러 자기로부터 혼을 빼가는 것을 숨을 멈춘 채 지켜보아야 했다. 몸과 마음을 타오르는 불길 속에 맡긴 듯한 전율이 스쳐 갔다.

아들의 목소리가 아슴푸레하게 들렸다.

"소연 씨가 모셔다 드리겠대요."

"아니다, 택시가 더 편해."

"지금 이 시간엔 택시 잡기가 힘들어요."

표정이 굳어진 소연은 잠자코 있었다. 그녀 또한 상처의 냄새에 민감한 후각을 가진 것일까. 천진한 것은 아들뿐이었다. 천진함은

때로 거역할 수 없는 것이 지나가게 하는 다리가 된다.

아들의 고집에 이끌리어 부인은 아래층으로 내려갔다. 뒤에서 따라 내려오며 아들은 소연에게 말했다.

"우리 어머니 모셔다 드린 뒤에 이리로 다시 올 수 있어요?"

"신문사에 들어가 봐야 돼요."

"할 수 없군. 내일 전화할게요."

소연의 조그만 엘란트라 승용차는 상점들이 밀집되어 있는 골목을 힘겹게 헤쳐 나가기 시작했다. 부인은 뒷좌석 오른쪽에 앉아 창 밖을 내다볼 뿐, 차에 오른 뒤부터 한 마디 말도 하지 않았다. 카스테레오에서 흘러나오는 감미로운 선율이 무거운 침묵을 적셨다. 침묵은 시간이 흐를수록 점점 무거워져 가슴을 답답하게 짓눌렀다.

우리 아이를 언제부터 알게 됐어요? 신문사 일은 재미있어요? 집이 어디예요?

입 속에서 혀는 끊임없이 말을 더듬어 보지만, 도무지 그 침묵을 깰 말이 찾아지지 않았다. 아마도 마음에서 할 수 있는 말이 너무나 제한되어 버렸기 때문인지도 몰랐다.

더 이상 말을 찾으려 애쓰지 않겠다는 자포자기 심정이 되자, 적막한 외로움이 엄습했고, 부인은 짐짓 추운 듯이 몸을 떨었다.

차창 밖으로 흐르는 도심의 네온간판들, 차량들의 물결, 행인들이 그녀의 외로움 위로 환영처럼 미끄러져 지나갔다. 그것이 그녀의 삶을 둘러싼 정경들이었고, 지금도 그러하련만 아무런 연관성이 없어 보였다. 삶이란 지금 이 시간, 마음이 있고 그 마음이 몰두하는 곳에만 있는 것일까.

호텔의 회전문 앞에 서 있는 제복 차림의 문지기가 자동차 문을 열어 주었다. 부인은 손잡이로 팔을 뻗어 문을 도로 닫았다. 마치 침묵을 깨고 나갈 방향을 찾았다는 신호처럼. 핸들 위에 손을 얹고 있는 소연의 어깨가 가볍게 떨렸다.

하지만 어디로?

손가방을 팔에다 걸며 부인이 잠긴 목소리로 말했다.

"고마워요."

"안녕히 가세요."

부인은 차에서 내리자 곧장 회전문 안으로 걸어 들어갔다. 바퀴의 마찰음을 남기고 자동차가 떠나갔다. 부인은 천천히 뒤를 돌아다보았다. 아무것도 바라볼 것이 없었음에도. 깊이를 알 수 없는 밤의 어둠 이외에는.

상처 또는 작열하는 고독

"넌 네 남편이 어떤 사람인지 잘 안다고 했지? 난 모르겠어. 정말 모르겠어. 아침마다 그의 고추를 잡고 잠에서 깨어났음에도, 난 그 남자에 대해 아무것도 아는 것이 없는 거야."

또다시 병을 기울여 자신의 잔에다 와인을 따르고 나서, 부인은 발그레하게 젖은 눈으로 테이블 너머 친구를 바라보았다.

"너 오늘 왜 그러는 거니? 무슨 일이 있었어?"

좀체 섣부른 호기심을 드러내지 않던 친구가 마침내 입을 열었다. 중견 변호사의 부인인 그녀는, 가정을 통해 자기 삶을 착실히 가꾸어 온 보통 주부지만, 여학교 때부터 불편하고 까다로운 성격의 부인과 긴 우정을 유지해 온 비결은, 그녀의 너그럽고 온화한 성품 때문이었다. 서로의 다른 점이 가시가 되기보다 결핍된 부분을 채워주는 관계가 될 수 있었던 것도, 넘치는 감정이나 친밀감을 내세운 지나친 간섭을 절제해 온 그녀의 현명한 처신 때문이었다.

"난 알아. 택시 기사는 아무 잘못도 없어. 그 양반이 사고를 불러들인 거야."

목소리는 무심을 가장하고 있지만 부인의 표정은 결연한 감정을 담고 있었다.

"글쎄, 내가 아는 것은 귀동냥에 지나지 않지만, 검찰 조사에서 네가 그렇게 말하면, 저쪽에서 고발한 대로 넌 무고죄가 될 텐데."

"상대는 과실이 없음에도 구속되어 있고, 그만큼 절박한 상황에 몰려 있어. 내 인생이 맞닥뜨려 있는 것은 법조문 따위가 아니야. 사생결단하고 자기의 무죄를 입증하려는 사십대 남자와 그의 가난한 가족들이라는 사실이고, 그의 무죄가 입증된다는 것은 곧, 내 남편이었던 사람이 스스로 삶을 놓아 버렸다는 사실을 내가 받아들여야 한다는 것이지."

"하지만 문제는 심각한 것 같다. 네가 스스로를 적극적으로 방어하지 않으면 우리 남편도 별수없을걸."

친구는 자신이 마신 찻잔 가장자리에 묻어 있는 입술연지를 종이 냅킨으로 닦아내고 있었다.

"난 알고 싶어, 진실이 무엇인지. 알아듣겠니? 무고죄 따위는 아무래도 상관없단 말이야."

부인의 상체는 친구를 향해 거의 넘어질 듯 숙여져 있었고, 결연한 표정이 언제 왈칵 독설을 쏟아낼지 위태로워 보였다.

"넌 이미 진실을 알고 있다면서?"

"내가 알고 있는 것은 팩트(fact)일 뿐이야. 왜, 무엇 때문이냐구? 그 양반이 삶을 놓고 죽음 속으로 걸어 들어간 것이. 정말 미칠 일이 아니니? 한평생 서로 깊이 사랑하며 살았다고 믿어 왔는데."

부인은 자신의 입술을 피가 맺히도록 깨물었다. 미어지는 듯한 슬픔이 통렬한 분노로 바뀐 탓이었다.

"팩트가 무엇이건 너는 검찰에서 한사코 사고였다고 말해야 돼. 안 그러면 당장 신문 가십에 올라 시끄러워질 거다."

부인은 갑자기 온몸에서 맥이 쭉 빠지는 듯 어깨를 축 늘어뜨렸다. 친구는 부인의 눈가에 드리워진 절망의 빛을, 곁눈질로 슬쩍 비껴보며 다 식은 커피를 한 모금 마셨다.

"그러나저러나, 너 오늘 왜 이렇게 유난스럽니? 무슨 일이 있었는지 그 얘기나 좀 들어 보자."

친구는 그녀가 손 안에서 빙글빙글 돌리고 있는 와인잔 속에 고정시키고 있는 눈길을 쳐들게 하려고, 그녀의 눈앞에서 손을 흔들어 보기까지 했으나 소용이 없었다. 이미 자기 속의 수렁 속으로 깊숙이 빠져 버린 그녀를 위해선 와인이 더 필요할 듯싶었다.

친구는 테이블 사이로 분주하게 오가고 있는 제복 차림의 종업원을 손짓으로 불렀고, 펜과 메모지를 손에 든 종업원이 다가오자 와인 한 병을 더 주문했다. 그러고 나서 테이블 위에 잊은 듯이 놓여 있는 담뱃갑에서 담배 한 개비를 꺼내 불을 붙여 부인에게 주었다. 부인은 와인잔을 놓고 엄지와 검지로 담배를 받아 불이 푹 패이도록 깊이 빨아당겼다.

"너 우리 집 양반, 전 부인 알지……?"

의식적으로 고개를 크게 끄덕이는 친구.

유방암이었던 그녀가 죽기 이십 일 전쯤이었다. 한밤중에 잠에서 깨어난 현석화는 알 수 없는 불안에 쫓기며 방 안을 서성이다가 겉옷을 걸치고 집에서 나왔다. 인적이 끊긴 거리에 서서 택시를 기다리고 있을 때만 해도, 환자를 만나겠다는 생각보다는 그저 병원 뜰이라도 밟아 보고 돌아오자는 생각이었다.

그녀가 마음을 가다듬을 겨를도 없이 택시는 불빛이 환한 병원 현관 앞에서 멈춰 섰다. 파리한 형광등 불빛이 밝히고 있는 드넓은 대기실 안쪽에 누군가 버려 두고 떠나간 빈 휠체어 하나가 있었다. 갑자기 소름이 끼칠 정도로 마음이 곤두선 것은 그 휠체어 때문이었을까. 무언가 이 순간에도 영원히 지나가 버리고 있다는 사실, 가버리면 돌이킬 수 없다는 사실이 사무치도록 가슴을 저미게 했다.

우린 뭔가 해야 할 말이 있어. 아니, 굳이 말이 아니어도 서로가 서로의 마음을 헤아릴 방법이 있을 거야.

그녀는 파리한 정적을 가로질러 엘리베이터 속으로 들어갔다. 딩동댕 하는 소리와 함께 승강기 문이 열렸고, 어둡고 긴 복도가 나타났다. 병실 번호를 확인하면서 그녀는 신중하게 걸음을 옮겼다. 양쪽으로 늘어선 병실의 문들은 안으로 꼭꼭 닫혀 있었고, 그 안쪽 침상 위에서 누군가 발작적으로 터뜨리는 기침소리가 고요한 복도를 음울하게 뒤흔들었다. 갑자기 가슴이 뛰기 시작했다.

복도의 막다른 곳에 위치한 그 병실의 문을 두드리기 전에 그녀는 옷깃을 여미고 깊은 숨을 들이쉬었다. 들어오세요. 뜻밖에도 환자의 목소리는 쇳소리가 날 만큼 카랑카랑했다.

병실의 네 모퉁이는 시커먼 어둠 속에 잠겨 있었지만, 붙박이 스탠드에서 흘러나오는 파리한 형광불빛이 벽 쪽으로 붙여 놓은 덩그런 침대만은 환하게 밝혀 주고 있었다. 환자는 혼자 병실을 지키고 있었다.

머리카락이 한 올도 남아 있지 않아 번들거리는 맨머리로 침대 위에 일어나 앉아 발톱을 깎고 있던 환자는, 손을 멈춘 채 한밤중에 찾아온 손님을 한동안 아주 뚫어지게 바라보았다. 고요하면서도 눈물 없는 슬픔으로 가득 찬 그 눈 속으로 어떤 것이 지나가고 있는 것을 바라보면서, 석화는 그녀에게 자신이 누구인지 말할 필요가 없어졌음을 알았다.

환자는 다시 발톱을 깎으려고 엉거주춤 몸을 굽혔고, 옷섶이 벌어진 틈새로 앞가슴에 버섯처럼 매달려 있는 크고 작은 종양들이 보였다. 그럼에도 환자가 죽음의 문턱에 그토록 가까이 왔다는 징조는 그 종양들 때문이 아니라, 병실의 두꺼운 정적 속으로 발톱이 깎여져 떨어지는 소리 때문인 것처럼 느껴졌다.

석화는 말없이 앉아 있던 의자에서 일어났다. 환자가 고개를 들고 또다시 뚫어질 듯이 그녀를 바라보았다. 그 눈을 마주보고 있는 동안, 석화는 그 눈 속에 빠져 죽고 싶다고 생각했다.

"알겠니? 그때의 내 감정은 결코 죄의식 같은 것이 아니었어. 한 남자를 두고, 그녀는 남편으로, 나는 연인으로 관계를 맺기는 했지만, 그리고 그녀의 눈 속에서 내가 바로 그 사람이란 것을 그녀가 알고 있다는 사실을 내가 알았다 해도, 죄의식은 아니었어. 뭐랄까, 그때 나는 온몸이 아프도록 저렸고, 그것은 너무도 격렬한 욕정 같은 것이었어. 어쩌면 그녀 속에 빠져 죽고 싶다고 생각했을 때, 내 몸의 어떤 부분이 영원한 남성으로 전환했는지도 몰라."

이튿날 석화는 그녀의 남편이자, 자기의 연인인 남자에게 전화를 했다. 목소리에 담긴 절박함을 눈치챈 그가 잠시 후 그녀에게로 달려왔다. 양쪽 관자놀이에서 흘러내린 땀이 갓끈처럼 보였다. 그가 방 안으로 들어서기 무섭게 그녀는 그의 바지를 끌어내렸고, 줄곧 눈앞에서 어른거리는 죽어 가는 여인의 수렁 같은 눈 속으로 뛰어들었다. 아, 미치겠어. 차라리 당신 속에서 날 빠져 죽게 내버려둬. 석화가 부둥켜안고 뒹군 것은 그가 아니라, '그녀'였고, 그녀의 고독, 그녀의 슬픔이었다.

바깥에서는 한여름의 태양이 불볕을 쏟아 붓고, 도시의 소음마저 아득해지는 그런 날이었다. 물바가지를 뒤집어쓴 듯 땀으로 뒤범벅이 된 두 몸이 떨어지고 난 뒤 그가 말했다. "니, 오늘 흥분제 먹었나?"

친구는 두렵고 당혹스런 눈초리로 고개를 설레설레 가로저으며 말했다.

"나는 네 속의 그런 수렁에 대해선 알고 싶지 않아."

"네가 알고 싶다고 해도 너 같은 인간은 알 수가 없어."

부인의 입에서 독설이 쏟아져 나올 기미에, 친구는 얼른 농담조로 말머리를 돌렸다.

"하지만 너 날 속이진 못해. 오늘 무슨 일이 있었던 거지?"

진구를 뚫어질 듯이 바라보던 부인의 얼굴이 고통스럽게 일그러졌다.

"가눌 길이 없어, 나 자신을."

"왜?"

갑자기 부인의 두 눈에서 눈물이 주르르 흘러내렸다.

파먹히다 · 1

이튿날이었다. 겉으로 보기엔 아무 일도 없는 것처럼 보였다. 지난밤 늦게까지 친구를 앞에 앉혀 놓고 마셔댄 술 때문에 눈두덩이가 소복하게 솟은 것 외에는. 그런데, 그녀가 취기 속으로 빠져들어 외면하려 했던 것만큼, 가눌 길 없는 것의 정체는, 사로잡힌 그녀의 마음을 더욱 옥죄는 듯했다.

부인은 마치 자신의 삶이 온통 직물로 짜여진 성(城)이었던 것처럼, 어딘가에서 그 끝을 잡아당김에 따라 술술 풀려 나가면서, 그 안에 있던 벌거숭이의 자기 자신이 모습을 드러내려는 것처럼 느껴졌다.

위기감이 없는 것은 아니었으나, 그보다는 어쩐지, 끈을 잡혀 준 쪽에다 자극을 더 주어, 더 세게 당겨 봐라, 그 끝에 무엇이 있는지 알고 싶다는 심정이었다. 구축할 때는 신중하고도 노회하게 지루함을 참으며 쌓아 올린 것이지만, 이제 그것이 한순간에 폭삭 무너져 내린다 해도 피할 길이 없을 듯싶었다. 아니, 피하고 싶지 않았다. 왜냐하면 부인의 심중에 있는 버팀대는 균형을 저버리고 이미 가파르게 기울어져 있어, 나비가 꿀을 탐하듯 그렇게, 치명적 추락이 주는 현기증을 탐하기 시작했던 것이다.

아침 내내 부인은 늦잠을 자고 있는 아들의 방 주위를 초조하게 맴돌고 있었다. 글쎄, 그에게서 알아내고 싶은 것이 무엇인지는 확실치 않았다.

짙은 먹구름이 끼어 있는 하늘에서는 금방이라도 빗줄기가 쏟아져 내릴 것 같았다. 거실의 창가에 붙어서서, 등뒤로 들려올 아들의 인기척을 기다리기에 지친 부인은, 무선전화기를 뽑아 들고 뜰로 나갔다.

현관문을 열고 나서기 무섭게, 귀남이와 봉순이란 이름으로 불리는 두 마리의 개가 부인의 치맛자락을 잡아당기며 좋아라 했다. 흙바닥에 뒹굴어 몰골이 더러워진 개들을 목욕시켜야겠다고 생각했으나, 돌아서 걸음을 옮겼을 땐 이미 그 생각을 놓아 버리고, 개들이 물어내어 단풍나무 아래 팽개쳐져 있는 구두 한 짝을 집어 들고 있는 자신을 발견했다. 그런데 그 다음 순간엔 자신이 그걸 왜 들고 있는지 생각나지 않았다.

부인이 뜰을 서성거리고 있을 때 전화벨이 울렸다. 옥외였으므로 벨소리는 작았지만, 분명 뜰 안 어디쯤에서 나고 있었다. 전화기를 가디건 호주머니에 넣어 둔 것이 아니었나? 벨소리를 좇아 전화기를 찾고 보니, 영산홍 화분 그릇에 담겨 있었다.

"접니다, 선생님."

"아, 나기태 씨. 물감 정말 고마워요. 잘 쓰겠어요."

"뭘요, 제가 좀 무식하게 사온 거지요. 화장품 세트도 아닌데. 그건 그렇구요, 주빈 메타가 지휘하는 비엔나 필의 연주회 표가 있는데 보내 드릴까 하구요."

"그거야, 나기태 씨가 부인이랑 같이 가셔야 하는 거 아녜요?"

"집사람은 지금 친정에 가 있습니다. 그래서 선생님이 좋아하시는 분과 같이 가시라구요."

갑자기 숨을 멈칫했던 부인은 상대가 눈치채지 않게 다시 호흡을 가다듬었다.

"그렇다면 좋아하는 사람을 만들어 볼 수도 있겠네요. 연주회를 어디서 하지요?"

"세종문화회관입니다. 내일 모레, 오후 일곱 시."

세종문화회관이면 B신문사 근처였다. 부인은 가슴이 뛰고 얼굴에 열이 후끈 치솟았다. 무대를 가득 채운 검은 정장 차림의 오케스트라 단원들, 첼로, 바이올린, 콘트라베이스, 플루트, 비올라, 트럼펫, 트럼본 등의 악기에서 이끌려 나오는 오묘한 선율, 그 선율을 뒤섞고 밀어내고 주저앉히고 끌어올려 화음의 엑스터시를 만들어 내는 프록코트의 마법사.

부인은 소연과 나란히 앉아 연주를 듣고 있는 자신을 상상해 보는 것만으로도 가슴에 가벼운 통증을 느꼈다. 하지만 생각해 보면 우스꽝스런 일이 아닌가. 아무것도 아는 것이 없다, 그녀에 대해서. 시장바닥처럼 사람들이 많은 곳에서 그녀를 만난다면 얼굴을 알아볼지도 의문이었다. 그런 그녀가 부인의 호흡을 쥐었다 놓았다 하고 있는 것이다.

하지만 이 얼마나 놀라운 마법인가. 그녀와 함께 가게 될지도 모른다는, 모호한 가정(假定)이 있을 뿐인 음악회 입장권 두 장 때문에, 하늘이, 나무들이, 풀잎들이 모두 달라 보였다. 하늘은 잔뜩 찌푸려 비를 퍼부을 것 같아서 좋았고, 꽃을 피우고 누렇게 마른 꽃송이를 달고 있는 철쭉은 나이 먹어 보여서 좋았고, 울 밑으로 자라난 민들레나 클로버, 엉겅퀴 같은 잡초들은 가련해서 좋았다.

"어머니, 무슨 좋은 일이 있으세요?"

갑자기 등뒤에서 날아오는 아들의 음성에 부인은 내심 가벼운 충격을 받았다. 부인은 천천히 아들 쪽으로 몸을 돌렸다. 자신도 모르게 흥얼거리고 있던 콧노래를 씻은 듯이 삼키고 나서.

"비가 올 것 같지? 너는 어제 술을 많이 했니?"

물론 많이 했다. 아직도 술이 덜 깬 그는 흐릿하고 핏발이 덮인 눈동자에 푸석푸석한 안색을 띠고 있었다. 날씨가 음산한데도 그는 체크무늬 반바지와 짧은 티셔츠를 입고서 상쾌한 듯 기지개를 켜다 말고 어머니를 의식하여, 슬그머니, 까치집을 지어 들썽하니 뻗친 머리카락을 쓸어 내렸다.

"어제, 제 친구 그림 어떻게 보셨어요?"

"글쎄, 진지한 것은 좋으나, 자유로움이 없어 숨이 좀 막히더라. 정형화하기보다 유희적인 쪽으로 자기를 열면, 색채도 형태도 밝고 역동적이 되지 않을까 싶더라. 그러나 자기 세계는 확고한 것 같았어."

"전시회 끝나면 집으로 한번 데리고 오려구요. 그때 제 여자친구도 같이 초대할까 하는데 괜찮겠지요?"

"어떤 여자친구?"

"그건 아직 결정하지 못했어요. 사실은 고민중이에요."

"어제 나한테 두 사람을 소개시켰지? 이름이……."

부인은 자기도 모르게 마른침을 삼켰다. 물론 그 이름을 잊은 건 아니었다.

"이혜기 그리고 방소연. 한쪽은 그쪽에서 절 더 좋아하고, 다른 한쪽은 제 쪽에서 그 여자를 더 좋아해요."

팔짱을 끼고 있는 지훈의 표정이 돌연 심각해졌다. 자기 쪽에서 더 좋아하고 있다는 그 여자는 그의 마음속에 깊이 들어와 있는 게 분명했다. 부인은 바작바작 타고 있는 가슴 위로 슬그머니 손을 가져갔다. 짧은 침묵이 흘렀다. 그리고 갑자기 어조를 바꾸면서 부인이 말했다.

"이혜기란 여자는 발랄하고 쾌활해 보이더라."

"예. 영리하고 똑똑하지요. 좋은 집안 아이예요. 아버지는 치과의사이시고, 어머니는 피아니스트예요."

"본인은 뭘 하지?"

"방송작가예요."
"그림에 대해선 관심이 없나?"
"어머닌 그 아가씨가 마음에 드세요?"
"아니 뭐 꼭 그렇다기보다, 너한텐 밝고 능동적인 성격의 여자가 어울릴 듯싶다는 거지."
마음에 없는 말은 아니었다. 그럼에도 부인은 자기 자신에 대해서 꺼림칙하고 불쾌한 기분이었다. 아직 이렇다 하게 결정적인 거짓말을 하지는 않았지만, 소연에 대한 지훈의 관심을 돌려 놓고 싶은 것은 사실이었다.
"소연이는 어떻게 생각하세요?"
아들은 어머니의 의중을 조심스럽게 타진해 보고 있었다. 그 태도는 이혜기에 대해서 말할 때와는 다르게 진지하고, 뭔가를 속으로 숨기는 듯한 느낌을 주었다.
짐작보다 두 사람의 관계는 훨씬 깊은 것일까. 그 생각만으로도 부인은 가슴에 찌르는 듯한 날카로운 아픔을 느꼈다. 하지만 지훈은 고민중이라고 하지 않았는가. 그가 소연의 마음을 얻는 일이 쉽지 않은 것이 분명했다.
"그 아가씨는 분위기가 좀 다른 것 같더라."
부인은 초조한 기색을 감추며 재빨리 말을 이었다.
"그건 그렇고, B신문사 어느 부서에서 일하고 있지?"
"문화부예요."
"어제 차를 태워 줘서 고맙다는 인사라도 할까 하는데."
"그러세요. 어머니."
지훈은 무슨 말인가 덧붙이려다 그만두었다. 생각에 잠긴 그는 팔을 뻗어 서양사과나무 이파리를 한 움큼 쥐어뜯었다.

기억의 파문

이삭 디네센 원작 소설의 영화인 〈바베트의 만찬〉에는 상영 첫날임에도 관객이 열 사람이 채 못 되었다. 영화 담당이 된 이후로 그 영화는 내가 기사를 쓰기 위해 세 번째로 보는 영화였다. 어제 수입영화사로부터 시사회 초대가 있었으나 갈 수가 없었으므로, 나는 점심시간을 이용할 작정으로 회사를 빠져 나왔다.

망망한 바다, 황량한 모래벌판, 굴뚝에서 피어 오르는 한 줌의 연기, 노천의 건조대에 걸려 있는 생선, 그리고 오두막집 몇 채가 모여 있는 외딴 바닷가 마을. 그곳이 처녀로 늙은, 목사님의 두 딸 마르티나와 필리파가 사는 곳이었다.

바람소리, 파도소리, 드높은 하늘뿐인 황량하고 외진 곳이지만, 목사님의 두 딸은 신심 깊은 아버지의 영적인 인도를 받으며 고귀하고 순수한 생활을 하고 있다. 마르티나와 필리파가 모습을 나타내는 곳은 오직 교회뿐이었으므로, 두 딸의 아름다움을 선망하고 사모하는 동네 청년들은 모두 교회로 올 수밖에 없었다. 그러나 세속생활에 젖어 있는 그들이 아무리 구애를 해도 두 딸의 마음을 얻기는 결코 쉽지 않았다.

어느 날 궁정의 근위대 장교인 로렌즈 로벤헬름이 아버지로부터 근신 처벌을 받고 인근 마을에 혼자 사는 숙모댁으로 찾아온다. 말을 타고 산책을 하던 로렌즈는 우연히 마르티나를 보는 순간 사랑에 빠진다. 그는 마르티나를 보기 위해 목사님 집에서 열리는 기도모임에 매번 참석한다. 그러나 그 경건한 기도모임은 방종한 생활에 젖어 있는 그에게 모멸감을 안겨 줄 뿐이었다. 예배 도중, 그는 갑자기 자리에서 일어나 마르티나에게 작별인사를 남기고 떠나간다.

동생 필리파에게도 사랑을 체험할 기회가 있었다. 오페라 가수인 아킬 파핀은 스톡홀름 공연 뒤에 슬럼프에 빠져 바닷가 외진 마을을 찾게 된다. 바닷가를 산책하며 우울증을 달래던 그는, 청아한 노랫소리에 이끌려 교회 안으로 들어서게 된다. 귀족들의 칭찬을 의식한 자기의 노래에 비해, 오직 하나님만을 위해 영혼으로 부르는 필리파의 찬송. 파핀은 그녀의 노래에서 예술적 영감을 얻을 뿐만 아니라, 우울증에 빠진 마음도 사랑의 기쁨으로 충만된다.

그러나 필리파는 파핀에 대한 자기의 사랑이 더 깊어지기 전에, 마음의 문을 닫기로 결심한다. 아버지와 언니의 곁으로 되돌아온 필리파는 뜨개질을 하며 사랑의 상처를 달랜다.

아버지가 돌아가신 뒤, 두 자매는 아버지를 대신하여 영적(靈的) 목자의 역할을 계속한다. 1871년 9월, 폭풍우 치는 어느 날 밤이었다. 검은 망토를 뒤집어쓴 한 여인이 자매가 살고 있는 집 문을 두드렸다. 기진맥진한 그녀는 품안에서 파핀이 보낸 편지를 꺼내어 건네주고 실신한다. 프랑스 내전중에 남편과 아들, 집을 잃고 반대파의 추적을 피해 살 곳을 찾아 피신 온 바베트 헤르상트.

바베트는 목사관의 다락방에 거처를 구하는 날로부터 스스로 하녀의 일을 도맡고, 몸가짐에서도 엄격하게 자신의 신분을 지킨다. 부엌에 앉아 생선죽 한 그릇이 전부인 아침식사를 하며, 창 밖의 황량한 풍경을 고즈넉이 바라보는 바베트.

바베트의 매섭고 부지런한 살림 솜씨로 해서 목사관은 청결하고 반짝반짝 윤이 났으며, 무의탁 노인에겐 훨씬 맛있는 죽을, 예배모임에 참석하는 이웃 신자들에겐 잘 구워진 과자와 정갈한 차를 대접하게 되었다.

십사 년 동안 한결같은 마음으로 자매를 위해 일해 왔지만, 바베트는 고독했다. 아무도, 저녁노을을 바라보는 그녀의 눈에 눈물이 어리는 것을 알지 못했다. 그녀의 고독은 세속적인 것이 아니었다. 파리의 최고급 레스토랑 '앙글레파페'의 수석 요리사였던 그녀는 그 가난하고 외진 마을에서는 이제 더 이상 프랑스 정통요리를 해볼 기회가 없어졌음을 슬퍼했다. 요리는 그녀에게 혼신을 다하게 하는 예술이었다.

어느 날 프랑스에서 날아온 우편물 한 통. 그녀가 산 복권이 일만 프랑에 당첨되었다는 소식이었다. 그 돈이면 파리로 돌아가 새 생활을 시작할 수 있었다. 자매는 은연중 그녀의 눈치를 살피며, 바베트의 입에서 떠난다는 말이 나와도 섭섭해하지 않으리라 다짐한다.

바다를 바라보며 혼자서 오래 생각한 끝에, 바베트는 조심스럽게 자매의 거실 문을 두드린다. 목사님의 탄신 백 주기 만찬을 프랑스 정통요리로 차리게 해달라는 바베트의 간청은 간곡했다. 재료를 구입하러 가기 위해 바베트가 집을 비운 며칠 동안, 무의탁 노인들은 설익은 죽을 먹어야 했다.

드디어, 바베트가 파리에 주문했던 재료들과 만찬에 필요한 집기 일습을 실어 온 배가 바닷가에 도착했다. 살아 있는 메추라기들이 들어 있는 새장을 손에 든 바베트를 선두로, 얼음덩어리를 짊어진 조카, 살아 있는 거북과 기타 재료들이 실린 수레를 몰고 있는 짐꾼들의 행렬이 목사관으로 들어가는 광경을 동네 사람들이 호기심 어린 눈으로 지켜본다. 바베트는 성스런 미사를 집전하려는 사제처럼 보인다.

가난한 식탁에 올려질 몇 가지 음식밖에 만들어져 본 일이 없는 목사관의 부엌에는 경이로운 맛의 프랑스 요리에 쓰일 갖가지 재료들과 집기들이 가득 차 있다. 죽은 날짐승들의 다리와 머리가 수북이 실려 나오는 부엌에서는 마치 끔찍한 살육이 저질러지고 있는 것처럼 보인다. 요리를 준비하는 바베트의 손길은 날렵하고 정확하고 때로는 무자비하기까지 하다.

이 광경을 살그머니 엿보고 나서 두려움에 사로잡힌 마르티나는, 마녀가 만든 괴상한 음식을 먹게 되지 않을까, 심히 걱정된다고 동네 사람들에게 털어놓는다.

식당에는 하얀 식탁보가 덮이고 은촛대와 크리스털 잔들, 격식을 갖춘 접시들이 놓인다. 시간이 되자, 손님들이 모여든다. 그 중에는 청년 시절 마르티나에게 연심을 품고 떠나갔던, 지금은 장군이 된 로렌즈와 그의 나이 많은 숙모도 있다.

부엌에서는 바베트의 손끝에서 갖가지 음식들이 마치 현란하게 피어나는 꽃처럼, 한 가지씩 자태를 드러내고 있었다.

그것은 보기에도 마법사의 완벽한 솜씨였다.

난생 처음 대하는 음식을 앞에 두고, 어찌할 바를 모르는 동네 사람들과 두 자매. 그러나 세상에서 최고의 지위에 올라 많은 일품요리들을 대해 본 로렌즈 장군만은 음식을 맛볼 때마다 그 맛의 신비로움에 경탄을 금치 못한다. 무지한 동네 사람들의 혀는 장군의 경탄으로 미각의 즐거움에 비로소 눈을 뜬다. 그들은, 어느 장군이 이 세상에서 죽음을 무릅쓴 결투를 할 만한 가치가 있다고 말한, 유일한 여성, 파리 '앙글레파페' 레스토랑의 수석 요리사, 바로 그녀가 만든 음식을 맛보고 있었던 것이다. 그 맛은 반목을 일삼아 온 동네 사람들로 하여금 사랑을 되찾고, 하나님에게 진정으로 감사하는 마음을 품게 해준다.

하지만 바베트 자신은 자신이 만든 요리를 오직 맛을 보기 위해 맛볼 뿐이었다. 손님들이 음식을 들며 화기애애한 시간을 즐기고 있는 동안, 그녀는 빨갛게 익은 얼굴을 얼음물에 식히고 나서, 부엌 한구석에 앉아 남은 음식을 대강 거두어 손으로 집어먹고 있다. 그녀의 얼굴에 떠오른 흡족한 미소, 그것은 힘들여 수고한 자만이 느끼는 희열이었다. 그녀가 평생 걸려도 모으지 못할 1만 프랑, 그것은 음식을 만드는 데 몽땅 쓰여졌다.

그녀는 도로 빈털터리가 되었지만, 결코 가난하지 않았다. '그녀의 마음속 외침이 세상을 울린' 만찬 식탁을 마련해 봄으로써 얻게 된 희열, 그것은 1만 프랑이란 돈보다 훨씬 값진 것이었다. 마치 가

나의 잔칫집에서 일어난 기적, 물이 포도주로 바뀐 것같이.

식탁 위에 놓인 촛대의 촛불이 꺼지고 가느다란 연기 한 줄기가 어둠과 섞이며, 영화는 끝이 났다.

스태프진의 이름들이 주름이 접히듯 화면의 상단으로 사라졌고, 마침내 돌비 스테레오 로고에서 화면이 정지했다.

실내에 불이 켜졌다. 관객들이 모두 자리를 떠난 텅 빈 객석에 나는 혼자 남아 있는 줄 알았으나, 내 앞쪽에 앉아 있던 수녀 한 사람이 방금 자리에서 일어나 중앙 통로를 걸어나오고 있었다.

제복을 입고 있었지만 그녀의 자태가 어쩐지 낯익은 듯해서, 나는 자리에서 일어선 채 그녀를 찬찬히 살펴보았다. 그녀의 옷자락이 내 무릎을 스칠 즈음, 나는 확실히 알아보았다.

"김인애 선생님."

영화가 남긴 깊은 감동의 여운 속에 고개를 떨구고 있던 그녀가 얼굴을 쳐들었다.

"아아니……."

지하에서 많은 계단을 올라 밖으로 나올 때까지 우리는 어느 쪽도 입을 열지 않았다. 나는 그녀의 검은 단화 뒤꿈치에 눈길을 맞추고, 마음속에서 끓어오르는 착잡함을 억제하려 애썼다.

밖에는 비가 내리고 있었다. 세찬 빗줄기였다. 쏟아지는 빗줄기를 바라보며 우리는 한동안 우두커니 서 있었다.

"차 한잔 하겠어?"

잉크빛처럼 파랗게 변한 입술을 지그시 깨물며 그녀가 나를 쳐다보았다. 십사 년이란 세월이, 또는 그녀가 내게 남긴 아픔이 잉크빛으로, 그녀의 입술 위에 돌아와 있는 것처럼 보였다.

"여기 계세요. 제가 차를 가지고 오겠어요."

주차장으로 가서 자동차에 시동을 걸어 놓고, 나는 핸들 위에 손을 얹은 채 가만히 앉아 있었다. 다 부질없는 짓이야. 내 마음이 그렇게 중얼거렸다.

나는 와이퍼를 작동시킨 뒤, 액셀러레이터를 밟았다. 잠시 후 그녀는 내 차 속으로 들어와 곁에 앉았다. 건널목에서 신호가 바뀌기를 기다리고 있을 때였다. 그녀가 불쑥 말했다.

"어디다 차를 세우고, 차 안에서 커피를 마셔도 되겠네."

"그럼, 강변 고수부지로 갈까요?"

도중에 나는 차를 세우고, 자동판매기에서 커피 두 잔을 뽑았다. 자동차를 세우고 시동을 껐을 때, 그녀가 양손에 들고 있던 종이컵 하나를 나에게 주었다.

우리는 세월을 뛰어넘어 지난날의 어느 한 자락 속으로 되돌아와 있는 듯했다. 그러나 그녀 곁에 있어도 나는 더 이상 마음이 두근거리지 않았고, 상처의 통증조차 거의 느껴지지 않았다. 나는 담담하게 당시를 회상할 수 있었다.

"그해 여름방학이 끝났을 때, 누군가는 선생님이 병원에 입원해 계신다고 했고, 또 누군가는 다른 학교로 전근을 가신다고 했고, 결혼을 하신다는 소문도 있었어요. 그러나 저는 그 어떤 말도 믿지 않았어요. 저는 그때 누군가를 정말로 좋아하면 그 사람이 자기 사람이 되는 줄로 믿었으니까요. 저는 여자와 여자끼리도 결혼을 할 수 있는 줄 알았어요. 공부가 끝나고 집으로 돌아가는 길에 매일 선생님 하숙집에 들렀어요. 그리고 방문 앞에 있는 유리병에다 공부시간에 접은 학을 집어 넣었어요. 병 속에 쌓이는 학이 많아질수록, 저는 더욱 정성들여 학을 접었어요. 그러던 어느 날 방문이 활짝 열려 있었고, 방 안에 있던 짐들이 모두 어디론지 없어져 버렸어요. 그래요, 제가 접은 학들은 끝내 선생님에게 전달되지 않았어요. 저는 그 병이 주인집 쓰레기통에 버려져 있는 것을 보았어요."

그것이 내가 사춘기 때 겪은 순수의 죽음이었다. 와이퍼가 빗줄기를 씻어내어 말갛게 닦인 유리창 너머로 그녀는 잿빛 강물을 바라보고 있었다.

"그해 여름은 나에게도 고통스러웠지."

그녀는 숨을 크게 들이쉬고 나서 말을 이었다.

"나는 강간을 당했어, 이복형제한테."

그뿐이었다. 그녀는 거기에다 더 이상 아무 말도 더하지 않았다.

각자의 귀를 빗소리에다 맡기고 있는 동안, 우리를 갈라 놓은 엄연한 세월이 고스란히 되돌아와 있었다. 나는 시계를 보았고 그녀가 말했다.

"이제 갈까?"

사무실의 내 책상 위엔 부재중에 나를 찾는 전화들을 메모해 놓은 쪽지들이 있었다. 올케, 친구, 치과, 불문학자이자 나의 스승인 최상열 씨, 그리고 현석화 여사의 이름이 적혀 있었다. 올케와 현석화 여사의 이름 옆에는 '연락 바람'이란 전언이 덧붙여져 있었다.

비록 통화를 하지 못했어도, 올케, 친구, 치과, 최상열 씨의 경우에는 그 내용을 대강 짐작할 수 있었다. 그런데 현석화 여사의 경우는 전혀 짐작이 되지 않았다. 그녀는 내 어머니보다는 나이가 아래지만, 어찌 됐든 사회적으로 이름 있는 사람이었다. 기자라는 내 직업에서 보자면, 오히려 내 쪽에서 눈독을 들여야 하는 취재원으로서의 신비감과 대중적 관심도가 높은 인물이었다. 그런 그녀가 뚜렷한 용건이 짐작되지 않은 채 내게 전언을 남긴 것이다.

하기는 아침에 지훈과 통화하면서, 어머니가 전화하실 거라는 말을 듣기는 했다. 차를 태워 줘서 고맙다고는 하지만, 그 때문에 굳이 전화로 인사치레를 해야 할 만큼 대단한 폐를 끼친 것은 아니었다. 나는 회사로 돌아가는 길에 그분을 모셔다 드렸기 때문에 달리 수고한 것도 없었다.

그렇다면 지훈이 자기 어머니를 통해 나에게 무슨 암시를 하고 싶은 일이 있는 걸까? 한편으로는, 그녀가 나를 바라보던 때의 그 수

수께끼 같은 눈빛이 마음에 쓰였다. 중학교 2학년 때 서울에서 새로 부임해 온 김인애 선생의 첫 수업시간에, 그녀가 나를 바라보던 눈빛도 그러했다. 타는 듯한 눈빛이 열망하는 바를, 나는 이미 열네 살 때 체험했던 것이다. 열다섯 살 때 나는 폭삭 늙어 버린 기분이었다.

현 여사의 전화번호를 누르는 나의 손끝은 아릿한 통증에 젖어 있었다. 아니면 단순히 비 오는 날의 축축한 감상일지도 몰랐다.

"여보세요."

"저 방소연이에요."

내 목소리가 저쪽에 들리지 않는 걸까. 아무 대답이 없었다.

"여보세요, 현 선생님, 저는……."

"전화 기다리고 있었어요."

화난 사람처럼 그녀의 목소리는 경직되어 있었다. 나는 당황했다.

"취재가 있어서 밖에 나갔다가 지금 들어왔어요. 메모를 보고……."

"소연 씨 내일 저녁에 약속이 있어요?"

"네. 집안에 일이 있는데요."

갑자기 무거운 것이 가슴을 짓누르는 듯했다. 그 때문에 잠깐 동안의 침묵이 내게는 아주 길게 느껴졌다.

"할 수 없군요. 같이 음악회에 갔으면 했는데."

무언가 한순간에 어긋나 버렸다. 나는 머뭇거리거나 망설일 틈조차 없었다. 내 대답은 있는 그대로의 진실이었음에도 무성의했던 것처럼 느껴졌다.

컴퓨터를 켜놓고 일을 하려 해도 마음이 집중되지 않았다. 김 수녀와의 만남, 현 여사로부터의 전화, 영화 〈바베트의 만찬〉이 남긴 강렬한 여운……. 오늘은 이상한 날이었다. 그것들은 내 마음속에서 각기 다른 반향을 불러일으키면서도, 서로 겹치고 엉기어서 어느 날 문득 내 앞에 인생의 중요한 의미로 떠오를 것만 같았다.

하지만 잠시였다. 계속 울려대는 전화벨 소리, 부장의 고압적인 지시, 동료들이 재빠르게 두드려대는 키보드 소리에 나는 차츰 메마른 긴장감에 휩싸였다.

파먹히다 · 2

강북에다 만들어 놓은 약속과 볼일들은 하루를 꽉 채우고 있었다. 열두 시에 뉴욕에서 나온 윤정미 부부와의 점심 약속. 정미는 부인의 고등학교 동창생으로서, 최근에 미국인과 재혼을 하고 신혼여행 삼아 귀국했다고 한다. 그 전에 인사동에 들러 그녀의 결혼 선물이 될 만한 다기(茶器)를 한 세트 살 작정이었고, 한복집에 맡겨 둔 저고리를 찾는 일도 해야 했다. 네 시에는 미술잡지 기자와 인터뷰 약속이 있었고, 일곱 시쯤 S대 병원에 입원중인 이모의 문병을 갈 작정이었다.

사실 부인은 시간을 절약한다는 구실로, 약속과 볼일 사이의 틈새를 곡예하듯 비집고 다니는 것을 극히 혐오했다. 그래서 부인은 누군가를 만날 때면, 오직 그 사람과의 만남만을 위해 시간과 마음의 문을 아낌없이 열어 두고자 노력했다.

그런데 이상한 일이었다. 전시회에서 소연을 만난 이후로 마음이 좀체 가라앉지 않았다. 마치 버팀목이 쓰러진 허수아비처럼, 의지도 자제력도 가뭇없이 증발된 양, 바깥 세계의 자력이 마음 깊숙한 곳까지 밀고 들어와 맘껏 희롱하고 유린해도 맞설 힘이 전혀 없었다.

오늘의 약속과 볼일은 규모 있게 짜여진 것처럼 보여도, 사실은 일들 자체가 처덕처덕 쌓여서 그녀를 끌고 가는 것이었다. 그리고 이와 같은 내적 진공 현상은 부인의 열망이 오직 한 곳에만 집중되어 있기 때문이었다. 그 열망은 삶의 중요하고 덜 중요한 요소들 모두를 태워 가며, 오직 한 곳에 바쳐지기 위해 열과 빛을 더해 가는 중이었다.

아침 일찍부터 부인은 외출 채비를 하기 시작했다. 일곱 시도 채 못 되어 샤워를 했고, 샤워를 한 뒤엔 온몸 구석구석을 잘 다독여 가며 바디로션을 발랐다. 게을러서 귀찮기만 했던 일이 즐겁기까지 했다.

아껴서 입지 않은 비단 속내의를 꺼내서 입고, 발톱과 손톱도 깨끗이 다듬었다. 그런 중에도 부인의 시선은 자주자주, 열어 놓은 옷장에 걸려 있는 옷들을 더듬으며 무엇을 입을지 머릿속에서 코디네이트를 되풀이했다.

아침을 먹지 않아도 속이 든든한 기분이었고, 드디어 외출할 시간이 가까워 가벼운 화장을 할 때쯤, 그녀는 불현듯 깨달았다. 자신이 오늘은 그냥 넘기지 않으리란 것을. 목욕을 하고 속내의를 새것으로 갈아입고 화장을 하게 하는 진짜 이유는 다른 데 있었던 것이다.

물론 부인이 그 끈을 쥐어 준 사람은 자기 손에 그런 끈이 쥐어져 있는 줄조차 아직은 모르고 있지만, 오늘은 기어이 무슨 구실을 만들어서라도 그녀를 만나 보리라는 열망이, 사실은 빡빡하게 짜여진 하루의 가면 뒤에 감춰져 있었던 것이다.

그러한 열망이 베일을 벗어 던지기 무섭게, 시간은 고문하듯 더디게 흘러갔다. 하지만 무슨 구실로 그녀를 만나자고 할 것인가. 현재로선 빡빡하게 짜여진 스케줄 틈새로 그녀를 만날 짬을 만들기는 쉽지 않게 되어 있다. 그러나 마음을 들키지 않고, 품위를 유지하면서도 그녀가 거절하지 못할 구실이 만들어지면, 약속과 볼일들 모두를 취소하게 될 것이다.

열 시에 전화를 했다. 부인은 우선 탐색부터 해볼 양으로 114에다 B신문사의 대표 전화번호를 물어 보았다. 구실을 미처 생각해 두지 못한 상태였으므로, 소연이 불쑥 수화기 앞으로 나타날까 봐 조마조마한 가운데, 부인은 숫자 버튼을 눌렀다.

"문화부 부탁합니다."

"어느 분을 찾으세요?"

"방소연 씨."

"잠깐 기다리세요."

"네에……."

"문화붑니다."

낯선 남자의 음성인데도 부인은 가슴이 덜컥 내려앉는 것 같았다. 안도의 숨을 내쉬기는 아직 일렀다.

"방소연 씨 계세요?"

"아직 출근 안 하셨는데요."

"몇 시에 나오지요?"

"열 시 반쯤 다시 해보세요."

남자의 무뚝뚝한 음성이 부인의 마음을 공연히 모멸스럽게 했다.

전화를 끊고 나니 시간이 촉박해져 있었다. 약속 장소에 가기 전에 선물을 사려면 적어도 한 시간의 여유는 가져야 했다. 소연을 만날 수 있을지 없을지 알 수 없는 상황이, 좀전까지도 만남의 흥분과 기대로 부풀어 있던 부인의 마음에 한 가닥 불안의 그림자를 드리워 놓았다. 이제 다른 약속과 볼일들에 대한 관심과 흥미는 깡그리 사라져 그저 부담스럽기만 했다.

그녀를 만나려는 열망은 뻔뻔하리만큼 거세어져, 부인은 자신이 외출하려는 것이 오직 그녀를 만나기 위해서인 듯 착각할 지경이었다.

부인은 그날 전시회 때 입었던 옷과 장신구들을 평소에 자주 애용하는 편이었지만, 소연의 취향을 염두에 두고 다른 것을 골랐다. 소연은 값비싼 보석보다는 디자인이 신선한 바틱류의 수제품을 좋아할 것 같았다.

택시를 잡으려고 길에 서 있는 동안, 부인은 시계를 들여다보고 또 보았다. 약속 시간에 맞추지 못할까 봐 조바심치는 것이 아니라,

열 시 반이 되었는지 확인하기 위해서였다. 일반 택시가 있었음에도 부인은 모범택시를 잡았다. 모범택시에는 대체로 카폰이 비치되어 있는 까닭이었다.

열 시 반에서 오 분을 간신히 넘긴 다음, 부인은 기사로부터 카폰을 얻어 신문사로 다시 전화했다.

"여보세요."

"문화붑니다."

먼저 전화를 받았던 그 목소리의 남자였다. 그의 목소리는 여전히 기분이 상할 만큼 무뚝뚝했다. 내가 현석화라는 것을 알면 그의 음성도 달라질 텐데……. 아니면 틀림없이 새파란 나이의 그가 이쪽이 큰누나뻘이 된다는 사실을 알기만 해도……. 하지만 신분을 밝힐 이유는 전혀 없었다.

"방소연 씨 부탁합니다."

"아직 출근 안 했습니다."

"언제 나오세요?"

부인의 목소리에 스쳐 가는 낙담을 눈치챘음일까. 남자는 퉁명스럽게 되물었다.

"어디세요?"

"나중에 다시 하지요."

황급히 전화를 끊었다. 씁쓸하기 짝이 없었다. 부인은 차창을 내리고 담배를 꺼내 물었다. 기사가 꺼림칙해하는 눈치를 보였지만, 담배라도 태워 다친 마음을 추스르지 않을 수 없었다.

인사동에 도착했을 때는 열한 시 이십오 분으로 접어들고 있었다. 다기와 차 종류를 파는 가게에서 주인이 그녀가 산 물건을 포장하고 있는 동안, 부인은 또다시 신문사로 전화했다. 이번에는 여기자가 전화를 받았다.

"방소연 씨 부탁합니다."

"잠깐 자리를 비웠는데요. 어디세요?"

"네, 다시 하지요."

상점을 나와 약속 장소로 가는 부인의 발걸음은 거의 주저앉을 만큼 무거웠다. 소연과 통화하지 못해 낙담이 된 만큼, 자기 앞의 약속과 볼일들 하나하나는 힘겹게 넘어야 할 장애물로 변한 것 같았다.

인사동 골목을 벗어나 수운회관 쪽으로 꺾어질 즈음, 부인은 수제품 장신구들을 파는 상점 앞에서 걸음을 멈추었다. 상점 문에 달린 종이 크게 소리를 낸 것은, 그녀의 내부에서 열망이 다시 회전을 하며 불을 켠 까닭이었다.

"무슨 물건을 찾으세요?"

"이십대 아가씨한테 줄 선물인데, 목걸이나 팔찌 같은 거……."

은사슬에 장미 모양의 라피즈석이 달려 있는 그 목걸이는 상당히 비싼 값이었으나, 부인은 선뜻 그것을 집었다.

주인이 선물을 포장하고 있는 동안, 부인은 상점의 무선전화기를 들고 돌아선 채, 번호를 눌렀다.

제발, 이번에는 자리에 있어 주렴, 하고 애타는 마음으로 부인은 천장을 쳐다보며 신호음이 가는 소리를 듣고 있었다.

공허 그리고 허둥거림

지훈과 점심을 함께 하기로 한 음식점은 그의 방송국 근처에 있었다. 열 시 삼십 분에 시작한 젊은 영화감독과의 인터뷰가 예정보다 일찍 끝났기 때문에, 그의 시간을 절약해 줄 생각으로 장소를 방송국 가까운 곳으로 정했다.

마포대교를 지나 여의도로 진입했을 무렵 삐삐가 울렸다. 지훈의 데스크 전화번호였다. 그는 긴급 회의 때문에 점심을 같이할 수 없게 되었으니, 혼자 점심을 먹고 나서, 회사 4층에 있는 휴게실에서 한 시에 만나자고 했다. 이미 방송국 근처에 와 있다고 말할까 하다가 그만두었다. 그렇다고 해서 지훈이 나 때문에 회의에 빠질 리도 없었고, 또 그렇게 해본들 마음이 편치 않을 것이다.

하지만 씁쓸했다. 항시 갑작스런 변수에 의해서 약속 시간이나 장소가 변하는 일이 많았으므로, 나는 어느 정도 단념하는 마음에 길들여져 있었다. 그럼에도 때로는 우리의 관계를 좀더 열정적으로 끌어올리고 싶은 난폭한 충동을 느낄 때가 있다. 나에 대한 그의 이성, 그에 대한 나의 이성은, 어쩌면 상처를 두려워하는 자기 방패일지도 모른다. 아니다. 내 경우엔 상처 그 자체가 두려운 것은 아니다. 지훈이 내게 그만한 것을 걸게 할 만큼 매력 있는 존재일까. 우리 사이는 아직까지는 이성으로 쌓아 올린 친밀함이 전부이다.

나는 숙명으로서의 사랑을 만나 보고 싶다.

낯선 동네에서 혼자 점심을 먹어야 할 일이 따분해서 세 시에 만나기로 되어 있는 대학 선배와의 약속을 앞당겨 볼까 하다가 그만두었다. 불과 한 시간 삼십 분 남짓한 시간의 여백이 주체할 수 없을 만큼 버겁게 느껴져도 참아 보기로 했다.

나는 편의점에서 김밥 한 상자와 음료수 한 캔을 샀다. 그리고 차를 강변 쪽으로 몰고 갔다. 평소에 지나다닐 기회는 없었지만, 막연히 언젠가 한가로워지면 멍하니 강변에 앉아 있어 봐야지 하는 생각을 품고 있었다. 특히 올림픽대로 쪽의 체증으로 발이 묶여 있노라면, 강 하나를 사이에 두고 붐비는 길과 한적한 길이 확연히 구분되어 있는 것을 보면서, '붐빔'과 '한적함'을 낳는 것의 차이는 무엇일까를 생각해 본 일이 있다.

표지판을 따라 강변길로 접어들자마자, 앞뒤로 꼬리에 머리를 물고 늘어서 있던 차량들이 갑자기 줄어들고, 앞이 탁 트인 길이 펼쳐졌다. 그 순간 나는 달리는 만큼의 스피드로 목적과 습관의 사슬로부터 튕겨져 나오는 것 같았다.

자기 자신이 거대한 조직의 한 톱니로서의 역할을 일사불란하게 치러내고 있다는 자긍심과, 목적과 습관에 침윤되어 기능적 인간으로 변모되고 있다는 불안감이 내 속에서 그 뿌리를 함께하고 있다. 서로 상반된 인식을 배양하면서, 그 둘 사이의 모순된 감정이 빚어내는 긴장감을 견뎌내기는 쉽지 않다.

어제 내린 비가 가을을 성큼 앞당겼음일까. 초록을 불태우듯 길가의 가로수들이 떨구는 붉은 단풍잎들이 바람에 날리어 차창을 때리고 또다시 어디론지 날아갔다. 계속 달려 보아도 차를 세우고 김밥을 먹을 맘이 내키지 않았다. 바라던 장소에 와 있음에도 나는 풍경 속으로 뛰어들 수 없었다. 한 시간 삼십 분의 여유는 내 속에서 저절로 만들어진 것이 아니라 상황에서 빚어져 나에게 던져진 것이었고, 그것을 보내기 위해 나는 풍경을 이용하고 있을 뿐이었다. 도대체 여유 따위가 왜 필요한가? 할 일을 쌓아 두고 강변에서 서성이다니.

나는 차를 되돌렸다. 방송국에 차를 주차시키고 나니, 사십 분 정도밖에 시간이 남지 않았다. 점심을 거르기로 하고, 휴게실에서 그럭저럭 시간을 보내는 것이 훨씬 마음 편하겠다. 공중전화가 가까이 있을 테니 호출을 받기도 좋을 테고.

4층 휴게실은 건물의 옥상에 투명한 소재로 지붕을 얹어 온실처럼 꾸민 공간이었다. 두세 그루의 열대식물이 있긴 했으나, 보살핌을 받지 못해 잎들이 축 늘어져 시들어 가고 있었다. 먼지 낀 지붕을 통해 보이는 하늘의 구름도 우중충해 보였다. 벽을 따라 군데군데 놓여 있는 소파는 등받이도 팔걸이도 없는 장의자였다.

얼굴이 잘 알려져 있는 여자 탤런트 한 사람을 포함한 한 무리의 남자들이 장의자를 그득 채우고 앉아 있었다. 수염이 더부룩하고 주머니가 많이 달려 있는 카키색 조끼를 입은 남자가 대본을 들여다보며 여자 탤런트에게 뭔가를 주입시키듯 열심히 말하고 있었다.

나는 기사를 쓰기 위해 참고자료로 읽고 있는 타르코프스키의 일기책을 꺼내서 무릎 위에 펼쳐 놓았다. 좀 산만한 듯하지만 읽기를 계속하는 동안, 주위에선 사람들의 얼굴이 끊임없이 바뀌었다. 그들은 이 건물 어딘가에 얼굴을 감추고 있는 힘에 의해 아주 스피디하게 움직여지고 있는 것 같았다. 서로 스쳐 가는 걸음, 주고받는 눈초리, 몸짓, 던지는 말들, 모두가 보이지 않는 속도에 실려 있는 것 같았다. 내가 속한 조직이 분(分)의 감각으로 회전하고 있다면, 이 조직을 돌리고 있는 감각은 초(秒)에 맞춰져 있었다.

나는 문득 내 앞에 서 있는 갈색 앵글부츠의 다리로부터 고개를 쳐들었다.

"미안해요."

지훈은 웃음을 띠고 있었으나, 회의의 열기로 상기된 긴장감 때문에 억지로 웃음을 짜내는 것처럼 보였다.

"지금 회의가 끝났어요."

"그럼, 점심도 못 먹었겠네요."

그는 아랫입술로 윗입술을 덮는 듯이 꾹 다물고 고개를 끄덕였다. 자신을 사로잡고 있는 긴장감을 떨쳐내 보려는 듯, 그는 담배를 찾으려고 바지주머니와 상의주머니를 번갈아 더듬었다.

"담배, 있어요?"

나는 고개를 가로저었다. 일터의 현장에 있는 그는 아주 낯선 모습이었다.

"잠깐, 담배 좀 사가지고 올게요."

잠시 후 그는 입에 담배를 물고 내 곁에 다시 와서 앉았다. 나는 그의 기분이 바뀌기를 기다리며 잠자코 있었다. 몇 모금 만에 담배를 모두 태운 그가 재떨이에 꽁초를 버리며 말했다. 한결 가라앉은 목소리.

"소연 씨 점심 어떻게 했어요?"

"김밥을 사가지고 먹으려고 했는데, 아직 차에 있어요."
"우리 구내식당에 가서 간단하게 뭘 먹을까요?"
시계를 힐끗 들여다보고 나서 지훈이 처음으로 나를 쳐다보았다. 우리는 비로소 눈길다운 눈길을 주고받았다.
"시간이 없잖아요. 식혜나 하나씩 마시죠 뭐."
"내가 가서 빼내 올게요."
그가 자동판매기 쪽으로 간 사이, 내 삐삐가 울렸다. 그가 되돌아오기 전에 나는 호출기에 입력된 전화번호를 얼른 암기했다. 낯익은 번호가 아니었다
"지난번 그 친구는 전시회 잘 끝냈어요?"
지훈이 꼭지를 따서 내게 건네주는 캔을 받으며 물었다.
"아, 참 그렇군. 어제가 끝날인데."
입가에 흐른 식혜 국물을 소매 끝으로 훔치며 그가 말을 이었다.
"캔이 철컹 소리를 내며 떨어질 때 문득 스친 생각인데요, 일에 얽매여 숨돌릴 틈조차 없는 나를 누군가 기다려 준다는 것이 가슴 뭉클하더라구요."
하지만 약속 시간이 어긋난 것을 진작에 알았어도 나는 이곳까지 오지 않았을 것이다.
"착각은 자유죠."
"착각이라……."
빈 캔이 그의 오른손바닥 안에서 휴지처럼 우그러지며 소리를 냈다.
"소연 씨 진돗개 키워 본 일이 있어요?"
"난 동물을 싫어해요. 개, 고양이는 물론 코끼리까지도."
"갑자기 왜 코끼리는 들먹여요?"
"지훈 씨는 왜 진돗개를 들먹였지요?"
내 목소리에 짜증이 묻어나고 있었다. 그도 그것을 눈치채고 있었다.
"왜냐하면……."

양손으로 자신의 머리카락을 빗질하듯이 쓸어 보다가, 깍지를 낀 채 등을 벽에 기대는 몸짓, 그 속으로 어떤 체념의 기미가 스쳐 갔다.

"진도에서 진돗개를 키우던 사람이 사정이 있어서 그 개를 육지에 사는 사람에게 팔아 버렸대요. 그런데 그 개가 육 개월 만에 뼈와 가죽뿐인 몰골로 옛주인을 찾아서 돌아왔더래요."

"그래서요?"

"그래서, 우리는 실제로 진돗개 한 마리를 사와서 그 개가 옛주인을 찾아가는 귀로(歸路)를 다큐멘터리로 만들어 볼까 해요."

"개가 옛주인을 찾아가지 않으면요?"

"그 개는 주인에게 되돌려주고, 또 다른 개를 사오지요. 왜냐하면 그 개는 진짜 진돗개가 아니니까 우리를 속인 거지요."

나는 의식적으로 웃었다. 지훈도 따라 웃었다. 하지만 그 웃음만으로 우리의 마음속 불협화음이 해소되기는 어려웠다.

"난 그 개의 귀로를 짐작조차 못하겠어요. 요컨대 믿을 수가 없어요. 수백 리에 걸쳐 널려 있는 많은 위험과 장애물들을 그 개가 어떻게 헤쳐 나가고 옛집이 있는 방향을 어떻게 가늠하는지 상상이 되지 않아요."

지훈은 뒷머리를 받치고 있던 깍지를 풀고 윗몸을 벌떡 일으켰다.

"비밀은 후각일 거예요. 그러니까 주인과 헤어지는 아픔이 집에서 멀어질수록 후각을 더 예민하게 만들어서 일종의 보이지 않는 끈을 길 위에 깔아 놓는 거죠."

"개의 눈물이니 충성심이니 하는 것이 바로 인간 중심적인 사고라는 거예요. 자기에게 밥을 주고 길러 준 사람에 대해 생기는 본능적 생존 감각이라면 모를까."

"소연 씨도 개를 길러 보세요. 그러면 사람과 개는 물론, 생명 있는 모든 것들 사이에 오가는 초자연적 교감을 알게 될 거예요."

"흠, 나는 사람과 사람 사이에서도 교감이 불가능해지고 있다고 봐요."

나는 무의식중에 엄지와 검지로 내 코를 잡아당기고 있었다. 무엇이 초조한 것일까.

"아이 참, 소연 씨 한 사람만을 위해서라도 이 다큐를 꼭 만들어야겠군요."

"그걸로 날 계몽할 생각은 마세요."

"지금 문제는, 개의 뒤를 어떻게 뒤쫓아가며 샅샅이 찍을 건가, 그 해법만 찾아내면 이 다큐의 성공 여부는 장담할 수 있어요."

"잘해 보세요."

"육 개월, 아니 그 이상이 걸릴지도 모르지만, 개가 되는 거지, 나도."

지훈의 자신만만한 웃음에 휩쓸리어 나도 따라 웃었다. 어쩌면 웃음이라기보다 채워지지 않는 공허감에서 울리는 소리처럼. 그리고 나는 시계를 보았다. 세 시 약속 시간까지는 아직 여유가 있었지만, 지훈과 함께 있는 것이 더 이상 즐겁지 않았다.

"참, 얼마 전에 현 선생님이 음악회에 함께 가자고 전화를 주셨는데 어쩌다 못 갔어요. 그런데 그분한테선 섬뜩한 무기(巫氣) 같은 게 느껴져요."

"난 우리 어머니 그런 점이 싫어요. 요즘 무슨 일이 있으신지, 계속 술을 드셔서 걱정이에요. 어제는 아침부터……."

지훈이 말을 중단하고 허리춤에서 삐삐를 꺼내 보았다. 그의 얼굴에 긴장감이 되살아났다.

"들어가 봐야겠어요."

서둘러 작별인사를 남기고 사무실로 뛰어들어가는 그의 뒷모습을 바라보는 동안, 나는 방금 전에 내 맘을 찌르르 스쳐 지나간 예감이 뭘까를 골똘히 생각해 보고 있었다. 요즘 계속 술을 마신다고, 현 여사가……?

위험한 만남

"만나고 싶은데요."

내 반응을 기다리는 듯싶던 그녀가 재촉하듯 덧붙였다.

"지금 당장."

"지금 당장요?"

이상한 쾌감을 느끼며 나는 입 속에서 그녀의 말을 되뇌었다.

"여기, 로비에 있는 커피하우스예요."

"네, 지금 내려가겠어요."

전화를 끊고 나서 나는 '침착해야지'라고 자신에게 타일렀다. 쓰고 있던 기사가 날아가지 않도록 저장키를 눌러 놓은 다음, 자리에서 일어났다. 전화를 받아 준 김 기자가 내 등뒤에다 지나가는 말을 던졌다.

"그 여자분, 아침부터 여러 번 전화했어요."

편집국의 유리창 너머로 멀리 보이는 남산 타워에 불빛이 반짝거리고 있었다. 정신없이 보낸 하루가 속절없이 저물고 있구나 싶은데, 갑자기 누군가 어깨를 탁 쳐서 돌아다보니 뜻밖의 귀인이 서 있는 것 같은 느낌이랄까? 하지만 참으로 뜻밖이었을까? "나, 현석화예요"라는 목소리를 들었을 때, 가슴을 묵지근하게 누르고 있던 뭔가가 벗겨지며 안도감이 밀려왔다. 나도 모르게 막연히 기다리고 있었던 것일까.

전시회에서 그녀의 타는 듯한 눈길이 나를 가만히 놓아 준 뒤부터? 호텔 앞에서 내리려던 그녀가 도로 자동차 문을 닫고 난 뒤부터? 아니면 음악회에 함께 가자던 그녀의 청을 내 부주의로 무산시키고 난 뒤부터?

그리하여 그녀의 갑작스런 출현, 체면이나 예의, 어색함을 단숨에 뛰어넘어 잘 아는 사이에서나 있을 법한 명령조의 말투, 어쩐지 숨을 죽이게 하는 다급한 진지함, 그것은 불확실한 예감의 먹구름으로부터 떨어지는 최초의 빗방울 같았다.

"지금 바쁜 시간이지요?"

그녀는 목례를 하는 나에게 오른손으로 맞은편 자리를 가리켰다. 재떨이엔 붉은 연지가 묻어 있는 담배꽁초 세 개가 담겨 있었다.

"괜찮아요." 나는 그녀를 안심시켰다. 그리고 엉뚱한 말을 했다. "이 근처에 볼일이 있으셨어요?"

"아뇨." 그녀의 눈길이 내 눈 속으로 들어와 움직이지 않았다. "소연 씨 보려고 왔어요."

눈부신 느낌. 나는 고개를 아래로 떨어뜨렸다. 비켜나려는 내 눈길을, 틈을 주지 않고 거두어 올리듯이,

"소연 씨, 술 좀 해요?"

"네."

나는 다시 고개를 쳐들었다.

"그럼 오늘 저녁 나하고 술 좀 하겠어요?"

"네."

그녀가 활짝 웃었다. 그 웃음이 너무나 희어서 마음이 시큰했다.

"몇 시에 퇴근해요?"

"기사 한 꼭지 마무리지어서 넘기면……."

"들어가서 써요. 여기서 기다리고 있을게요."

나는 자리에서 일어났다. 말 잘 듣는 초등학생처럼. 최면에 걸린 걸까? 저절로 그렇게 되었다.

"얼마든지 기다릴 수 있으니까 천천히 기사 잘 써요."

로비를 가로질러 승강기 앞으로 갈 때까지 그녀의 눈길이 내내 내 등에 머물러 있었다.

사무실의 내 책상 위엔 하얀 리본이 묶여 있는 길다란 붉은 상자 하나가 놓여 있었다.

"이게 뭐죠?"

"방소연한테 미친 남자가 나타났다는 증거."

모니터에 띄운 자료를 들여다보며 김 기자가 시큰둥하게 대답했다.

"이게 정말 나한테 배달되어 온 거란 말이죠?"

나는 이미 리본을 풀고 상자의 뚜껑을 열었다. 향긋한 꽃냄새, 백장미 꽃묶음이었다. 나는 붉은 리본 옆에 꽂혀 있는 카드를 집어서 펼쳤다.

'스스로 갈 수 있는 것보다 더 멀리…….'

그리고 화살이 하나 그려져 있었다. 궁깃 부분엔 짙은 붉은색으로 H자 이니셜이 뚜렷이 새겨져 있었다. 카드를 접어서 있던 자리에 꽂아 놓고 나는 상자의 뚜껑을 닫았다. 그러자 꽃과 꽃향기와 꽃을 보낸 사람의 마음과, 그 마음이 내 마음에 불러일으킨 기쁨은 드넓은 편집국을 가득 채운 메마른 열기 속으로 파묻혀 버렸다. 마치 못 속에 던져져 이내 가라앉아 버리는 돌멩이처럼.

나는 문득 주위를 둘러보았다. 그들은 누구도 꽃에 대해서 아랑곳하지 않았다. 김 기자는 여전히 모니터 읽기에 여념이 없었고, 강 기자 또한 입귀에 담배를 문 채 키보드를 두드려대고 있었다. 최 선배는 전날치 신문을 뒤적거리는 중이었고, 장 부장은 미간을 찌푸린 채 누군가와 통화중이었다. 어쩐지 머쓱하고 무안한 기분으로 쌓여 있는 책들 위에 얹어 놓았던 꽃상자를 책상 밑의 빈 공간에다 내려놓았다. 그리고 기사를 마저 쓰기 위해 엔터키를 다시 눌렀다. 안으로부터 환히 불을 켜는 모니터를 들여다보며 나는 터무니없이 키보드를 세게 두드렸다. 마지막 마침표가 가까워질수록 로비의 찻집에서 기다리고 있는 사람에 대한 호기심, 떨리는 기대가 서서히 고개를 쳐들었다.

파먹히다 · 3

얼마든지 기다리고 있겠다는 말은 물론 진실이었다. 소연이 눈앞에 있고, 마음의 자락 속에 잡혀 있다고 느껴지는 동안만은 물이 가득 찬 저수지처럼 넉넉하고 푸근해져서 그녀에 대해서는 말할 것도 없고, 세상에 대해서까지도 너그러운 관용으로 끌어안을 수 있기 때문이었다. 시간도 돈도 아까운 것이 없고 자신이 가진 모든 것을 주어서라도 그녀의 마음을 얻을 수만 있다면 그렇게라도 할 것이기 때문이었다.

그녀는 그녀의 있음 자체만으로서 단 한 번 만에, 삶을 손에서 놓아 버린 현 여사의 손에, 다시 살고 싶다는 의욕을 쥐어 주었다. 그녀의 미모, 그녀의 젊음 때문에 현 여사의 눈에 띄었다고는 해도 그 이상의 미모와 젊음과 매력을 가진 여성들은 현 여사의 주위에도 얼마든지 있었다. 때문에 그녀가 현 여사의 마음을 사로잡았다기보다, 현 여사가 그녀에게 사로잡히고 싶은 미칠 듯한 갈망으로 자신을 괴롭히고, 파먹히고 있는 것이었다. 그녀는 그녀가 아니었다. '그녀'는 현 여사가 인생에서 다시는 돌이킬 수 없는 모든 것, 시간의 얼굴이었으므로, 잡으려고 해도 결코 잡히지 않는 독한 상처 그 자체이다.

그녀의 마음을 얻으면 가버린 시간을 돌이킬 수 있을까.

흐르는 시간을 멈추게 할 수 있을까.

헛되고 헛될지라도 무언가를 잡으려고 잡으려고 하면서 입는 상처, 아픔, 고통만이 삶의 확인이 되는 게 아닐까.

찻집에는 듬성듬성 손님들이 앉아 있었다. 여느 찻집과는 달리 이곳의 손님들은 그저 한가로워 보이는 사람은 아무도 없었다. 일이, 거래가 서로를 만나게 하는 팍팍한 분위기였다. 현 여사와 같은 이유로 그곳에 앉아 있는 사람은 없었다.

남들이 모두 알아주는 화가, 얄팍하고 속된 미모가 아닌 중년의 깊이 있는 용모, 여자든 남자든 흠모할 만한 재능과 명예와 우아한 품격과 경륜이 쌓아 올린 위엄과 부를 가진 여성이 맥놓고 흘려 보내고 있는 것이었다. 한번 가버리면 돌이킬 수 없는 분과 초, 그 눈부신 섬광 하나하나를. 자기 앞에 놓인 일과 그림에의 열정조차 모두 내던져 버리고. 일에 매달릴 때는 적어도 돌아오는 것이 있었다. 지금 이 기다림 끝에는 무엇이 있을까.

이 건물 어딘가에서 컴퓨터 모니터 앞에 앉아 있을 그녀. 그녀에게 현 여사는 도대체 어떤 사람일까. 남자친구의 어머니. 그래서 아들이 점찍어 둔 여자를 이모저모 살피어 배필이 될 만한가를 저울질한다고 생각할까. 아니면 한 화가가 젊은 여기자를 사귀어 놓고 자신이 필요할 때 친분을 들먹이며 언제든지 아쉬운 말을 하려는 속셈에서 접근한다고 생각할까.

어떻게 생각하든, 그녀에게 현 여사는 참으로 낯모를 미지의 사람에 지나지 않을 것이다. 그녀를 둘러싼 많은 인간관계, 멀고 가까운 모든 인간관계 밖에 있는 사람. 마음에 얽혀 있는 끈이라곤 전혀 없는 사람. 그녀가 난데없이 나타나 찻집에서 기다리겠다고 해서, 꽃을 보내 왔다고 해서 달라질 것은 아무것도 없을 것이다. 오히려 수상쩍어하며 경계심을 갖게 될지도 모른다.

오, 맙소사. 지금이라도 일어나서 툭툭 털고 가버리면 될 텐데. 알 듯 모를 듯 그녀의 입가에 스친 미소 속에 감춰져 있던 무례함, 거만함을 견디지 않아도 될 텐데. 그녀 쪽에서 오히려 인터뷰나 다른 종류의 기사를 쓰기 위해 만나지 못해 안달하는 위치로 되돌아가면 될 텐데.

현 여사는 코발트 블루 재킷 소매를 들추고 시계를 들여다보았다. 이제 겨우 십오 분이 지났을 뿐이었다. 그러나 그 십오 분은 소연이 거머쥐고 있는 현 여사의 나머지 인생 전부에서 보면, 깃털 몇 가닥에 지나지 않았다.

방금 머리가 희끗하고 파이프를 입에 문 남자가 찻집으로 들어섰다. 주위를 두리번거리던 그가 빈 자리를 찾아 앉을 듯하다가, 현 여사를 발견하고 방향을 틀었다.

"여기 웬일이십니까?"

"누굴 기다리고 있어요."

"잠깐 앉아도 될까요?"

"앉으세요."

사실 오 화백은 한때 현 여사와 아주 가까운 사이였다. 버스 한 정거장 정도 되는 거리에 이웃하고 있어, 점심이나 차를 같이 들면서 보낸 시간이 많았다. 그러다 오 화백이 교외에 집을 짓고 이사를 간 뒤로는 만날 기회가 없었다. 이 년 만인 셈이었다.

그런데 현 여사는 낯가림하듯 그를 서먹서먹하게 대했다. 인사치레로라도 그를 받아들일 여유가 없었다. 혼자서 막막히 지루해하며 사람을 기다리는 게 전혀 아니었다. 고공을 나는 매가 자신의 그림자로 지상의 살아 있는 먹이를 꼼짝 못하게 묶어 놓고 있듯이, 자신의 마음자락으로 그녀를 덮어 한순간도 다른 생각이 틈탈 여지를 주지 않으려면, 마음이 달군 철판처럼 긴장되어 있어야 했다. 오직 그녀가 현 여사의 앞에 다시 나타날 때만이 그 긴장은 마음 깊숙이 감미롭게 고이는 물처럼 안도와 평안으로 바뀔 것이다.

"현 여사, 분위기가 바뀌셨군요."

"어떻게요?"

마지못한 대답.

"굿판 펼친 무당처럼 요염하달까, 귀신 홀리려는 것처럼. 그리고 담배도 많이 늘었구요."

"오 선생님은 여기 웬일이세요?"

"제가 여기 연재소설 삽화를 맡고 있어요. 신문을 통 안 보시나 본데."

그러고 보니 최근 들어 신문도 TV도 들여다본 일이 없다. 현 여사는 무의식중에 주위를 둘러보았다. 오 화백을 만날 사람이 나타나서 그를 어서 데려가 주기를.

"아 참, 인사가 늦었군요. 상을 당하셨다는 소식을 듣고도 못 가뵈었습니다. 그때 제가 여행중이었거든요. 남미 쪽에 가보셨습니까?"

현 여사는 아주 퉁명스러운 표정으로 고개를 가로저었다. 날 좀 혼자 있게 해주세요. 눈빛이 그렇게 말하고 있었다. 온몸으로 자신을 밀어내고 있는 분위기를 뒤늦게 눈치챈 화가.

"자, 그러면 저는 가서 전화를 좀 해야겠습니다."

화가의 출현으로 흐트러진 마음자리를 수습하듯 그녀는 또다시 손목시계를 들여다보았다. 삼십 분이 지나고 있었다. 시간의 초침은 모르는 사이에 불안을 심어 놓은 것일까. 이 생각 저 생각이 유령처럼 튀어나와 그녀를 이리저리 끌고 다니기 시작했다.

어떤 전화가 그녀에게 걸려 온다면? 가령, BMW를 몰고 다니며, 그녀 또래이며, 컴퓨터 직종의 사업체를 가진 유쾌한 남자. 그런 남자의 저녁 초대를 받고 그녀의 관심이 그쪽으로 쏠린다면? 게다가 두 사람은 잠자리를 같이해 본 경험이 있을지도 모른다. 요즘 젊은 이들에게 성은 더 이상 사랑도 모랄도 아닌, 요가 같은 것이라고?

꽃은 배달이 되기나 한 것일까. 꽃말을 무엇이라 쓸까요, 하는 물음에 남의 글씨를 빌어 쓰기보다, 자신이 직접 쓴 카드를 담아 보내기로 작정하고 일부러 꽃집까지 찾아가지 않았는가. 그녀의 부재중에 꽃이 배달되어 되돌아온 것은 아닐까?

현 여사는 수첩을 꺼내어 꽃집의 전화번호를 찾아보았다. 머릿속에 암기해 놓았을 뿐 적어 놓은 흔적은 없었다. 하지만 낮에 암기해 놓은 전화번호가 머릿속에 그대로 남아 있을 리 없었다. 꽃집의 전화번호를 확인하려면, 처음의 순서를 다시 밟아야 했다. 꽃 배달이 이제 와서 왜 그토록 중요해진 것일까를 따져 볼 겨를도 없이 현 여사는 카운터에 있는 전화를 빌리러 가기 위해 자리에서 일어났다.

"저쪽에 가시면 공중전화가 있는데요."

하지만 카운터를 보는 중년 여성이 가리키는 곳에는 언뜻 보기에 공중전화 부스가 있는 것 같지 않았다. 모퉁이를 돌아선 구석에 있다면, 전화를 걸러 간 사이에 소연이 내려왔을 경우, 못 만날 수도 있는 것이다.

불안, 초조에 마음을 파먹히어 입술이 타고 얼굴이 창백해진 현 여사는 자리로 되돌아와서 숨을 가쁘게 몰아쉬었다.

로비를 가로질러 오는 소연의 모습이 보인 것은 바로 그때였다.

사이렌의 유혹

멀리서 바람결에 실려 오듯 피아노곡이 잔잔하게 흐르고 있었다. 두 사람은 흰 와이셔츠에 검은 보타이를 맨 청년의 시중을 받으며 저녁식사를 하고 있었다. 테이블이 놓여 있는 창가의 전면 유리저 너머로는 도심의 야경이 불빛의 꽃밭처럼 펼쳐져 있었다.

마침내 소연은 거기에 있었다. 지난 삼 주 동안, 스스로도 의아했던 마음의 산란함, 집요하게 떠오르는 영상, 그 영상과 함께 마시는 낮술, 담배, 불면, 서성거림, 수화기를 들었다가 말없이 내려놓은 뒤에 쌓이는 자괴감, 그럼에도 점점 걷잡을 수 없어지는 괴로운 욕구……를 밀어내고 억제해 왔음에도, 현 여사는 기어이 소연을 자기 앞에 앉혀 놓고야 말았다. 그래서 적어도 식사를 하는 동안만은 창틀에 놓인 화분처럼 조바심 없이 그녀를 바라볼 수 있게 된 것이었다. 보라색 오키드 꽃병이 놓여 있는 하얀 테이블 너머로.

빵을 집는 소연의 손이 소녀처럼 야들야들한 피부에 매듭이 거의 없다는 것과, 연지를 바른 흔적이 없음에도 약간 도톰한 선홍빛 입술이 촉촉하다는 것과, 눈동자가 검은 갈색이며, 시선을 떨어뜨릴 때는 얇은 눈꺼풀이 파르르 떨리는 듯 아련해 보이며, 오른쪽 속눈썹 꼬리에 작은 점이 하나 있다는 것과, 빚은 듯 희고 반듯한 이마에는 서늘한 기운이 감돈다는 것, 그런 것은 중요한 것이 아니었다.

"왜 그렇게 저를 보세요?"

어색한 침묵과 함께 빵을 씹고 있던 소연이 얼굴을 붉혔다.

그러나 정작 거의 어린아이처럼 말끄러미 바라보며, 좀체 속을 보이지 않을 것처럼 신중하고 경계하는 자세로 새초롬히 앉아 있는 것은 소연이었다. 어딘지 고양이와 흡사한 자태. 그 무엇으로도 흔들 수 없을 것처럼 보이는 부동의 차디찬 단단함.

그래서 현 여사는 그녀를 바라보면 볼수록 상반된 감정으로 자신이 찢겨지는 혼란을 느꼈다. 그녀 속에 있는 한없이 깊고 단단한 것의 정체가 맹목적인 훼파 심리 또는 공격 심리를 끓어오르게 하여 물어뜯고 흔들고 부수고 찔러서 허물어지는 것, 무너지는 것을 보고 싶은 안타까운 조바심에 쫓기면서도, 한편으론 마치 포획물을 앞에 둔 맹수처럼 아직도 남아도는 힘 때문에 그 대상이 성에 차지 않는 것 같은 미흡한 감정이 교차하고 있어, 현 여사는 비감하게 자신에게 묻고 있었다.

너는 도대체 누구냐. 내 숨을 쥐었다 놓았다 하는 것이 진정 너란 말인가. 이미 인생에서 아무것도 대수로운 것이 없어진 내가, 죽음이 무엇이란 것까지 알아 버린 내가, 몸달아하며 빠져들고 있는 것이 바로 너인가.

사실 가까이 마주앉아 있는 소연은 현 여사가 어떤 대가를 치르더라도 얻고자 하는 그 대상이라기엔, 다소 철없고 연약하고 범속해 보였다. 입을 꼭 다물고 있을 때면 야무지고 속이 깊고 어딘지 남을 깔보는 듯한 교만함까지 엿보이지만, 그것은 직업에서 오는 자기 연출의 분위기로 보였다.

조금쯤 냉정하고 여유 있는 어조로 현 여사는 말문을 열었다.

"아까 무슨 기사를 썼어요?"

"〈노스탤지어〉란 영화에 관한 거였어요. 개봉되면 꼭 보세요."

"오래 전 유럽영화제 때 본 것 같군요. 몇몇 장면들은 지금까지도 생생하게 기억하고 있어요. 그 남자 주인공 이름이……."

"안드레이와 유제니아."

"두 사람이 여장을 푼 호텔에서 일어난 일이었어요. 사랑을 하고 싶어하는 유제니아를 모질게 밀어내고 혼자가 된 안드레이의 코에서 코피가 터지는 장면이라든가……."

"그는 유제니아를 사랑하면서도 왜 관계를 거부했을까요?"

"본향, 하늘 즉 신에 대한 확신 때문이겠죠. 그런데 그 확신과 인간적인 사랑이 양립될 수 없다는 것이 바로 기독교 사상이지요."

"선생님은 신을 믿으세요?"

"믿지요. 그러나 나는 지옥을 통해서도 구원받을 수 있다고 믿어요."

"신을 저버리지 않고 어떻게 지옥 깊숙이 내려갈 수 있을까요?"

와인잔을 들면서 현 여사는 빙긋 웃었다.

"반면에, 지옥을 앎으로써 구원에 대한 열망이 참으로 절실해질 수도 있겠죠. 그건 그렇고 친구들이 많아요?"

"어렸을 땐 친구가 거의 없었어요. 어머니가 그러시는데, 저는 잠자기 전에 꼭 제 물건들을 보자기에 싸서 머리맡에 두고 잤대요. 그리고 벌레들을 보면 토막을 내서 죽이곤 했대요."

"흠……."

현 여사는 천천히 단숨에 와인을 모두 마신 뒤, 빈 잔을 내려놓았다. 접시에는 음식이 고스란히 그대로 남아 있었다.

소연이 현 여사의 빈 잔에 와인을 채우고 나서 말을 계속했다.

"대학 시절 친구들의 말로는, 저는 늘 잉크병을 들고 다니는 학생이었대요. 대부분 학생들이 만년필이나 볼펜을 쓰고 있었기 때문에, 제가 잉크병을 들고 다니는 것이 아주 이상해 보였대요."

"그렇군. 볼펜보다 펜으로 쓰는 것이 훨씬 불편했을 텐데."

"저는 잉크병이 저를 늘 긴장하게 만드는 것을 즐겼어요."

"흠……."

한층 조용해진 몸짓으로 현 여사는 담뱃갑을 집어서, 담배 하나를 꺼내 들었다. 소연이 성냥불을 켜서 현 여사 앞으로 내밀었다. 담배를 입에 문 채 몸을 숙이려다 말고 현 여사는 흠칫 숨을 몰아쉬며 그냥 몸을 일으켰다.

얼굴이 창백해졌다. 소연의 손에서 타고 있는 성냥불은 가만히 저 혼자 타들어 갔다. 마침내 소연이 스스로 불을 끄고 나서 성냥을 갑째로 현 여사에게 건네주었다.

"아무튼……."

소연은 고개를 숙인 채 계속했다.

"저는 지금도 친구들이 별로 없어요. 직업상 이런저런 사람들을 많이 만나기는 하지만. 선생님은 어떠세요?"

"나는 독이 있어요. 그래서 친구나 가족조차도 곁에 두지 못해요. 바깥에서 내 마음을 열고 걸어 들어온 사람은 오직 남편밖에 없어요. 그는 내 독을 누를 만큼 강한 사람이었죠."

어쩌다 소연이 포크를 떨어뜨렸기 때문에 웨이터를 불러 새 포크를 갖다 달라고 하면서 주위가 산만해진 사이에, 현 여사는 들고만 있던 성냥을 비로소 켜서 담배에 불을 붙였다.

새 포크를 받아든 소연이 광어살을 한 번, 또 한 번 찍어 먹다가 문득 고개를 쳐들었다.

"선생님 독은 슬픔인가요?"

"왜 그렇게 생각하지요?"

현 여사는 소리내어 웃었다. 하지만 내심 정곡을 찔린 것이 아프기도 하고 흐뭇하기도 했다. 무언가 그녀를 깊숙이 관통했고, 허물어지게 했다.

"저는 슬픔의 냄새를 잘 맡아요. 선생님 처음 뵈었을 때 저릿한 에테르 냄새에 질식하는 것 같았어요."

"슬픔은 슬픔을 잘 알아……."

소연에게 들어온 삐삐 신호 때문에 현 여사는 말을 중단했다. 입력된 전화번호가 소연의 주의를 빼앗아 갔다. 현 여사는 가벼운 상실감과, 전화번호 저 너머의 사람에 대해서 찌르는 듯한 질투를 느꼈다.

그녀는 무의식적으로 자신을 방어했다.

"가서 전화를 하고 오지."

"네."

그래서 소연은 현 여사의 부드러운 명령에 따라 움직이는 셈이 되었다.

소연이 자리를 비우고 난 뒤, 현 여사는 귓가에 맴도는 그녀 목소리의 여운 속으로 한없이 빨려 들어갔다. '네'라는 말이 지닌 긍정적인 뜻과 함께, 싱싱하고 부드럽고 여물고 단아한 그 목소리의 음질은, 마치 조각가가 그것을 만지면 만질수록 미치도록 빠져들게 되는 가장 좋은 양질의 진흙처럼 느껴졌다. 아니면 수많은 용사들의 귀를 홀려, 그 목숨을 에게 해(海)에 바치게 한 마법의 소리인 사이렌을 연상시키기도 했다.

가보자. 그 끝에 파멸이 기다리고 있다고 해도 가볼 수밖에 없을 것 같았다. 한 번이라도 그 소리를 들어 본 사람이면, 그 존재의 구석구석으로부터 순한 양처럼 길들여진 다정한 반향이 되돌아 나오리라는 환상을 품게 되지 않는가.

잠시 후 소연은 자리로 돌아왔다. 그녀는 입을 꾹 다물고 자신을 사로잡고 있는 생각에 몰두하고 있었다. 방금 전만 해도 모든 것을 허락할 듯 '네'라고 했던 그녀. 지금은 다시 멀리 손닿지 않는 곳으로 돌아가, 그 무엇으로도 흔들 수 없는 부동의 단단함 속으로 자신을 감추어 버린 듯했다. 그 동안 주고받은 말들이 두 사람 사이에 놓아 준 것으로 믿었던 친밀감, 호감은 어디로 사라진 것일까. 현 여사는 '그녀'라는 존재의 그 알 수 없는 깊은 심연을 얼핏 엿본 것 같았다.

열패감이 현 여사의 기분을 언짢게 했다.

"바쁜 일이 있어요?"

"아뇨."

그럼에도 소연은 쉽사리 그 어떤 생각을 놓지 못했다. 엄지와 검지로 자신의 귓밥을 만지작거리며.

혹시 지훈이 그녀를 어디로 나오라고 한 것은 아닐까. 그녀는 지금 나와 지훈의 사이에서 고심하고 있는 걸까.

현 여사는 소연이 자신과 헤어진 뒤, 지훈에게로 허둥지둥 달려가는 것을 상상해 보았다. 두 사람이 주고받는 은밀한 눈짓, 허물없이 어깨에 기대고, 손을 잡고 걸어가며, 때로는 입을 맞추기도 하겠지.

가슴이 답답했다. 터질 것처럼 맥박이 가쁘게 뛰었다. 왜 하필 지훈이란 말인가. 그는 현 여사의 친아들은 아니었다. 그래서 언젠가는 소연이 느낄 법한 죄의식이나 윤리적 괴로움을 덜어 주기 위해 진실을 말하게 될지도 모른다. 하지만 소연의 남자친구, 약혼자, 연인이 될 수 있는 수많은 청년들이 있다 해도, 지훈이 소연의 남자친구(아니면 연인?)란 사실 속에는 금기가 불러일으키는 야릇한 충동이 있었다.

"우리 지훈이를 최근에 만난 일이 있어요?"

"네. 오늘 점심때."

소연의 손이 만지작거리던 귓밥을 놓았다.

"점심을 같이 하기로 했는데 지훈 씨가 바빠서 잠시 얼굴만 봤어요."

"한 집에 살면서 나도 얼굴 보기 힘들어요. 걔는 일 욕심이 많지요."

"새 프로그램에 대한 얘기를 좀 했어요."

"걔는 일에 미치도록 놔두고, 소연 씨는 나랑 만나면 어때요?"

소연의 의사를 묻는 게 아니었다. 그것은 '너는 이미 나에게 찍혔어' 라는 통고였다. 현 여사는 피우던 담배를 재떨이에 눌러 껐다. 그 손길이 사뭇 단호했다.

심장으로 걷다

어느 때부터인가, 가장 깊숙한 자기 자신이 스스로 모습을 드러내고 있는 것을 느꼈다.

살 속에, 오체(五體) 속에 깊숙이 파묻혀 있는 심장이 그 집을 헤치고 밖으로 걸어 나왔다고 할까. 아니면 심장을 싸고 있는 육체의 다른 부위들, 몸통, 머리, 팔, 다리로까지 피가 차오르면서 몸 전체가 심장으로 변했다고 할까.

그래서 보는 일, 듣는 일, 만지는 일, 먹는 일, 사는 일 전체가 아프고 벅차고 숨찼다. 심장은 퍼덕이면서 긁히고 베히고 찔리면서 고통스러워했다.

술은 아편처럼 고통을 잠재워 주었다. 심장으로 변한 육체 전체를 얼얼하게 마비시켜 주었다. 비명처럼 쏟아져 나오는 말도, 가쁜 숨도 마비시켜 주었다.

"이제 그만 드세요."

적지 않은 양을 마셨으나 소연은 정신이 말짱했다. 현 여사는 말끄러미 자기를 바라보고 있는 그녀의 눈 속으로 비틀거리며 걸어 들어갔다. 나는 너를 견딜 수가 없어. 너의 눈, 코, 입, 머리카락 하나까지도 나를 아프게 해. 현 여사의 심장이 중얼거렸다.

"일어나세요. 제가 집까지 모셔다 드리겠어요."

만났다 헤어짐. 이제 너와 나 사이에서도 만났다 헤어짐이 일상으로 반복되겠지. 나는 그걸, 헤어짐을 견딜 수 없어. 어떻게 너는 너의 집으로, 나는 나의 집으로 각기 헤어져 돌아갈 수 있다는 거냐.

현 여사는 자리에서 일어났다 도로 주저앉으며 가방을 열었다. 소연에게 주려던 선물이 생각났던 것이다.

"이게 뭐예요?"

"앞으로 너는 나한테서 많은 것을 받게 될 거야."

소연이 현 여사를 부축했다. 술이 몹시 취했다고는 해도 몸을 가누지 못할 정도는 아니었다. 자신의 팔을 붙잡은 소연의 손 때문에 정신이 아찔해져서 몸이 휘청했다. 그것은 마치 생살에 소금을 끼얹는 것같이 뜨겁고 따가운 감촉이었다. 취기가 없었다면 그 자리에서 정신을 잃고 말았을지도 몰랐다.

현 여사가 계산을 하고 있을 때도 소연은 팔을 놓지 않았다. 취기 때문에 그녀를 보호하려는 것만이 아니었다. 소연도 자신 속에서 그만큼 걸어 나와 있었다.

"두 분이 자매 되세요?"

회계를 보고 있는 제복 차림의 여자가 인형 같은 웃음을 지었다. 두 사람은 문득 서로를 향해 얼굴을 돌렸다. 얼굴이 거의 맞닿을 만큼 가까이 있어 서로가 서로에게 짓고 있는 웃음이 보이기보다 향기처럼 숨으로 스며들었다.

계산을 마친 현 여사는 잠시 그 자리에 우뚝 서 있었다. 그리고 문득 물어 보았다.

"저 음악이 뭐죠?"

의아해서 쳐다보고 있던 회계원이 대답했다.

"레스피기의 〈로마의 소나무〉예요."

"그 음악이 이렇게 좋은 줄 몰랐네."

두 사람은 승강기 안으로 들어갔다. 문이 닫히고 승강기가 움직이기 시작했을 때 소연의 손이 현 여사의 팔을 슬그머니 놓았다. 현 여사는 고개를 숙인 채 그 어떤 슬픔을 지그시 견디고 있었다. 슬픔이 온몸을 저리게 했다. 축축한 것이 그녀의 밑을 따뜻하고 감미롭게 적셨다.

"댁이 방배동이죠?"

승강기 밖으로 나오자 소연은 다시 현 여사를 부축했다.

"아니, 아틀리에로 갈 거야."

"아틀리에는 어디 있어요?"

"양재동. 거기 가서 한잔 더 하겠어?"

"네."

아마도 이것이었나 보다고 현 여사는 생각했다. 전시회에서 소연을 처음 보았을 때 '낯익음. 너무나 낯익어서 자기 영혼이나 살의 일부를 얻은 것' 같은 느낌이란 바로, 소연의 저 사이렌 같은 다소곳한 '네' 소리 때문이었을 것이다. 방랑하는 혼들에게 미혹당하는 기쁨을 주며, 한없이 깊은 곳으로 데려가는 소리. 마법처럼 모든 것이 가능해지는 곳. 존재와 존재가 완전히 하나로 포개어질 수 있는 곳.

어둠 속에서

서초공원이 내려다보이는 한 오피스텔의 5층. 검은 빛깔의 손잡이가 박혀 있는 하얀 문 하나가 두 사람을 맞이했다. 현 여사는 열쇠를 꺼내어 손잡이에다 꽂았다. 찰칵 하는 소리. 그리고 하데스가 내려친 삼지창에 대지가 갈라지듯 문이 열렸다. 비로드처럼 부드러운 어둠이 가득 차 있는 깊은 동굴. 두 사람은 안으로 들어갔다. 그러자 어둠은 두 사람의 등뒤로 찰칵 하며 빗장을 걸었다. 어둠은 마치 그 자신이 살아 있는 기이한 짐승이기라도 한 듯, 짙고 몽롱한 체취를 풍겼다. 테레빈유, 린시드유 냄새에다, 향 냄새, 묵은 담배 냄새, 오래된 책 냄새, 오렌지 파인애플 사과가 썩는 달콤한 냄새들이 섞이어 그것은 신비한 야합을 기다리는 관능적 방향(芳香)과 같았다.

"어디든지 편한 대로 앉아."

"아주 멀고 낯선 곳에 와 있는 것 같아요. 저는 두려워요, 선생님이."

"왜?"

"선생님 앞에서는 저 자신이 수박처럼 퍽 쪼개어질 것 같아요. 이미……."

"진실은 단호한 거야. 두려움이 많은 사람한테는 상처를 입히는 것이구. 내 속에도 두려움이 남긴 상처들이 많지. 지금도 아직 극복이 안 되는 두려움도 있고."

"그게 뭔데요?"

"뭘 것 같아?"

"제 경우엔 수치심, 외로움, 실직, 그런 것들인데, 선생님은……."

"이 세상에 아무것도 남지 않는다는 것, 그것이 이성이 아니라, 감정으로 와 닿을 때."

"그럴 때는 어떻게 하세요?"

"섹스를 해."

소파에 앉아 있던 현 여사는 바닥으로 내려와 누웠다.

그 무렵 남편은 현 여사를 집 안에 감금시켜 놓다시피 했다. 나이가 들면서 사회적 직위를 하나씩 내놓게 된 그는 기사에게 차를 대기시켜 놓고, 바쁘게 외출 준비를 하는 대신, 돋보기나 가위, 열쇠 꾸러미를 찾느라고 하루 종일 서서 집 안을 오락가락했다. 그는 아내가 시장이나 피치 못할 모임에 갈 때조차도 시간을 가혹하게 따졌다. 아침 밥숟가락을 내려놓기 무섭게, 그는 자신의 건망증이 지워버린 자질구레한 생활용품들을 찾기 시작했다. "내 돋보기 어디다 치웠어?" 하고 현 여사에게 역정부터 내는 것은, 아내가 자신의 옆에 꼭 붙어 있어야 한다는 암시였다. 결혼 초기에 현 여사는 그가 정말로 그 물건들을 자신에게 찾아내라고 하는 줄 알고 정신이 뒤집힐 만큼 열심히 찾았다. 그러나 결국엔 그의 주변에서 그 자신이 찾아내곤 했다. 때문에 현 여사는 남편이 무얼 찾아내라고 역정을 내어도, 그의 곁에서 그저 찾는 척만 할 뿐 그다지 힘들여 찾지는 않았다. 그 기미를 눈치챈 남편은 다른 꼬투리를 잡아 계속 역정을 낼 구실을 만들었고, 자신의 역정 때문에 아내가 혼이 쑥 빠져, 뭐든지 다 들어 줄 테니 역정만 내지 말아요, 하고 투항하는 포로처럼 매달리는 것을 즐겼다. 그러던 그의 역정이 어느 때부터인가는 의처증 증세로 바뀌었고, 그러면서부터는 때리고 맞는 일이 잦아졌다. 그런데 때리고 맞는 와중에 두 사람은 서로의 몸을 부둥켜안고 뒹굴었고, 마침내는 그것이 정사로 이어졌다. 사정(射精)을 할 때마다 남편은 탄식하듯 중얼거렸다.

"아이고, 불쌍한 것."

사방이 고요했다. 가끔씩 자동차 지나가는 소리가 들리기는 하지만 그것도 희미했다. 부드러운 어둠이 두 사람을 세상으로부터 격리시켜 놓고 있었다.

현 여사는 슬픔이 그 이빨로 전신을 자근자근 씹도록 몸을 내맡기고 있었다. 몸은 씹히면서 점점 단단한 근육질로 변하여 다른 성(性)으로 옮겨 갔다. 굉장한 힘이 느껴졌고, 그 힘을 들어올리는 격렬한 분노를 느꼈다. 정말 그럴까. 이 세상에 남는 것이 참으로 아무것도 없을까? 남편이 닥치는 대로 던지고 부수고 두드려대던 때의 그 착란에 가까운 분노가 자신의 몸을 통해 되살아난 것을 느꼈다.

"나는 이제 남자하고는 사랑을 할 수 없을 거야."

어둠 저편의 소연은 잠자코 있었다. 하지만 그녀는 묻고 있었다. 그게 무슨 뜻인가요?

"육체의 쾌락 그 자체를 위한 관능을 나는 이미 지나와 버렸어. 나의 사랑은 이제 존재에 대한 영육의 물음이 되어 버렸어. 우리가 살을 섞고 마음을 섞는 일이 참으로 아무것도 아닌 것일까라고 말이야. 내가 너를 처음 보았을 때……." 목이 메인 목소리.

"술 어디 있어요?"

소연의 말투가 돌연 거칠어졌다. 그녀는 자신을 방어하고 있었다.

"나는 꼼짝도 할 수가 없어. 불을 켜고 찾아봐."

불이 켜졌다. 성냥불이었다. 스위치가 어디 있느냐고 묻는 대신 소연은 가지고 있던 성냥을 켰다.

"모험을 하는 것 같애."

그녀의 혼자말이었다. 현 여사는 눈을 감았다. 아무것도 보고 싶지 않았다. 불빛이 되돌려줄 자기의 작업실과도 무관한 채 그대로 있고 싶었다.

소연은 벽의 스위치를 올렸다. 어둠 속에서 상상했던 것보다 아틀리에는 넓고 희고 썰렁했다. 창문에는 베이지색 버티컬이 드리워져 있었고, 크고 작은 캔버스들이 벽을 따라 겹겹이 세워져 있었고, 두 개의 이젤과 물감을 섞는 접시들이 놓여 있는 높은 탁자, 커다란 콰리처럼 생긴 블루의 가죽소파, 짙은 녹색의 장의자가 있었고, 책들이 꽂혀 있는 서가와 오디오가 있었다. 주거의 느낌이 전혀 없는, 오직 작업만을 위한 공간이면서도, 분위기는 클래식하고 차분했다.

그리고 멕시칸풍의 양탄자 위에 누워 있는 현 여사가 있었다. 그녀는 마치 자기가 부리던 마법이 다하여 기진해 누워 있는 것처럼 보였다. 가슴속에서 격하게 솟구치던 감정에서 놓여난 소연은 시계를 보았다.

"집에 갈 시간이에요."

가방을 어깨에 둘러멘 소연이 혼자말로 또다시 중얼거렸다.

"늦었어."

고수(高手)

오피스텔을 뒤로하고 옥외 주차장으로 가는 내 발걸음은 가볍고 경쾌했다. 높은 밤하늘로부터 불어오는 축축하고 쌀쌀한 바람이 달아오른 뺨의 열기를 식혀 주었다. 야릇한 흥분과 취기에 취해 있었으면서도, 나는 감정의 고저를 제어할 수 있었고, 냉정함을 잃지 않았다.

반면에 나는 그분의 흔들리는 표정, 허물어지는 감정, 뒤집히는 숨결을 낱낱이 읽을 수 있었다. 나는 나도 모르게 손에 들려 있는 고삐를 넌지시 움켜잡기는 했으나, 당기거나 흔들지는 않았다. 물론 당기고 싶고, 흔들고 싶은 유혹이 없지 않았다. 가령 그분이 나를 지그시 바라볼 때, 그 눈 속에서 가만히 있기만 해도 그분의 마음을 내 안으로 깊이 당길 수 있었다. 또한 식사 도중에 담배에 불을 붙여 주려고 성냥불을 켜서 내밀었을 때 그분은 떨고 있었다. 그 순간을 외면하지 않았다면 어떻게 됐을까. 지금까지도 아틀리에에 남아 술을 마시고 있다면…….

내가 나를 자제할 수 있었던 것은 어쩌면 더욱 분명한 확증을 얻기 위한 트릭이기도 하지만, 그보다는 야릇한 취기에 몽롱해져 있을 때조차도 결코 정신을 놓는 법이 없는 내 성격 탓이었다.

그 동안 나는 나에게 사로잡혀 몸달아 하는 사람들과의 만남을 여러 번 겪었다. 그들은 대부분 남성이었지만, 여성인 경우도 몇 차례 있었다. 그들 또는 그녀들에게 나는 맘속으로 외쳤다. 제발 당신들의 사랑의 불로 내 존재의 이 얼음을 녹여 주오. 나는 미치고 싶고, 허물어지고 싶고, 피 흘리고 싶소. 그러나 그들은 내 안으로 걸어 들어오는 시늉만 하다가, 아니면 어느 정도 빠져든 경우에도 "당신이 어떤 사람인지 도무지 알 수가 없소"라는 말을 남기고 걸음을 되돌려 떠나갔다.

나에게 사로잡혔다고는 하지만, 그들 한 사람 한 사람에게 더욱 간절히 유혹의 손짓을 보낸 것은 나였다. 나는 나에게 이끌려 오는 모든 사람에게서 김인애 선생의 모습을 찾았다. 하얀 잇속이 드러나는 그녀의 시린 웃음, 귓밥까지 붉어지는 진한 홍조, 카랑카랑하면서도 따스함이 배어 있는 목소리, 크고 맑으면서도 흔들림 없는 눈빛, 의지가 굳고 단호한 성격인가 하면, 넉넉하고 부드러운 품을 가진 헌신적 모성애, 수줍음이 많은 숫처녀이면서도 늠름한 청년 같은 고귀한 자태…….

단 한 번 내 속의 얼음이 녹아 찬란한 불로 타올랐던 그때, 열네 살…….

그날 그녀는 나에게 남아서 채점을 도와 달라고 했다. 방과 후 당번이 청소를 막 끝낸 교실에서는 젖은 나무 냄새가 났다. 책상과 걸상은 자로 잰 듯 가지런히 정돈되어 있었고, 마지막 교시 때 칠판을 희게 가득 덮었던 글씨도 깨끗이 지워져 있었다. 하루의 남은 햇빛도 엇비슷이 교사(校舍)를 빗기고 있어, 교실 안은 축축한 그늘과 정적에 감싸여 있었다. 교정으로 면한 유리창 위엔 하얀 옥양목 커튼이 드리워져 있었으나, 그녀와 내가 나란히 앉아 있는 교사용 큰 책상 앞의 커튼은 젖혀져 끈으로 묶여 있었고, 그 너머로 연습을 하고 있는 배구부원들의 모습이 보였다.

채점 답안지에 동그라미와 가위표를 번갈아 매겨 가는 붉은 색연

필의 사각거리는 소리. 나는 자신이 채점을 하고 있다는 사실을 잊고, 그녀가 곁에 있음으로써 이제까지 내가 어머니로부터 느껴 보지 못한 따스함 속으로 감미롭게 젖어들었다.

"힘들어?"

빠르고 숙달된 그녀의 손놀림이 멈추었다.

"아니요."

그녀는 내게서 눈길을 거두지 않았다. 그 시간이 무척 오랜 것처럼 느껴졌고, 나는 가만히 숨을 죽이고 있었다.

"너를 보고 있으면 나 자신이 무서워진다."

그녀는 한숨을 쉬며 색연필을 손에서 놓았다. 나는 갑자기 그녀의 손을 깨물고 싶은 것을 간신히 참았다.

"선생님은 어머니가 좋으세요?"

생각지 못한 질문이 불쑥 튀어나왔다.

"물론 좋아하지. 가엾기도 하구."

"왜요?"

"어머니는 아버지로부터 버림을 받으셨거든."

그녀의 대답은 내 속에서 꿈틀거리는 낯선 욕망과는 무관했다.

"자장면 사줄까?"

나는 고개를 끄덕였다.

"가만, 치맛단이 뜯어졌네."

그녀는 손가방에서 하트 모양의 붉은 비단상자를 꺼냈다. 의자에 앉아 있는 내 앞에 무릎을 꿇고 그녀가 뜯어진 내 교복 치맛단을 꿰매기 시작했다. 깃이 없는 노란 블라우스를 입고 있는, 그녀의 하얗고 긴 목덜미 위로 미끄러져 내린 나의 시선은 그녀의 봉긋한 우윳빛 젖가슴이 들여다보이는 블라우스 속으로 떨어졌다. 나의 유년은 그녀의 보드라운 젖가슴 사이에 파묻혀 사춘기로 접어들었다. 눈먼 목마름이 채워지고 두려움이 사라지는 곳.

나의 어머니는 그 젖가슴으로부터 세상을 향해 나를 모질게 밀어냈지만, 세상에서 내가 만난 또 하나의 젖가슴은 나를 따스하게 품어 주었다. 그곳에선 가만히 안기어 있는 것만으로도 사랑이 확인되었다.

어느 날 홀연히 김인애 선생이 내 앞에서 사라진 뒤, 내 가슴은 무덤처럼 싸늘해졌다. 그녀는, 아니 유년은 떠나면서 나를 얼어붙게 했다. 방황이 시작되었다. 만나는 사람이 누구든 간에, 나는 그 입매에서 그녀의 웃음을 찾아냈고, 걸음걸이에서, 목소리에서, 뒷모습에서 그녀와 흡사한 점들을 찾아내, 벌이 꿀을 저장하듯, 내 가슴에 저장해 왔다. 그것은 김인애 선생 자신조차도 채워 줄 수 없는 거센 목마름으로 변해 있었다. 십오 년 만에 만난 김인애 선생은 내가 찾아 헤맨 그녀와 동일인이 아니었다.

차 안에는 현 여사의 체취가 가득했다. 오랜만에, 아주 오랜만에 나는 휴식 같은 편안함을 느꼈다. 고급 샴푸와 싱그런 과일향의 비누냄새를 풍기는, 푸근하고 따스한 그녀의 기미 속에서.

문득 나의 감정을 자제할 수 있었던 것이 아무 의미 없는 짓이었다는 생각이 들었다. 아틀리에에 더 머물지 않고 나온 것이 아쉽고 후회되었다. 분명하게 확인된 것은 아무것도 없었다. 현 여사는 지금 무엇을 하고 있을까. 감당하기 어려워 내가 미리 도망친 것은 무엇이었을까. 단 둘뿐인 우리를 싣고 내려가는 엘리베이터 속에서도 나는 그것의 징조를 느꼈다. 그것은 내 안과 밖에 동시에 있었다. 일종의 숨막히는 멀미, 현기증.

차에 시동을 걸어 놓고 라디오를 켰다. 귀에 익은 쇼팽의 〈녹턴〉이 흘러나왔다. 어쩐지 그 음악으로 해서, 간신히 덮어 두고 있던 허전함과 결핍감이 갑자기 고조되었다. 채널을 바꾸어 다른 음악을 들어 보아도 마찬가지였다. 그녀가 좋아함으로써 이제는 내게도 특별해진 선율, 레스피기의 〈로마의 소나무〉.

라디오를 끄고 콘솔박스를 열었다. 평소에 좋아하던 테이프들을 뒤적거리는 동안, 레스피기의 〈로마의 소나무〉만 귓가에 맴돌았다. 그 테이프는 내게 없는 것이었다. 지금 그 음악을 다시 들을 수 있다면. 내일은 이미 너무 늦다. 지금 당장이어야 한다.

시계를 보았다. 레코드 가게는 모두 문을 닫았을 시각이었다. 음악을 광적으로 좋아하는, 도서관 사서인 영미가 떠올랐다. 그녀의 독신자 아파트는 마침 멀지 않은 곳인 과천에 있었다.

주차장을 벗어나 얼마쯤 달리노라니, 길 옆의 공중전화 부스가 눈에 띄었다. 나는 차를 세우고 부스로 들어갔다. 이 밤중에 테이프를 빌리러 온다고? 영미의 떨떠름한 대답. 집 안에 들어가는 것이 방해가 된다면 안 들어가지. 테이프만 문 밖에다 내놓아. 나는 전화를 끊고 부스에서 나왔다.

저녁식사 · 1

이튿날이었다. 몸이 무겁고 찌부둥했다. 소연이 떠나고 난 뒤, 집으로 전화를 걸고 나서 얇은 담요 한 장을 덮고 누워 엎치락뒤치락하다가 다행히도 잠이 들어 버렸다.

버티컬 사이사이로 스며드는 아침 햇살이 작업실 바닥에 드리워 놓는 빗살무늬 속에 누워, 현 여사는 자신의 내부로 깊숙이 열려 있는 명료한 의식을 쫓고 있었다. 심하게 부대낌을 주던 것이 몸으로부터 떠나간 것인지, 아니면 더욱 깊이 파고들어 숨을 죽이고 있는 것인지 얼핏 가늠이 되지 않았다. 어찌 됐든 가쁘던 숨이 가라앉고 마음이 평온했다. 자신의 나이, 위치, 해야 할 일들, 맺어 온 관계들이 모두 제자리에 잘 정돈되어 있는 채로 숙연하게 주시하고 있는 것이 느껴졌다.

비켜 갈 수 있으면 비켜 가는 게 좋아.

새날과 함께 현 여사는 마음의 향방을 그렇게 정했다. 그리고 자리에서 일어났다. 창문을 열고 한동안 심호흡을 했다. 서초공원 어디쯤에서 한 떼의 비둘기들이 날아올라 공중을 맴돌다 다시 숲속으로 모습을 감추었다.

그녀는 담요를 잘 개어서 있던 자리에 갖다 놓고, 냉장고에서 생수를 꺼내 글라스에 따라서 선 채로 마셨다. 커피메이커에 커피를 넣고 코드를 꽂았다. 마음에는 동요의 흔적이 조금치도 없었다.

소파에 앉아 느긋하게 커피를 마시며 한 시간 남짓 보냈을까. 전화벨이 울렸다. 현 여사는 서두르지 않고 천천히 일어나 전화기 앞으로 걸어갔다.

"어머니, 어제 작업하셨어요?"

"아니."

"그럼 왜 집에 안 들어오셨어요?"

갑자기 말문이 막혔다. 하지만 지훈은 무엇을 특별히 캐묻고자 하는 것이 아니었다.

"오늘도 거기 계실 거예요?"

"그럴까 해."

"……할 수 없군요."

"왜? 무슨 일이 있니?"

"제가 친구들을 집으로 초대했거든요. 새 프로그램 제작에 들어가면 얼마 동안 집에 들어오기 어려워서 어머니 모시고 저녁이나 할까 해서요."

간신히 되찾은 마음의 평정을 흐트러뜨리고 싶지 않았다.

"너희끼리 하면 안 될까."

"일이 있으시면 그렇게 해야지요."

아들의 목소리엔 여전히 아쉬움이 남아 있었다.

"어떤 친구들이 오는데?"

"제 친구 화가하고 그 친구의 약혼자, 그리고 방소연이요."

전혀 짐작치 못한 바는 아니었다. 오히려 짐작했기 때문에 슬그머니 비켜나려고 했다. 지금과 같은 마음 상태로서는 가능한 일이었다. 오늘 한 번 비켜서는 것만으로도 소연은 자신의 인생에서 금방 멀어질 사람이었다. 그래, 단념해 버리자.

"아주머니한테 음식을 차리라고 해두지. 몇 시에 오라고 했니?"

"일곱 시 반이에요."

"알았다."

전화를 끊고 나서 현 여사는 소파로 돌아가 깊숙이 파묻히듯 앉았다가 금방 다시 일어났다. 커피를 한 잔 더 마시면서 아까처럼 마음의 여유를 즐길 참이었다. 커피메이커의 유리 주전자에는 아직도 한 잔 분량의 커피가 더 남아 있었다. 주전자를 기울이는데 커피가 왈칵 쏟아졌다. 뚜껑을 꼭 닫은 것으로 알았는데, 느슨히 얹혀 있던 뚜껑이 열렸던 것이다.

쏟아진 커피는 받침접시를 적시고 또 탁자 위에 널려 있던 화구들, 붓과 물감 튜브들까지도 적셨다. 휴지로 커피물을 일일이 닦고 있노라니, 그것 때문에 마음의 평정이 일시에 사라져 버린 듯 허둥대기 시작했다.

커피잔을 들고 소파로 가서 앉았으나 이미 커피를 마실 기분이 아니었다. 뭔가 꺼림칙했다. 아니, 그 이상이었다. 지훈이 소연을 집으로 초대한 것을 나무랄 수는 없었다. 하지만 그 초대에 소연이 응했다는 것이 불쾌하고 노여웠다. 바로 어제의 일이었다. 자신으로선 억제할 수 없는 맘에서 아주 직설적인 말까지 하지 않았는가. 속마음을 숨기지 못해 그녀 앞에서 내내 허둥거리지 않았는가. 그런데도 눈치채지 못했다는 것인가. 아니면 눈치채고도 모르는 척하려는 것일까. 함께 있을 때의 그 사분사분한 태도는 무엇이었단 말인가. 누구에게나, 특히 연장자에게 보이는 예의바른 상냥함일 뿐인가. 아무런 교감도 없는 그녀를 앞에 놓고 자신이 혼자서 허덕거린 것일까.

굴욕스럽고 모멸스러웠다. 현 여사는 앉아 있던 자리에서 벌떡 일어났다. 작업실을 오락가락하며 마음을 진정해 보려고 애쓰는 동안, 또 다른 상념의 가닥이 잡혔다. 교감이 없었던 것은 아니었다. 말끄러미 그토록 차분하게 파고드는 소연의 시선 자체가 말없는 교감을 담고 있었는지 모른다. "저는 두려워요, 선생님이" 하는 말은 무언가가 소연의 마음을 깊숙이 뒤흔들어 놓았기 때문일 것이다.

그렇다면 소연은 지훈의 초대에 응하면서도 내심 다른 기대를 품고 있을 것이다. 생각이 거기까지 미치자 현 여사의 노여움은 다소 누그러졌다. 한 발 더 다가가고 싶을 때 오히려 뒤로 물러서는 것도 좋겠지. 자신이 집에 없다는 것을 알게 되면 소연은 실망할 것이다. 실망의 아픔을 맛보게 하는 것도 좋겠지.

그리하여 설명할 길이 없던 불쾌함과 노여움은 일종의 모호한 자신감으로 반전되었다. 현 여사는 집으로 전화를 걸어 시간에 맞추어 음식을 준비해 놓게 했다. 소연이 집에 오는데도 무심하게 있을 수 있다는 것에 스스로 흐뭇해하며.

오랜만에 화구들을 매만져 놓고 이젤에 캔버스를 세워 놓았다. 금방 작품이 하나 완성될 듯싶게 의욕이 솟구쳤다. 소연에게 줄 그림을 그리자는 생각을 하다가, 소연을 모델로 그려 보자는 생각으로, 그것이 다시 소연의 누드를 그려 보자는 생각으로 바뀌는 동안 현 여사는 모처럼 자신이 화가라는 사실을 만족스럽게 확인했다. 아마도 소연처럼 전문 분야의 일을 하는 여성들일수록, 그 분야에서 이미 성공한 여성들에 대한 선망이 클지도 모른다. 일을 통해 그녀를 매료해 봐?

시간은 그럭저럭 오후로 접어들었다. 시계가 두 시를 가리켰을 때, 현 여사는 자신이 초조하게 기다리고 있다는 것을 깨달았다. 겉으로는 새 작품을 구상하는 데 몰두하고 있는 척했으나, 속으로 끊임없이 시계를 쳐다보며 지루하고 초조하게 기다리고 있었던 것이다. 지훈으로부터 소연이 집으로 온다는 말을 듣고 난 직후부터, 의식하지 않는 가운데, 계속 기다리고 있었던 것이다.

그리하여 이제는 아무 일도 아무 생각도 할 수 없이 시간 가는 것만 지켜보고 있었다. 시계가 한 번 재깍거릴 때마다 초침을 밀어내는 것은, 현 여사 자신의 마음이었다.

도대체 무엇을 기다린단 말인가. 식사를 함께할 것도 아니고, 그녀를 만나게 되어 있는 것도 아니면서 자기가 없는 집에서 그들이 식사를 하게 될 시간을 왜 기다리는 것인가.

어쩌면 정작 기다리는 것은 지훈의 전화가 아닐까? 생각해 보니, 어머니가 빠지시면 안 될 것 같아서 다시 전화를 했노라는? 아니면 소연이 전화를 걸어 올지도 모른다. 지훈의 초대를 받고 막상 대답을 해놓고 나니, 댁으로 가도 좋을지 어떨지 여쭤 보고 싶었노라고?

어느 쪽도 전화를 걸어 올 가능성은 희박했다. 전화가 걸려 오지 않는다면 어쩌나. 이 치욕스러운 기다림으로부터 구원받을 방도는? 피가 거꾸로 솟고, 가시방석에 앉아 있는 것 같았다. 소파 팔걸이 위에 얼굴을 파묻고 있으려니 눈물이 뺨을 적셨다.

전화벨이 울린 것은 그때였다. 실낱 같은 희망이 현 여사를 튕겨 오르듯 일으켜 전화 쪽으로 달려가게 했다.

"변호사 사무실에서 전화가 왔는데요, 긴급한 일이라고 전화 좀 꼭 해달라고 해서요."

"알았어요, 아주머니."

"점심은 드셨어요?"

아침에 커피와 사과 한 개를 먹은 것이 전부였다.

"작업실로 뭘 좀 갖다 드릴까요?"

"아뇨. 어서 일보세요. 아 참 아주머니, 다른 데서 전화 온 것은 없어요? 무슨 신문사라고 하면서."

"전화가 오는 족족 메모를 받아두고 있어요. 신문사는 없었던 것 같은데……."

물론 없을 것이다. 가슴이 쓰렸다. 생각해 보니, 어느 은행장과의 점심 약속이 있었던 것 같다. 친구가 함께하는 자리에서 그 은행의 로비에 걸 대형그림에 대한 상담이 오고갈 예정이었는데, 까맣게 잊고 있었던 것이다.

시계가 정각 일곱 시를 가리키는 것을 보고 현 여사는 작업실에서 나왔다. 지금쯤 지훈은 집에 와 있을 것이다. 꼭 필요한 물건이 있어 가지러 온 것처럼 꾸밀 생각이었다. 그러면 지훈이 "기왕 오셨으니 함께 식사를 하시고 가세요" 할 것이 틀림없었다. 소연에게 실망의 아픔을 줄 기회는 없어지지만, 적어도 자리를 함께하게 되면 이 저주받을 초조함으로부터 벗어날 수는 있을 것이다.

간신히 택시를 잡아타고 집에 도착한 것은 일곱 시 사십 분. 지훈이 아주머니를 도와서 식탁을 차리고 있었다. 푸른 줄무늬 셔츠에 흰 넥타이 차림이 경쾌해 보였다.

"아이구, 잘 오셨어요. 어머니."

"손님들이 아직 안 왔구나. 난 작업에 필요한 것이 있어서 들렀다."

거짓말을 하는데도 전혀 힘이 들지 않았다.

"기왕 오셨으니 같이 식사를 하셔야지요."

"오래 같이 있지는 못한다."

이층으로 올라온 현 여사는 방문을 뒤로 닫고 한숨을 휴 내쉬었다. 과연 그 재앙 같은 기다림으로부터, 초조함으로부터 벗어난 것인가.

샤워를 하고 나서 드라이어로 머리를 말리는 동안, 양쪽 관자놀이의 흰머리가 점점 신경에 거슬렸다. 흰머리도 주름살도 전혀 개의치 않고 지낸 날들은 이제 끝이 났다. 나이 들어 버렸다는 것, 더 이상 젊지 않다는 것이, 젊음 앞에서는, 특히 소연이 앞에서는 치명적인 약점이 되고 말았다. 임시변통으로라도 나이를 감추어야 했다.

거울 속으로 빠져들듯 몸을 깊숙이 숙이고 마스카라 솔로 새치를 검게 물들이고 있는 현 여사의 손에 가벼운 경련이 스쳐 갔다. 아래층에서 손님의 내방을 알리는 초인종 소리가 희미하게 들려왔다.

저녁식사 · 2

나를 봐. 나를 보란 말이야. 이것은 그냥 평범한 저녁식사 자리가 아니야. 여기에 있기 위해 나는 자존심에게 무릎을 꿇었고, 내 아들의 천진함을 여지없이 짓밟았어. 살아 있기 위해서, 숨을 쉬기 위해서. 너에게 다가가기 위해 나는 악마에게 오른팔을 떼어 주었어. 균형 감각, 자제력, 인내심을 악마의 손에 바쳤어. 살아 있기 위해서, 숨을 쉬기 위해서.

위태로움을 무릅쓰고 현 여사는 계속 소연을 주시했다. 그렇게 하지 않고는 견딜 수 없었다. 소연은 현 여사 쪽으로는 거의 얼굴을 돌리지 않았다. 간혹 고개를 돌려 바라볼 때도 아주 신중하고 예의 바른 조심성을 보이고 있었다. 그녀는 썩 즐거운 기색도 아니고, 말을 많이 하지도 않았다. 그러나 지훈을 바라보는 그녀의 눈길은 친근하고 거침이 없었다.

지훈과 그의 친구는 PD란 직업을 화제삼아 대화를 나누고 있었다.

"영상이란 속임수야. 자연 다큐멘터리 같은 것은 예외지만."

"저는 TV 보기를 참 좋아해요. 그리고 TV를 보며 울기도 잘하고. 어떤 땐 채널을 이리저리 바꿔 가며 울 만한 장면이 없나 찾아보기도 해요."

고등학교 수학 선생이라는 화가의 약혼자는 아주 냉철하고 엄격한 인상이었다. 그녀가 울기 위해 TV를 본다는 말이 웃음을 자아냈다. 그러나 현 여사는 따라 웃지 못했다. 시무룩한 것은 소연에 대한 견제였다.

"하지만 그런 장면을 만들어서 보여 줘야 하는 사람들은 웃을 여가도 울 여가도 없어요. 개인 프로덕션에서 〈문학기행〉이란 프로그램을 제작할 때의 일이었어요. 그 프로그램은 작가의 작품을 극화하고, 작가가 직접 나와서 드라마타이즈한 작품의 해설을 곁들이는 것이었어요. 박모 작가의 〈산행〉이란 작품은 주인공이 어느 날부터 일상성의 집을 떠나 걷고 또 걸어서 치악산 비로봉 산정에 있는 돌탑 앞에 이르러 그의 행보를 마치는 얘기였어요. 그러니까 그 작품의 테마는 '걷는다'는 것이 우리 삶을 육체성으로부터 정신성으로 옮겨 놓는다는 얘기였어요. 때문에 주인공의 걷는 걸음이 그의 내면에 일으키는 변화를 영상으로 느끼게 해줘야 했어요. 그런데 우리는 촬영에서부터 편집까지 십오 일밖에 시간이 없었어요. 또한 장비들이 무겁기도 해서 거의 자동차로 옮겨 다녔는데, 비로봉 산정에 오르는 일만큼은, 주인공이 그랬던 것처럼 우리 자신도 걸어서밖에 갈 수가 없었지요."

지훈의 얘기가 점점 진지해짐에 따라 그의 얘기를 듣기 위해 소연을 포함한 다른 두 사람의 시선은 지훈에게로 집중되었다. 그래서 현 여사의 오른손이 식탁 밑에서 하얀 식탁보 모서리 귀를 끊임없이 감았다 펼쳤다 하고, 그 시무룩함이 점점 더 무거워지고 있는 것이 아직은 누구의 눈에도 띄지 않았다.

"그냥 적당한 데서 찍어도 시청자는 알 수가 없을 텐데?"

지훈의 화가 친구가 문득 떠오른 듯 의문을 제기했다.

"그럴 수만 있었으면 그렇게 했지. 그런데 작품의 클라이맥스는 주인공이 비로봉 꼭대기에 있는 돌탑을 만나는 데 있었거든. 그 돌탑은 높고 가파른 산정에 있었는데, 그것이 작가의 상상력의 산물이 아니라 실제로 있는 것이었어."

"치악산의 높이는 얼마나 되죠?"

수학 선생의 물음.

"천이백팔십팔 미터예요. 아주 악산(惡山)이죠."

"그런 곳에다 누가 왜 탑을 쌓았을까?"

"정상에 가면 그 사람에 관한 간단한 프로필이 쓰여 있는 안내판이 있어요. 그 사람은 용씨 성을 가진 제과업자였는데, 어느 날부터 생업을 접어 두고 치악산과 접경을 이루고 있는 지역 곳곳에서 돌을 모아 산정으로 짐져 옮겨 탑 쌓기를 십이 년 간 했대요. 세 개의 탑을 쌓아 놓고, 그는 '이제 내가 할 일을 다했으니 편안히 눈을 감겠다' 하고 죽었대요. 그러니까 작품 속의 주인공은 그 실제 인물의 내면에 생긴 길을 밟아 본 거지요. 뿐만 아니라 작가는 독자들에게도 주인공의 궤적을 따라 함께 산행을 하도록 의도했던 거지요. 도대체 그 높은 곳에 돌을 지고 가서 탑을 쌓는다는 것은 무슨 의미가 있으며, 맨몸으로 오르기도 힘든 산을 무거운 짐을 지고 가파른 벼랑을 오르고 또 오르게 한 힘은 무엇일까, 하는 물음에 대한 대답이 산행 자체 속에 있다고나 할까."

지훈이 잠시 말을 쉬고, 와인잔을 들어 한 모금 마시고 났을 때, 현 여사는 스스로 시무룩함의 정체를 드러내고야 말았다. 물론 구실을 만들었지만.

"얘, 그 얘기는 식탁 위에서 하기에는 너무 무겁지 않니?"

"죄송해요, 어머니. 하지만 기왕 말이 나왔으니 끝까지 다 할게요."

지훈의 얼굴이 상기되어 있는 것은 비단 알코올 때문만은 아니었다. 그는 소연이 자기의 얘기에 진지하게 귀를 기울여 주는 것이 흐뭇했다. 아들의 얘기를 현 여사가 귀담아듣지 못하는 것처럼, 마음이 상기되어 있는 아들은 어머니의 터질 듯 위태로운 시무룩함을 전혀 눈치채지 못했다. 그는 계속했다.

"우리는 주인공과 똑같은 산행을 하면서도, 아무것도 느낄 수 없었어요. 우리에겐 그 산행이 단지 프로그램을 제작하기 위한 일의 연장일 뿐이었죠. 우리는 작가에게, 선생님이 돌탑에 대한 얘기를 썼기 때문에 우리가 불필요한 수고를 하고 있다는 식으로 계속 투덜거렸죠. 마침내 힘겨운 산행 끝에 정상에 올라 돌탑이 서 있는 것을 봤을 때도, 감동보다는 신(scene)을 어떻게 연출할 것인지, 그것밖에 관심이 없었어요. PD란 직업은 현장 속에 누구보다 깊숙이 들어가 있으면서도 그 현장이 지닌 생생함을 느끼지 못하는 만성적 불감증 환자를 낳기 십상이죠. 함께 산행을 한 작가의 경우도 마찬가지예요. 한 장면을 찍기 위해 서너 번씩 똑같은 말을 되풀이하다 보면, 처음 느낌의 생생함이 사라지고 빈말만 남게 되는 거죠. 그게 바로 속임수라는 거예요."

"하지만 시청자 입장에선 영상 그 너머의 진실이 무엇이든, 영상을 보고 울고 웃는 자신의 진실이 더 중요한 거지요."

수학 선생이 고집스럽게 자기의 소감을 되풀이했다. 소연의 관심을 충분히 자기에게로 끌어당겼다고 확신했기 때문에, 지훈은 그쯤에서 대화의 주도권을 다른 사람에게 넘겨줘도 아쉬울 게 없었다. 그의 입가에 떠오른 미소는, 수학 선생을 바라보고 있으면서도, 속으로는 소연과의 교감에서 오는 것이었다. 하지만 그가 미처 모르는 사이에 소연의 잔에는 연거푸 와인이 채워졌고, 숨소리가 차츰 높아져 갔다는 것을 그는 알지 못했다.

"저는 사실 어머님께 여쭤 보고 싶은 말이 많은데, 오늘 어쩐지 기분이 편치 않으신 것 같아서요……."

화가는 새 화제를 끌어가기 전에 현 여사의 기분부터 살폈다. 아주 짧은 순간에 현 여사는 얼굴이 뻣뻣하게 굳어졌다. 소연 역시도 마찬가지였다. 그 순간은 아주 짧았지만, 그 짧은 순간이 지나가면서 남긴 음영은 너무도 날카롭고 깊어서, 그것을 느낀 다른 사람들은 어리둥절한 채로 숙연해졌다.

꼿꼿이 앉아 있던 소연에게 휘청하는 동요가 스쳐 갔다.

"죄송합니다."

자리에서 일어난 소연은 입을 틀어막고 욕실로 갔다. 잠시 후 욕실에서 나온 소연은 식탁의 자리로 돌아왔다. 얼굴에 열이 벌겋게 올라 있었다.

"어디 안 좋아요?"

"가슴이 약간……."

지훈의 눈길을 피하며 소연은 가슴을 만졌다. 현 여사와 지훈은 동시에 서로를 쳐다보았다. 지훈의 눈짓이 이층을 가리켰다.

"아, 그러지. 소연 씨 내 방으로 올라가서 잠시 쉬어요."

"네."

현 여사는 소연을 데리고 이층으로 올라갔다. 침실 문을 열고 들어서는 순간, 두 사람은 누가 먼저랄 것도 없이 억제하고 있던 숨을 터뜨렸다. 소연을 와락 끌어안는 그 순간에 현 여사는 자기 속에서 무언가가 핑 소리내어 회전하고, 새로이 펼쳐진 무대 위로 이전의 자기와 다른 자기가 등장한 것을 느꼈다. 일종의 죽음 같은 추락감이 한없이 계속되었다.

한참 뒤 두 사람은 서로의 몸을 놓고 침대 위에 나란히 누워 거친 숨을 가라앉혔다. 침묵이 흘렀다.

"이제 우리는 어떻게 하지요?"

소연의 목소리가 몽롱함에 젖어 있었다.

"두려워?"

"아뇨."

"그럼, 가보는 데까지 가봐야지."

"선생님은 괜찮으세요?"

"날 봐."

현 여사는 검지손가락을 세워 소연의 입술 윤곽을 음미하듯 어루만졌다. 그윽하고 지극한 슬픔이 손끝에서 묻어나 소연의 입술을 적셨다.

"이제 내 앞엔 너밖에 없어. 내 인생에 남은 의미는 너뿐이야."

소연은 한참 울고 난 어린아이처럼 흐느끼듯 한숨을 쉬었다.

"먼저 내려가 보세요. 잠시 후 저도 내려가겠어요."

"이따가 아틀리에로 올 수 있어?"

"지훈 씨가 따라나올 텐데요."

"뿌리쳐야지."

현 여사는 머리를 매만지고 옷매무새를 바로했다.

열 쇠

앙겔로 풀로스 감독의 〈율리시즈의 시선〉이란 영화 시사회를 보고 회사로 돌아가는 길이었다. 핸드폰이 울렸다. 현 여사는 그 전화기를 사주면서 말했다. "너는 끊임없이 움직이는 표적 같아. 하지만 이 기계가 너를 찾아내겠지."

아닌게아니라, 그녀는 하루에도 몇 차례씩 핸드폰을 통해 나의 소재를 확인하곤 했다.

"거기 어디야?"

"자동차 안이에요. 남산에서 힐튼호텔 쪽으로 넘어가고 있어요."

"점심은 먹었어?"

"네."

"오늘 저녁에 만날 수 있어?"

"수영하는 날인데, 수영 끝나고 여덟 시쯤 만날까요?"
"그 수영장이 어디 있지?"
"신문사 근처에 있는 헬스클럽에 있어요."
"몇 시부터 수영을 할 거지?"
"일곱 시부터."
"그럼 거기서 만나."
"같이 수영을 하시겠어요?"
"아니, 밖에서 기다릴게."

가는 길목마다 그녀가 지키고 서 있다. 이 숨막힘이 점점 짜릿하게 느껴진다. 나는 그녀가 나를 마음대로 조정하도록 허용하고 있지만, 한수 위에서 그녀를 조정하는 것은 나다. 그녀의 모든 것은 내가 당겨 보기도 전에 이미 내 손에 쥐어져 있고, 흔들고자 마음만 먹으면 나는 그녀를 죽음으로 몰아갈 수도 있다. "너, 내 감정을 희롱하면 죽여 버리겠어"라고 현 여사가 말했던 것은, 어쩌면 내가 가만히 있기만 하기 때문에 나를 자극하려는 의도였는지 모른다.

일곱 시 정각에 나는 클럽에 도착했고, 십여 분 뒤엔 물에 들어가 있었다.

수영을 하면서 나는 간혹 대기실 쪽을 살폈다. 1레인과 2레인 쪽에서 어린이 수영 강습이 있어, 대기실에는 젊은 엄마들 댓 명이 유리창을 통해 자기 아이들을 살피고 있었다.

어린 시절부터 대학 졸업 때까지 나의 어머니는 한 번도 학교로 나를 찾아와 본 일이 없었다. 다른 아이들 어머니가 비 오는 날 우산을 가지고 교문 앞에 서 있을 때, 나의 어머니는 과일을 팔고 연탄을 배달해야 했다. 늘 지쳐 있고, 가슴에는 자식 대신 돈 걱정을 끌어안고 살아야 했던 어머니에게, 나는 다른 아이들처럼 응석을 부릴 수가 없었다. 어머니에게 새 신발을 사달라고 조르던 어느 날, 내 손을 뿌리치는 어머니 손에서, 나는 그녀에게 내가 큰 짐임을 깨달았다.

사춘기를 거쳐 여고생이 되었을 때, 어머니를 소원하게 여겼던 나의 감정은 급반전되어 연민과 사랑의 감정으로 바뀌었다. 어머니를 돕고, 어머니의 짐을 덜어 드리기 위해서 나는 힘있고 늠름한 아들 같은 딸이 되어야 한다고 생각했다. 밤 늦게까지 남의 옷을 짓고 있는 어머니 옆에서, 잠자지 않고 기다렸다가 다 지은 저고리를 잘 개어서 갖다 주기 좋게 보자기에 싸놓을 때도, 나는 어머니의 의지가 되는 아들이고자 했다. 손이 거친 어머니는 비단옷을 지을 때는 흠이 나는 것을 염려하여 내 손을 빌리곤 했다.

대기실 한쪽, 젊은 어머니들과 떨어져서 혼자 앉아 있는 그녀의 모습이 보였다. 나는 행복했다. 그 행복은 완전한 것이었다. 아마도 어린 시절 내가 잃어버린 행복이란 이런 감정이었을 것이다.

그녀에게 잘 보이고 싶어하는 마음 때문에 두 번이나 다리가 얽혀 물을 먹었다. 다른 한편으론, 화가인 그녀의 매운 눈에 내 벗은 몸이 어떻게 보일까 염려되기도 했다. 샤워할 때 거울에 비춰진 나의 나신(裸身)은 어딘지 중학생 소년 같아 보였다. 그녀가 내 몸을 그리고 싶어하면 어떻게 대답할까. 어쩌면, 그녀의 그림 모델이 되려면 좀더 완숙한 육체를 가져야 할지도 모른다. 수영을 하면서 나는 그녀의 눈이 되어, 내 몸 구석구석을 더듬어 보았다. 완숙한 여인의 육체는 아니지만, 그 몸에서는 소년과 처녀를 합친 것 같은 신비한 순결성이 느껴진다…….

대기실에 앉아 있는 그녀에게 다가가자마자 나는 응석 섞인 어조로 말했다.

"뜨거운 우동이 먹고 싶어요."

"나도 그래."

우리는 로비에 있는 레스토랑으로 갔다. 식탁 위에는 목이 가느다란 유리 꽃병에 패랭이꽃 몇 송이가 꽂혀 있었다.

"지루하셨죠?"

"그래, 너무 지루했어."

그녀의 눈빛은 뭔가 감추고 있는 듯 이상하게 반짝거렸고, 얼굴색도 상기되어 있었다.

"너의 벗은 몸은 묘한 충동을 일으킨다."

"어떤?"

"지금까지 화가들이 누드에서 한 번도 끌어내 보지 못한 그 무엇을 끌어낼 수 있을 것 같아……."

"모델이 되어 드릴까요?"

"너를 좀더 알고 나서. 그 전에 줄 게 있어."

손가방에서 현 여사가 꺼낸 것은 조그만 자주색 열쇠집이었다.

"하나는 내 작업실 열쇠이고 다른 하나는 작업실 안에 새로 꾸민 방의 열쇠야. 그 방에는 네가 이름을 붙여 줘."

나는 열쇠집을 받아서 훅을 열어 보았다. 동그란 고리에 두 개의 열쇠가 묶여 있었다. 하나는 은빛이고, 다른 하나는 금빛이었다. 아마도 이 금빛의 열쇠가 나에게 열어 보이는 세계는, 판도라의 상자, 그것만큼 위험할지도 모른다. 나는 가루처럼 부서지고, 초처럼 녹아버릴지도 모른다. 그녀의 독이 나를 미치게 만들지도 모른다. 바로 그 때문에 나는 이 열쇠를 손에서 놓지 않겠다. 오랜 마법의 얼음잠에서 공주를 깨어나게 해줄 단 한 개의 열쇠.

"그 방에 무엇이 있는지 짐작할 수 없지만, 방 이름이 떠올랐어요. 정!"

"고요하다, 순결하다는 뜻?"

"발음으로는 그런 뜻이 되겠지만, 한자어로 정(釘)은 돌을 쪼는 연장이잖아요."

"돌을 쪼다? 나는 왠지 독수리의 부리가 먼저 연상되는군."

"네, 그것도 좋아요. 그 부리가 바위에 묶여 있는 프로메테우스의 심장을 끊임없이 쪼아대는 것이라면."
"손발이 묶인 프로메테우스는 누가 되지?"
"저는 부리이기도 하고, 감금된 불의 심장이기도 하면 좋겠어요."
"어찌 됐든, 너는 나로부터 그 열쇠를 받을 만한 자격이 있다."
나는 어깨를 으쓱했다.

무너지는 소리들

한쪽에선 여전히 생활이 계속되고 있었다. 세금을 내고 공과금을 내고, 세탁물을 맡기고, 반찬거리를 사오고, 전화를 받고, 전화를 걸고, 찾아오는 손님을 맞이하고, 사람을 만나러 나가고……. 이런 일들은 자고 일어나면 가구에 내려앉는 먼지처럼 쌓이는 것이다.

그런데, 현 여사의 마음과 귀가 온통 전화벨 소리에 묶여 버린 뒤부터, 생활은 도처에서 삐걱거리는 소리를 내기 시작했다.

아래층 식당으로 밥을 먹으러 내려갈 때도 무선전화기를 식탁 위에 올려놓고서야 안심을 했고, 욕실에 들어가 있을 때는 전화기를 욕실 벽장 속에 넣어 두고, 김이 벽장 속으로 스며들지 않게 벽장 문을 꼭 닫아 놓았다가, 혹시나 벨소리를 듣지 못할까 봐 다시 벽장 문을 열어 놓기도 했다. 뜰에 나가 화초를 손질할 때도 전화기는 현 여사의 호주머니 속에 있거나 잔디 위에 놓여 햇빛에 뜨거워지고 있었다.

현 여사가 기다리는 전화는 단 한 사람, 소연의 전화뿐이었다. 다른 목소리, 다른 용건들(그것이 자기에게 실익을 가져다 주고 사교상 아주 중요한 만남이 됨에도 불구하고)은 그다지 중요하지 않거나, 아무래도 상관이 없거나, 아주 성가셔 버릴 정도로 그 의미가 퇴색해 버렸다. 그런 중에도 화가로서의 피치 못할 일들, 수입이 걸려 있는 문제, 학교 강의, 가족 친지들의 대소사와 관계된 일들만은 억지로라도 치러내려고 애를 쓰는데, 그 경우라 할지라도 소연과의 통화 여부에 따라 휙휙 바뀌는 일이 많았다.

소연과의 통화라?……. 소연은 자기 쪽에서 먼저 전화를 걸 필요가 없었다. 왜냐하면 현 여사는 아침이 되기 무섭게 기다렸다. 샤워를 하면서도, 아침식사를 하면서도, 집안일을 하면서도, 심지어는 전화를 하는 중에도, 흘금흘금 시계를 쳐다보고 있다가 소연의 출근 시간이 되면 신문사로 전화를 했다.

"보고 싶어. 몇 시에 나올 수 있어?"

"오늘 취재 나갈 일이 두 군데 있고……."

"그게 언제 끝나?"

"제가 다섯 시쯤에 전화드릴게요."

그 사이에 현 여사는 다른 볼일이 있어도 모두 미루었고, 혹시나 소연이 그 전이라도 전화를 할 수 있겠기에, 가벼운 외출조차 하지 못하고, 전화기만 끼고 서성거렸다. 은행에도 시장에도 가지 못했다. 적어도 다섯 시까지 기다리면 소연을 만날 수 있다는 기대, 그 실낱 같은 기대에 매달려 있는 것 이외에, 다른 것은 무얼 해도 건성이었고 시들했고 흥이 나지 않았다. 그것이 현 여사의 골수에 부어 넣는 것은 초조, 불안, 의혹, 질투, 괴로움, 고통뿐인데도.

그러는 동안 큐레이터 나기태로부터 전화가 왔다. 현 여사는 그에게 그림을 팔아 달라고 부탁해 놓고 있었다.

"선생님, 지금 좀 찾아뵈어도 될까요? 긴히 상의 드릴 일이 있습니다."

현 여사는 재빨리 시계를 쳐다보았다. 아직 세 시간 남짓 시간이 남아 있었다. 불안하게 서성거리고 있느니, 일을 한 가지 치러내도 좋을 성싶었다.

"오세요. 삼십 분 안으로 올 수 있죠?"

"삼십 분 안에는…… 지금 여기가 신촌이거든요. 무슨 바쁜 일 있으세요?"

"하여간 지하철을 타고 빨리 오세요."

세 시쯤에 또다시 전화벨이 울렸다. 만약 나기태가 교통이 혼잡하여 조금 늦을 것 같다고 할 경우, 오지 말라고 해야겠다고 생각하며, 현 여사는 수화기를 집어들었다.

"저, 소연인데요. 지금 찾아뵐게요."

"알았어. 아틀리에로 와. 내가 먼저 가 있을 테니."

"저녁에 약속이 있어서 오래 있지는 못해요."

"어찌 됐든 빨리 와."

"네. 그럼 이따가……."

"잠깐."

"네?"

"정말 보고 싶어."

소연의 웃음소리에 현 여사는 한순간에 마음이 환하게 밝아졌다. 그것으로도 충분했다.

하지만 지금 오는 도중에 있을 나기태의 발걸음을 어떻게 멈추게 할까. 그의 사무실로 전화를 해봤으나, 당연히 이미 떠난 뒤였다. 다른 직원들한테 그의 호출번호를 물어 보았으나 모른다는 대답이었다. 그러고 보니 그가 당장 들이닥칠 것도 같았다. 시간이 그랬다. 현 여사는 아래층으로 뛰어내려가 아주머니에게 두 번 세 번 당부했다.

"아주머니, 누가 찾아오면, 지금까지 기다리다가 급한 일이 있어서 나갔다고 말해 주세요. 내가 사무실로 연락할 테니 사무실에 가서 기다리라고 해주세요."

아주머니의 의아해하는 표정이 못 미더워 현 여사는 다시 한 번 다짐을 두었다.

"문을 열어 주시면 안 돼요. 절대로."

현 여사가 허겁지겁 외출복으로 갈아입고 있는 동안, 아래층에서 초인종 소리가 들려왔다. 잠시 후 아주머니는 난 화분 하나를 안고 올라왔다.

"손님이 몹시 화를 내시던데요."

"그렇겠죠" 하면서도 현 여사의 표정은 밝게 상기되어 있었다. 모두 나에게서 떨어져 나가도 할 수 없지. 그때 또다시 전화벨이 울렸다.

"어머니, 제 속옷 좀 챙겨서 회사로 갖다 주세요."

"안 돼. 지금 급한 볼일이 있어서 나가는 길이야."

"그럼 볼일 보신 뒤에 오셔서 수위실에 맡겨 두세요."

"하루만 참아 보렴. 내일 아침에 갖다 줄게. 아니면 사서 입든지."

대답도 듣기 전에 현 여사는 전화를 끊었다. 죄책감, 두려움이 없는 게 아니었다. 그러나 그 죄책감, 두려움마저도 활활 불태워 버리면서 끝 모를 곳을 향해 내달리는 이즈음만큼, 살아 있음을 무시무시하게 실감해 본 일은 다시 없었다.

잠 적

고요했다. 물 속처럼 고요했다.

작업실 한구석에 새로 꾸민 그 방은 두 사람만의 밀회를 위한 것이었다. 비어 있을 때보다 두 사람이 들어가서 안으로 깊숙이 파묻혀 버릴 때 더욱 고요해지는 방. 푹신푹신한 양모의 흰 양탄자가 바닥 전체에 깔려 있고, 보료 정도의 두께에 더블베드 정도의 폭을 가진, 오렌지색과 연두색 줄무늬 천으로 만든 매트에, 베개로도 쓸 수 있는 흰 쿠션들이 세 개 있었고, 장방형의 유리 탁자 하나가 있었다. 그 안에는 움푹 패인 커다란 접시에 마른 꽃들이 가득 담겨 있었다. 지금 그 탁자 위엔 레드와인 한 병과 크리스털 와인잔 두 개 그리고 담배와 재떨이가 놓여 있었다.

현 여사는 가만히 누워 있는 소연의 벗은 몸을 위에서 내려다보며, 손가락을 세워 더듬고 있었다. 머리꼭대기에서부터 이마를 지나, 살포시 꺼지는 듯 차츰 오뚝해지는 콧날을 지나, 길지도 짧지도 않은 선명한 인중을 지나, 도톰한 입술을 헤치고 하얀 이를 헤치고 따뜻한 동굴 같은 입 속에 잠시 머물다가 다시 나와서, 턱을 스치고 목덜미를 더듬고 나서, 볼우물 같은 후두부에 가볍게 도장을 찍고 나서, 유방과 유방 사이의 계곡을 지나 부드럽고 매끈한 배를 쓰다듬고, 배꼽 속에 또 한 번의 도장을 찍고 나서 편편한 능선의 아랫배를 지나다 보면 갑자기 무성한 숲이 시작되고, 숲은 단애에 이르러 끝이 났다.

이 육체가 현 여사에게 관능적 쾌락을 주는가? 그렇지 않았다. 욕망의 탐닉, 그것은 남편 한 사람만으로 다시 태어난 뒤의 몫까지 충분히 즐겼다.

"무슨 생각 하세요?"

"너의 몸을 더듬고 있으니, 내 생명의 시원으로 되돌아가는 것 같아. 자궁에서 잠자던 그 어느 때의 아득한 기억이 되살아나는 것 같아. 어린 너에게 내가 오히려 모성을 느낀다는 것이 이상하군."

"그건 선생님이 그만큼 외로워서 그럴 거예요. 선생님 외로움의 정체는 뭘까, 가끔 궁금해져요."

소연의 그 아슴푸레한 눈이 현 여사를 말끄러미 쳐다보았다. 현 여사의 눈시울이 떨고 있음에도 소연의 눈은 고집스레 파고들었다.

"사람이 무서워지고 싫어졌었지."

"왜요? 무엇 때문에?"

"자세히 설명할 길이 없어. 그리고 너한텐 말하고 싶지 않고."

"절 믿지 못하세요?"

"그런 문제가 아니야."

"그럼 얘기해 주세요."

"……남편과 나의 인연은 아주 질기고 끔찍한 것이었지. 우리의 인연은 서로가 머리와 꼬리를 물고 물려 있는 형국이었어. 우리의 입 안은 상대가 흘린 피로 가득 차 있었지. 그런데……."

현 여사의 흘러내린 머리카락은 소연의 벗은 몸 속으로 파고드는 뿌리 같았다. 소연은 자신이 꽂고 있던 머리핀 하나를 빼서 현 여사의 머리에 꽂아 주었다. 그 손을 끌어다 입을 맞추고 나서 현 여사는 말을 계속했다.

"그런데, 그러한 그가 나에게 마음을 다 주지 않았던 거야."

"그렇게 생각하시는 이유가 뭐예요?"

"사람들은 그가 사고로 죽은 줄 알고 있으나, 사실은 자기 스스로 사고를 불러들인 거였어. 처음엔 나도 사고인 줄 알았지. 그가 스스로 목숨을 놓아 버릴 이유가 없었으니까. 나도 결국 그를 다 알지 못한 거였어. 그 때문에 나는 지금 무고죄로 고발당해 있지. 왜냐하면 경찰은 현장에 있던 나의 진술을 토대로 사고사로 처리했는데, 운전사와 그의 가족이 나를 고발했어."

"제가 뭐 도와 드릴 게 없어요?"

"이미 충분히 도와 주고 있어. 내 곁에 네가 있다는 것만으로도 위안이 돼."

"아무도 선생님처럼 사람을 믿지 않아요. 설사 남편이라 해도."

"그럴까?"

"그래요."

"난, 갑자기 네가 무서워진다."

"네, 저도 선생님한테 상처를 입힐 수 있어요."

한순간 숨이 멎듯 현 여사는 소연을 뚫어지게 노려보았다. 갑자기 격렬한 몸짓으로 현 여사는 소연을 끌어안고 입을 맞추었다. 간혹 소연의 머리를 베개에 짓찧어 가면서 이렇게 묻고 있는 것 같았다. 그러면, 너와 내가 이렇게 몸을 섞고 있는 것은 뭔가. 이게 그냥 놀이란 말인가.

으스러지고 녹아들 듯한 입맞춤이 지나간 뒤, 현 여사의 표정은 한층 혼란스러워지고 슬퍼 보였다.

소연은 팔을 들어올리고 시계를 보았다. 그 검은 가죽줄이 방금 전에 자신의 뒷목덜미 어디쯤에 긁히는 느낌을 주었던 거라고 현 여사는 혼자 속으로 헤아렸다.

"이제 가봐라."

마치 선선히 보낼 듯 그렇게 말했지만, 현 여사의 속맘은 괴롭고 고통스러웠다. 혼자 남은 뒤의 그 적막감이 두려웠고, 마치 맹수에게 던져진 주검처럼 어지러운 상념에 뜯기다 못해 술이나 진정제 쪽으로 달아나게 될 일이 두려웠다. 소연이 일어나서 옷을 입는 것을 거들어 주며, 억지로 밝은 표정을 지었다.

"지금 어디로 갈 거지?"

"프라자호텔 커피숍에서 약속이 있어요."

"취재 일로?"

"아뇨. 대학 때 은사님과 저녁 약속이 있어요."

"저녁 약속이라……."

갑자기 목소리가 높아지려는 것을 간신히 참으며, 현 여사는 자신도 천천히 옷을 입었다. 무엇이 이토록 노여울까. 고작 대학 은사와의 저녁 약속 때문에 이 피 같은 시간을 죽여 버린단 말인가. 그뿐만이 아니다. 소연은 집 안에서도 신문사에서도 주변과의 관계에서도 이전과 다름없이 자기 일을 잘 해나가고 있다. 약속하고 만나고 웃고 식사하고 대화하고 운전하고, 어느 것 한 가지도 현 여사 때문에 미루거나 차질을 빚는 일이 없다.

그녀는 그러니까 현 여사의 삶에서, 일상 생활에서, 몸 속에서, 골수에서 그 이전에 채워져 있던 것들을 하나하나 몰아내고, 심지어 가족까지 몰아내고 자신이 들어앉아, 그곳에서 태연하게 기사를 쓰고 사교를 하고 수영을 하고 음악회에 간다. 또 누가 알겠는가. 뭇 사내들의 유혹을 은근히 즐기며 밤늦게까지 술자리에서 노래방으로 어울려 다니는지. 소연의 진짜 생활은 거기에 있고, 현 여사와 함께 하는 짧은 시간 동안에는 없다. 손 닿지 않는 아득히 먼 곳, 그곳에 진짜 그녀가 있었다.

의혹에 부채질된 현 여사의 노여움은 한층 강렬해졌다. 왜 이 여자에게 이토록 집착하는가. 무엇이 두렵단 말인가. 그녀를 알기 전과 지금이 무엇이 달라졌단 말인가. 내일이면 다시 만날 수 있고, 그녀 속에 자신을 심어 갈 시간은 얼마든지 있다. 그러나 씻을 수 없는 박탈감이 현 여사의 내부에서 점점 크게 입을 벌리고 있었다. 그 박탈감은 소연에게서 비롯된 것이 아님에도, 이제 와서는 소연만이 그 박탈감의 원인인 듯이 생각되었다.

"갑자기 표정이 왜 그러세요?"

"글쎄, 뭔가 기분이 언짢군."

"……."

소연이 가볍게 한숨을 쉬며 담배를 집어들었다. 소연의 그 행동이 감정의 어떤 부분을 공유하고 있는 것을 확인시켜 주었다. 그제서야 현 여사는 머뭇거리며 말했다.

"저녁식사가 몇 시에 끝나지?"

"길지 않을 거예요."

"네 옆에서 기다리면 안 될까?"

"왜 안 되겠어요. 그러지 마시고 같이 식사를 하시면 어떨까요?"

두 사람이 만나는 자리에 불청객으로 끼여든다? 현 여사의 깔끔한 성격으로는 좀체 있을 수 없는 일이었다. 그럼에도 현 여사는 이미 내면의 야수에게 무릎을 꿇고 있었다. 그녀와 이대로 헤어지면 너는 이 밤을 넘기기 전에 미치고 말 거야.

"좋아, 그러지 뭐."

이번엔 또 무엇을 제물로 바쳤는가. 서럽고 목이 메이는 것도 잠시였다. 소연과 함께 있는 시간을 연장할 수만 있다면……

장 미

올케와 점심을 같이 하고 두 시쯤 신문사로 돌아왔다. 숨어 있던 빚쟁이가 또 나타나 오빠의 빚이 더 늘어났다고 했다. 성실한 가장, 근면한 직장인인 줄로만 알았던 나의 오빠가 노름에 빠져 집을 잡히고, 회사 돈까지 유용한 사실이 밝혀진 것은 최근의 일이었다. 유용한 돈을 빠른 시일 안으로 채워 놓지 않으면 회사를 그만두어야 할 처지였으므로, 어머니가 친지로부터 돈을 빌려 오빠에게 주었고, 나는 그 이자를 물어 왔다. 빚 막음에 조금이라도 보탬이 될까 해서 올케는 우유 배달을 시작했다고 한다.

"너무 걱정하지 마세요"라고, 나는 웃으며 올케를 위로했다.

"알아요, 아가씨 속맘이 어떨지는…… 정말 면목이 없어요."

잔주름이 깊이 패인 눈시울을 훔치며 올케가 울먹였다. 나는 올케를 위로해 주기 위해 속맘과 다르게 말하지는 않았다. 이잣돈 물어주는 일이 벅찬 나의 현실임에도, 그것이 남의 몸에 흐르는 피처럼 느껴지는 것은 무슨 까닭일까. 헤어질 때 올케는 착잡한 표정으로 말했다.

"아가씨, 요즘 연애하세요?"

온통 빚 걱정에 짓눌려 있는 올케의 눈에도 내가 이전과 어딘지 다르게 보이는 걸까. 기사를 쓰려고 컴퓨터를 켰으나, 상념은 어느

새 날개를 달고 나의 통제를 벗어난다. 손가락들이 제멋대로 자판을 두드린다.

세상 전체가 그분의 품으로 변해 가고 있다. 손을 뻗어 더듬으면 따스하고 부드럽고 향기로운 가슴이 만져진다.

다음 순간 내 손가락은 스스로 당황한 듯 지움키 쪽으로 달려간다.

"방소연 씨."

"네?"

나는 모니터로부터 얼굴을 쳐들고 최 선배를 바라보았다. 짓궂은 웃음과 함께 그의 눈짓이 편집국 출입문 쪽을 가리켰다.

"뭐야, 또 꽃 배달인가?"

김 기자가 짐짓 아니꼽다는 어조로 최 선배의 웃음에 맞장구를 쳤다.

흰 리본이 묶여 있는 붉은 상자가 나를 향해 다가오는 동안, 나는 가슴이 두근거리면서도 한편으론 얼굴이 붉어지고 있었다. 동료들은 나에게 일주일이 멀다하고 꽃을 보내 오는 그 '남자'가 틀림없이 유부남일 거라고 놀려댔다. 그 동안 나는 동료들의 농담을 농담으로 여유 있게 받아넘기곤 했다.

그런데 오늘 그 꽃상자는 두꺼운 비밀의 베일을 벗어 던지고, 스스로 향기의 길을 만들며 책상과 책상 사이의 좁은 통로를 지나 나에게로 다가오는 것 같았다.

진실은 단호한 거야, 라던 현 여사의 말이 섬뜩하게 가슴을 스치고 지나갔다. 그 진실을 베일 뒤에 마냥 숨겨 놓으려고만 하는 나의 이기심. 그것은 그저 감미롭게 잠시 빠져들었다가 아무 상처 없이 나올 수 있는 놀이가 아니었다. 이제까지는 그분에게 가만히 잡혀 있는 것만으로도 충분하다고 생각했다. 약속을 하면 약속 장소에, 취재를 하면 취재 장소에 함께 동행하고, 물건을 사면 지폐를 쥔 그분의 손이 먼저 물건값을 치러도 가만히 있기만 하면 된다고 생각했다.

그런데 말 많고 눈치 빠른 편집국 안의 모든 기자들이 주시하는 가운데, 나에게로 걸어오는 그 꽃상자는 분명히 뭔가 치러야 하는 대가가 감춰져 있음을 암시하고 있었다.

마침내 그 꽃상자는 내 책상 위에 놓였고, 나는 배달증에 사인을 해주었다. 어느새 동료들의 시선은 더 이상 나를 주목하지 않았다. 그러나 그 어떤 위기를 감지한 내 마음은 아직도 뻣뻣하게 긴장되어 있어, 선뜻 리본을 풀어 볼 수 없었다.

"방소연 씨, 전화 받아."

강 기자가 건네주는 수화기를 받아들며 나는 무의식중에 주위를 살폈다. 모두 자기의 모니터를 열심히 들여다보고 있으나, 귀는 나를 향해 열려 있을지도 모른다.

"여보세요."

"응, 나 영미야."

"웬일이니?"

안도의 한숨과 함께 내 목소리가 높아졌다.

"나 어저께 너 봤어."

"어디서?"

"삼청동에 있는 용수산에서. 어떤 여자분하고 같이 있더라."

"그래, 취재하고 있었어."

"아냐, 두 사람 다 굉장히 심각한 표정이었고, 뭔지 묘한 분위기였어."

"농담하지 마."

"농담은? 그런데 그 여자분 얼굴이 굉장히 낯이 익은 것 같았어. 누구니?"

"참, 너 테이프 돌려줘야 하지?"

"괜찮아. 그 밤중에 빌리러 올 정도면 사연이 있는 모양인데, 내가 너한테 선물로 줄게."

전화를 끊고 쫓기던 마음을 가다듬을 새도 없이, 또다시 내 책상 위의 전화벨이 울렸다.

"방소연 씨 부탁합니다."

지훈의 가라앉은 목소리였다.

"전데요."

"전화를 여러 번 했어요. 메모도 남겼고."

"바빴어요. 집안에 문제가 있었어요."

"우리 어머니하고는 같이 식사를 했다면서요?"

"네. 저한테 부탁하신 일이 있었어요."

"무슨 부탁?"

"우리 자료실에서 뭘 좀 찾아 달라고 하셨어요."

"오늘 저녁에 시간 있어요?"

"……."

"여보세요? 소연 씨?"

"네. 아니, 집에 일이 있어서 일찍 들어가 봐야 돼요."

마치 위태로운 곡예를 하고 있는 것 같았다. 전화를 끊고 난 뒤에도 내 손은 한동안 수화기를 붙잡고 있었다. 손바닥이 진땀으로 찐득거렸다.

어떻게 하다 여기까지 오게 되었을까. 모니터를 꺼버리고 나는 자리에서 일어났다. 화장실로 가서 수도꼭지를 틀고 얼굴을 씻었다. 지하의 왕에게 납치된 페르세포네는 공포에 질린 듯 발버둥쳤지만, 속으로는 오히려 그 거역할 수 없는 힘에게 결박되는 것을 즐기고 있었을 것이다. 그러나 페르세포네는 머지않아 그 숨막히도록 으스러지는 결박이 요구하는 것이 바로 자기의 생명임을 깨닫게 될 것이다.

그분과 만난 이래 나는 진정 처음으로 나를 결박하고 있는 힘의 정체를 뚜렷이 깨달을 수 있었다. 가만히 있었던 것이야말로 지금부터 내가 치러야 할 대가의 한 부분이었다. 이제 어쩌면 좋을까. 묶인 팔다리를 잘라내고서라도 돌아서야 할까.

허리에 차고 있는 삐삐에서 진동 신호가 울렸다. 현 여사였다. 나는 입 속으로, 그러나 결연하게 중얼거렸다. 나를 내버려둬 주세요.

야수의 시간 · 1

소연의 종적이 핸드폰으로부터, 삐삐로부터도 끊기었다. 사실 시간으로 따지면 두 시간도 채 못 되었다.

낮 열두 시 삼십 분쯤에 있었던 통화에서, 소연은 올케랑 점심식사를 하는 중이라고 했다. 올케? 올케가 있었나?라고 속으로 반문하며 현 여사는 소연이 몇 시에 '정'으로 올 건지 물었다. 늦어도 여덟 시까지는 갈 수 있겠다는 대답이었다.

됐어. 현 여사는 아주 흡족한 미소를 지으며 입 속으로 중얼거렸다. 수중에는 넉넉한 돈이 있었다. S은행에서 가져간 50호짜리 그림값이었다. 네가 나에게 사랑을 받는다는 것이 무엇인지 확실히 느끼게 해주지. 시간도 넉넉했다. 소연이 '정'에 나타날 시간까지면 호박이라도 금마차로 바꿔 놓을 수 있을 만했다.

현 여사는 압구정동에 있는 한 백화점으로 갔다. 고급 상품은 그것을 만든 사람이 지닌 아름다움에 대한 안목을 나타낸다. 현 여사는 소연에게 그 안목을 느끼게 해주고 싶었다. 현 여사의 발걸음이 맨 처음 머문 곳은 까르띠에 직수입 상점이었다. 귀한 물건은 그 아름다움을 볼 줄 아는 사람의 소유가 되는 법이다.

현 여사는 먼저 기품 있는 새의 가슴에서 뽑혀져 나온 깃털처럼 매끄럽고 우아한 선을 지닌 자주색 만년필을 골랐다. 또한 그것과 같은 색의 가죽 줄이 달려 있는 고전적이면서도 세련된 디자인의 둥근 손목시계도 사지 않을 수 없었다. 그 다음엔 흰 비단실로 정교하게 수를 놓은 얇은 모슬린 잠옷도 샀다.

그림 소품 한 점 값과 맞먹는 액수를 치르면서 현 여사는 생각했다. 나는 이 물건을 받고 소연의 입가에 피어날 그 미소를 위해 기꺼이 돈을 치른다. 현재로선 나에게 돈을 쓰는 기쁨을 느끼게 해주는 것은 그녀에게서 미소를 이끌어내는 일뿐이다. 허투루 웃는 웃음이 아니라, 그녀 속의 그 부동의 단단함이 꽃봉오리처럼 벌어져 피어나는 향기 같은 웃음.

예정에 없었던 아주 낭만적인 물건도 하나 샀다. 참나무로 만든 의자 겸용의 그네였다. 배달이 되려면 하루 기다려야 된다고 했지만, 현 여사는 저녁 여섯 시까지는 무슨 일이 있어도 배달이 되어야 한다고 못박았다.

쇼핑을 마치고 작업실에 도착한 시간은 오후 네 시. 현 여사는 소연을 한층 즐겁게 해줄 아이디어까지 생각해 냈다. 소연이 문을 열고 들어서면 '잠깐, 거기 서 있어' 하고 눈을 가린다. '귀하는 지금 태평양 한가운데 있는 보물섬에 도착했소.' 현 여사는 소연의 손을 붙잡고 그네가 있는 곳으로 안내하며 일부러 남자처럼 음성을 변조한다. '자, 이제 눈을 가린 스카프를 풀어도 좋소.' 소연은 하얀 천이 덮여 있는 크고 기이한 물건을 보게 될 것이다. '그 흰 천을 벗기기 전에 소원 한 가지를 말해 보시오.' 천이 벗겨지면 붉은 리본이 묶여 있는 그네가 나타난다.

그네 위엔 흰 장미 한 송이와 카드가 놓여 있다. 카드에는 다음과 같은 글귀가 씌어 있다. '그네를 타보고 나서 두 번째 소원을 말하고, 똑바로 걸어서 싱크대 앞으로 가시오. 커피병 옆에 있는 흰 항아리 안에 손을 넣어 보시오.'

소연은 항아리 안에서 푸른 포장지에 싸여 있는 납작하고 네모난 상자와 또 다른 카드를 끄집어내게 될 것이다. 그 카드에도 역시 다음과 같은 글귀가 적혀 있다. '상자를 열어 보고 나서, '정'으로 들어가 매트에 덮여 있는 시트를 들추어 보시오.' 소연이 하얀 시트를 들추어 보지만 그 속에는 아무것도 없다. 어찌 된 일인가. 두리번거리고 있는 소연을 시트로 뒤집어씌우고, 현 여사 역시 그 하얀 낮잠 같은 시트 속으로 들어간다. '너의 세 번째 소원은 꿈처럼 하얀 잠옷을 입고 손목시계를 들여다보는 것이다. 자, 여기 있어, 펼쳐 봐.'

여섯 시쯤에 배달된 그네는 한 시간 남짓 걸려 조립이 되어, 작업실 한쪽에 놓여졌고, 카드의 글귀대로 선물들은 지정된 곳에 숨겨 놓았다. 스페인산 붉은 포도주 리스칼 리세르바와 싱싱한 야채 샐러드, 바닷가재도 준비해 놓았다.

그리고 현 여사는 샤워를 하고 나서, 편안하고 부드러운 분홍빛 실내옷으로 갈아입었다. 이제 소연이 문을 열고 들어서기만 하면 되는 일이었다.

여덟 시 삼십 분쯤에 소연으로부터 전화가 왔다. 전화기 속으로 왁자지껄한 소음과 빠른 템포의 록음악이 흘러나왔다.

"전데요, 일이 아직 안 끝났어요."

"거기 어디야?"

"저녁은 드셨어요?"

"같이 먹으려고 기다리고 있잖아."

이때까지만 해도 현 여사는 자제심을 잃지 않았다.

"저는 먹었어요. 어서 드세요."

"너 술 마셨니?"

싸늘하도록 침착한 목소리.

"네."

"지금 빨리 이리로 와!"

"지금은 못 가요. 어쩌면……."

머리꼭대기까지 열이 치받쳤다. 전화를 끊고 나서 현 여사는 자신의 양쪽 팔꿈치를 아프게 문지르며, 할말이 잘린 소연으로부터 전화가 다시 걸려 오기를 기다렸다. 십 분이 지나도 전화기는 잠잠했다.

높은 절벽 같은 데서 뚝 떨어진 기분이었다. 주위가 죽음처럼 고요했다. 그러고 보니, 낮 세 시쯤 호출을 했는데도 응답이 없었던 것까지 꺼림칙했다. 무슨 일일까. 피하려는 이유가 뭘까. 아니면 자기 말대로 피치 못할 일이 생긴 걸까. 오 분쯤 더 기다려 보다가 현 여사는 소연에게 호출 신호를 보냈다. 시계를 쳐다보고 있는 동안, 째깍거리는 초침이 내장을 후벼 파는 것 같았다.

오 분, 십 분이 지나도 응답이 오지 않았다. 그래서 현 여사는 또 다시 호출 신호를 보냈다. 소연을 기쁘게 해주려고 오늘 하루 내내 공을 들인 만큼, 이제 와선 분노의 화염이 더 맹렬했다. 연달아 세 번 호출 신호를 보내고 나서, 현 여사는 비틀거리는 걸음으로 크리스털 촛대에서 촛불이 타오르고 있는 식탁 앞으로 가서 주저앉았다. 응답이 오지 않는다면 이 밤을 어찌 보내나. 그때 전화벨이 울렸다. 수화기를 집어들자마자 현 여사는 분노의 화염을 쏟아냈다.

"너 지금 누구 놀리는 거니?"

"……."

"빨리 이리로 오라고 했잖아."

"오늘은 못 가겠어요."

"거기 어디야, 내가 가지."

"제가 내일 전화드리겠어요."

"안 돼. 너 누구 죽일 셈이니? 거기 어디야? 빨리 말해!"

"저를 좀 내버려두세요."

잦아드는 목소리. 그리고 전화는 끊어졌다. 현 여사는 수화기를 내려놓지 못하고 가슴에 끌어안은 채 미친 듯이 작업실을 오락가락했다. 소연의 한마디 한마디가 귀를 후벼 파고 가슴을 후벼 팠다. 미친 야수가 정신과 육체를 맘껏 짓밟고 유린하는데 멈추게 할 도리가 없었다.

야수: 그녀를 찾아봐. 그녀가 갔음직한 술집을 모두 뒤져서라도

그녀를 찾아내.

제물: 서울의 술집들이 한둘이 아닌데, 어디 가서 그녀를 찾겠어.

야수: 그녀를 찾지 못한다면, 이 밤은 너에게 지옥이 될 텐데. 끓는 쇳물처럼 독한 술로도, 진정제를 한 병 모두 입 속에 털어 넣는다 해도 너는 잠들 수 없을 거야. 앉지도 서지도 못한 채로 온갖 망념에 뜯어먹혀 아침이면 해골만 남게 될 거야. 그러니 설사 그녀를 찾지 못한다 하더라도 밤거리로 뛰어나가 이 집 저 집 문을 두드려 보는 것이 그래도 나을 거야.

제물: 한 가지 방법이 있기는 해.

야수: 나도 알아. 어서 거기다 전화해 봐.

현 여사는 우악스런 손길에 머리채를 쥐어잡히고 엉금엉금 기어서 수화기를 집어드는 기분이었다. 지훈은 오늘따라 방송국에 없었다. 잠시 틈을 내서 집에 들른 모양이었다. 잠에 취한 목소리로 지훈이 전화를 받았다.

"너 집에 왔구나. 그래, 좀 쉬어라. 그런데, 급한 일이 생겼어. 소연이 집 전화번호 아니?"

"무슨 일인데요?"

"나중에 얘기할게."

둘러대는 말이 아니라고 현 여사는 자신에게 다짐했다. 끝까지 지훈을 속일 생각은 없었다. 언젠가는 아들에게 진실을 털어놓고 자폭해야 할 것이다.

"지금 몇 시예요?"

"열 시 오십 분이다."

"자고 있지 않을까요? 내일 통화하시지 그러세요."

"안 돼."

너무도 낮고 조용했기 때문에 그 목소리는 스스로 비밀을 드러내는 것 같았다. 지훈의 침묵이 깊고 길었다. 그래, 눈치채라, 눈치채야 한다. 피할 맘은 없어. 돌을 던지며 너도 나를 떠나겠지. 전화번호를 가르쳐 주고 나서도 지훈은 한동안 숨을 죽이고, 수화기를 든 채 가만히 있었다.

"어머니……."

"그래, 자거라. 내일 얘기하자."

아들과의 통화에서 서늘하고 섬뜩한 두려움이 가슴을 스치고 지나갔음에도, 현 여사의 벼랑을 향해 내달리는 질주는 멈춰지지 않았다. 다 잃고 말 것이다. 목구멍 너머로 꺼이꺼이 넘어 올라오는 탄식을 씹으면서도 현 여사는 작업실을 뒤로하고 승강기에 몸을 실었다.

야수의 시간 · 2

소연은 그때까지도 귀가하지 않고 있었다. 누군가(소연의 어머니였을까?) 현 여사의 절박한 간청(부탁받은 서류를 꼭 전해 주어야 한다는)에 못 이겨 집 위치를 가르쳐 주었다.

차창 밖으론 이슥한 밤의 야경이 물살처럼 빠르게 흘러 지나가고 있었다. 날뛰던 노여움의 화염이 제풀에 수그러진 탓일까, 심한 피로와 허탈감이 엄습했다. 등받이에 맥없이 기대어 멍하니 차창 밖을 바라보고 있는 동안, 선연하고 싸늘한 한 줄기 의식의 빛이 현 여사의 마음속 탁한 어둠 한가운데로 스며들었다.

모두 다 소용없는 짓이야, 허망하고 속절없는 짓이야, 라고 깨우치는 목소리가 고개를 쳐들기 무섭게, 화염의 새빨간 입김이 그 목소리를 덮쳤다.

야수: 이 세상에 허망하지 않은 것이 어디 있어. 허망하다, 허망하다 하고 있을 때 그녀가 네 마음속에 반짝 불씨를 살려 주었잖아. 이 세상에서 그만큼이라도 살 의미를 부추겨 주는 것은 그녀뿐이잖아.

제물: 그래, 그 때문에 그녀는 내가 살아갈 의미의 전부야. 나는 그녀를 키우고 성숙시켜서, 눈부신 존재로 비상하게 하고 싶어. 그런데 보라구. 그녀는 오늘 내가 자기를 위해 차려 놓은 멋진 향연을 저버리고 시시하고 너절한 인간들과 어울려 놀고 있잖아. 이런 철부지 아이에게 공을 들일 가치가 있을까?

야수: 그녀가 처음부터 완벽하다면 왜 공을 들이겠어. 뿐만 아니라, 오늘 그녀와의 만남이 어긋난 것은 그녀가 나빠서도 불성실해서도 아니야. 그녀를 놓아선 안 돼. 아직 그녀는 네 품안에 포획되지 않았어. 착각하지 마. 지금부터 시작이야. 그녀의 저항을 무찌르려면 너 자신도 그만큼 상처를 입어야 해. 무엇이든 아끼려고 하지 마. 전부를 내놓아야 해.

제물: 알아. 하지만 그녀에게 공을 들이는 것은 나의 몫, 나만의 기쁨이 되어야 해. 그녀로부터 되돌아오는 것은 아무것도 없을 거야. 이미 남편을 통해서도, 양자를 통해서도 그 사실을 뼈저리게 체험했어. 인생이란 자신을 전부 던져 태우는 불꽃, 그 이상도 이하도 아니지.

야수: 그러려면 더 맹목적이 되어야 해. 그녀는 너에게서 절대성을 끌어내 줄 뿐이지, 그녀 자신이 완벽하고 절대적인 존재는 아니야.

제물: 그건 그녀를 사랑하는 것이 아니라, 그녀를 사랑하는 자기 자신에게 빠져 드는 게 아닐까?

다음 순간 현 여사는 대답 없는 메아리 속에 던져져 있는 자신을 발견했다. 어둑신한 골목 안에 가로등 하나가 불을 밝히고 있었다. 삼층짜리 연립주택 몇 동이 나직한 울타리에 둘러싸여 서로 시커먼 모서리를 물고 있었다. 물론 이전에 한 번도 와본 일이 없는 낯선 동네였다. 주변에는 고만고만한 연립주택들이 골목과 골목을 사이에 두고 빽빽하게 밀집해 있었다.

목소리가 가르쳐 준 집주소를 찾기 위해 현 여사는 인적이 끊긴 텅 빈 골목을 이리저리 왔다갔다 한 끝에 '삼정빌라'를 찾아냈다. 골목 안쪽 작은 십자로 모퉁이에 위치한 그곳으로 이어지는 길은 사방으로 열려 있었다. 때문에 귀가하는 소연을 붙잡으려면, 삼정빌라 정문 수위실 근처에서 기다려야 했다. 하지만 그 사이에 소연이 이미 귀가한 것은 아닐까. 수위실 안의 벽시계는 열한 시 사십 분을 가리키고 있었다.

수위실을 지키는 사람이 없었으므로 소연의 귀가 여부를 확인하려면 공중전화를 이용해 다시 한 번 늦은 시각 잠든 그녀의 가족들을 깨워야 했다. 그렇게 해서라도 그녀를 기어이 이 밤 안으로 만나야 하는가, 하는가, 하는가……?

현 여사는 자기로부터 간신히 그렇지 않다는 대답을 이끌어냈다. 그러나 그녀를 설사 만나지 못한다 하더라도, 그녀가 잠들어 있는 창변이라도 지키고 있는 것이 나을 것이다. 삼정빌라 안의 대부분의 방들은 불이 꺼져 있었다. 이층에 있는 어느 집 불 켜진 창문 위로 퍼머머리 여자의 실루엣이 어른거렸다. 그녀는 아마도 대학입시생 아들을 둔 현 여사 나이의 주부일 것이다.

그래 내 나이 여자들의 삶은 대부분 저 지점에 있지. 등을 기댄 담벼락에서 오싹하도록 습한 기운이 스며 올라왔다.

마음에선 이미 그녀를 만날 것을 포기했으면서도 현 여사는 좀체 그 담벼락에서 등을 떼어낼 수 없었다. 마치 자신을 파먹는 망념들로부터 자신을 보호해 주는 것이 그 담벼락인 듯이. 아닌게아니라, 소연이 지척에 있다는 것을 확인시켜 주는 그 담벼락조차 없다면…… 그래, 차라리 폐렴이라도 걸려 버려라. 무엇이든 다 부서져 버려라.

현 여사는 그때 자기 앞에 우뚝 다가서는 사람의 기척에 깜짝 놀라 얼굴을 쳐들었다. 소연이었다. 두 사람은 한동안 말없이 서로를 바라보기만 했다. 소연이 눈앞에 있다는 것만으로도 현 여사는 가슴 한복판의 작열하는 불길로부터 건져 올려지는 것 같았다. 그것은 전신에

퍼지는 모르핀 기운처럼 그토록이나 완전하고 멋진 희열이었다.
현 여사는 비로소 등을 기댄 담벼락으로부터 한 걸음 앞으로 나섰다.
"난 너하고 자고 싶어. 지금 당장."
물론 소연이 거절할지도 모른다. 그러면 죽고 싶도록 무참해지겠지. 그럼에도 현 여사는 그렇게 말하지 않고는 견딜 수 없었다.
자신을 숨막히게 끌어안고 있는 그 보이지 않는 결박으로부터 벗어나려고 짐짓 몸을 한 번 뒤틀어 보고 나서, 소연은 한숨을 쉬었다. 가로등 불빛에 손목시계를 들여다보고 있는 그녀의 관자놀이가 불끈 튀어나와 터질 듯 뛰고 있었다. 시계로부터 좀체 떨어질 줄 모르던 그녀의 눈길이 천천히 어두운 하늘 어디쯤으로 옮겨 갔다.
"아틀리에로 갈까요."

포옹, 나 또는 그녀

아무리 부비고 파고들어도 다함이 없을 듯, 그녀의 따스하고 부드럽고 향기로운 살은 바다처럼 물결치며, 요동치며, 안으로 안으로 깊숙이 열린다. 그녀의 입, 그녀의 혀, 두 팔과 두 다리는 나를 자기 안으로 더 깊이 끌어당기고 조이며 허기진 숨을 몰아 쉰다. 어디까지 나아갈 수 있을까? 두 몸이 물과 물처럼 섞일 때까지? 나는 으스러지고 녹아져서 그녀인 나, 나인 그녀가 되려고 한다. 우리는 사무치게 뜨거운 불길, 타오름 그 자체이다. 우리는 서로가 서로에게 소멸과 생성을 다시 예비하는 자궁이 된다.
눈을 뜨고 생각해 본다. 여기는 어디일까. 눈을 감고 또다시 생각해 본다. 여기는 어디일까.
"너는 누구야? 네가 누구냔 말이야?"
그녀가 내 귓불을 자신의 뜨거운 입 속에 삼키며 외치듯 속삭인다. 다음 순간엔 대답을 거부하듯 자신의 입으로 내 입을 막는다. 황홀한 신음이 포개어진 두 입의 동굴 속을 메아리친다.

얼마나 지났을까. 나는 눈을 떴다.

몽롱한 잠수에서 세상 밖으로 솟구쳐 올라온 듯 눈이 부셨다. 나를 삼켰던 그녀의 핏빛 머리카락이 내 위로 쏟아져 있었다. 그녀가 땀으로 젖어 있는 내 몸을 뜨거운 물수건으로 닦아 주고 있었다. 내 몸에 닿는 그 물수건이 아직도 사무친 느낌을 주었다.

"너 남자하고 자봤니?"

그녀의 눈이 내 눈을 깊숙이 들여다보고 있었다. 나는 고개를 끄덕였다.

"어땠어?"

"별로였어요. 저는 육체에서 쾌락 그 이상의 것을 찾고 있나 봐요. 그래서 슬픔이 느껴지는, 아픔이 느껴지는 살이 좋아요."

"나 이전에 여자하고 자본 일은?"

"자지는 않았어요. 자보고 싶어하는 가슴에 그냥 안겨 있어 보기는 했어요. 그녀 가슴의 슬픔이 제 속으로 쏟아져 들어오는 그 느낌이 저는 성(性)인 줄 알았어요."

나는 김인애 선생을 떠올리며 터질 듯 검은 그녀의 유두를 손끝으로 눌렀다. 그리고 문득 궁금했다.

"선생님은 남자랑 잘 때 어땠어요?"

"내 남편하고 나하고는 나이 차이가 좀 많았는데, 우리에게 성은 상대의 전부를 삼키는 열락(悅樂)이기도 했지만, 그 사람이 아니면 안 되는 어떤 것을 서로에게 확인시켜 주기도 했지."

"그 어떤 것이란 뭐예요?"

"정신적 힘 같은 것. 적수로서의 힘 말이야."

"그러니까, 지금 제게 쏟아져 들어온 슬픔은 사랑을 잃은 슬픔이기보다 적수를 잃은 슬픔인가요?"

"모든 사랑 속엔 항상 겨룸의 긴장이 내재되어 있지 않을까?"

갑작스런 침묵이 졸음처럼 우리 두 사람 위로 내려앉았다. 침묵은 두 몸을 떨어지게 하고 각기 다른 방향으로 실어 갔다. 그녀가 그것을 느꼈음일까.

"나한테 한 가지 약속해 줄 게 있어."

나는 묻지 않고 고개만 끄덕였다.

"언제 죽든 네가 내 죽음을 처리해 줘. 이건 부탁이 아니라, 명령이야."

놀라움을 숨기고 나는 천장으로부터 그녀에게로 시선을 옮겼다.

"먼 훗날의 일을 왜 벌써……? 그리고 지훈 씨가 있잖아요."

"난 걔를 믿지 않아."

"자식인데두요?"

"걔는 내 속으로 난 애가 아니야. 물론 그 때문에 그애를 믿지 않는 게 아니야. 그애는 두 번씩이나 내 등에 칼을 꽂았어. 그애가 그런 짓을 한 것도 내 속에서 나지 않았다고 그런 것은 아닐 거야. 다만 그애와 나 사이에 남편의 죽음이 칼이 된 상황이 있었어. 그때 나는 가만히 있었고, 그애는 칼을 집어 나에게 꽂았어. 내가 먼저 칼을 집지 않은 것은 인생이 쓸쓸했기 때문인데, 걔는 젊었고, 그 쓸쓸함이 무언지 몰랐을 뿐이야. 물론 나는 이해하지. 그러나 용서하지는 못해."

그녀가 천천히 내 앞에 무릎을 꿇고 말을 이었다.

"그리고 또 한 가지, 이건 명령이 아니고 부탁인데, 너와 나 사이에도 혹시 칼이 놓이게 되면, 그땐 등에다 꽂지 말고, 가슴을 향해 찔러라. 배신을 당하는 것보다는 죽음에 이를 만큼 큰 상처를 입는 쪽을 택하겠어."

나는 담배를 찾는 척하고 자리에서 벌떡 일어났다. 드디어 어떤 겨룸의 긴장이 우리 사이에 시작된 것을 확연히 느낄 수 있었다. 그녀는 내가 자신에게 상처를 입히도록 유도하기 위해 자신을 먼저 자해했다. 어째서 그녀는 나를 자신의 적수로 만들어 가려는 것일까.

두 대의 담배에다 불을 붙여 하나는 그녀의 입에 물려 주고, 나도 그녀와 같이 무릎을 꿇었다.

"왜 저한테 그러세요? 저는 지금 겨우 스물여덟이에요."

"너는 네 발로 네 운명을 찾아온 거야."

사람이 사람에게 운명이 된다는 것은 뭘까. 어찌 됐든 너무 깊이 와 버렸다. 돌아서기엔 너무 늦어 버렸다. 두려움 한가운데 오도도 떨며 홀로 서 있는 자신이 보였다.

자 해(自害)

아침에 소연을 떠나 보내고 나서 혼자가 된 현 여사는 기운차게 하루를 시작할 듯, 콧노래를 흥얼거리며 욕실로 들어갔다. 뜨거운 샤워 물줄기에 벌거벗은 몸을 내맡기고 있는 동안, 어느새 그 콧노래는 입 안에서 가뭇없이 사라져 버렸다. 화방에 주문한 르 프랑 물감을 찾으러 가야 한다는 생각, 서운해하고 있는 나기태에게 점심이라도 사야겠다는 생각을 하고 있었다. 그런데 소연과 무관한 그 생각들조차 맴돌고 맴돌아서 어느새 소연과 이어져 끈질기게 골수를 파먹기 시작했다. 이제 와서 현 여사는 확실히 깨달았다. 그녀로부터 아무리 벗어나려고 발버둥쳐도 극히 짧은 한순간조차도 그녀의 생각을 놓지 못한다는 것. 어떠한 사물도 만남도 결국은 그녀에게로 이어져 의혹, 질투, 노여움, 불안, 굴욕스러움, 정염의 감정들이 뒤범벅되어 죽음에 이르는 병이 되고 있다는 사실.

얼마 전까지도 현 여사는 결정적 사태에 직면하게 되면 스스로 꼬리를 자르고서라도 위기를 벗어나는 뱀처럼, 독한 의지를 비장하고 있다고 자신을 믿어 왔다. 또한 세상 모든 일에는 끝이 있어, 자신이 이 어지러운 회전목마로부터 내려오지 않으려 해도, 목마는 언젠가 멈출 수밖에 없으므로, 오히려 이 소용돌이가 지속되는 동안만이라도 착란과 전율 속으로 더 깊이 빠져 봐야 한다고 자신의 위험한 도박을 옹호했다.

마음의 평강을 송두리째 잃어버린 지금, 현 여사의 입에서는 절로 탄식과 비명이 새어 나왔다. 아, 어째서 그녀 이외에 다른 것은 아무것도 생각할 수 없단 말인가. 욕실에서 나온 현 여사는 채찍으로 말잔등을 후려치듯 자기 마음을 후려쳐, 일부러 모멸감을 배가시켰다.

여행가방을 꺼내어 짐을 꾸리기 시작했다. 잠시 서울을 떠나 있어 보자는 결심이 싹튼 것은 언제였던가? 그녀의 살 속으로 너무나 깊이 빠져 들어 '네가 누구야, 왜 내 앞에 나타났어?' 라고 맘속으로 절규했던 어느 순간에? '멈춰지지 않아, 발이 닿지 않아' 라고 비명을 지르고 싶었을 때?

소연이 지닌 삐삐도 핸드폰도 무용해질 만큼 멀리 가서, 지치고 상한 영육을 쉬게 하고 혼자를 견디어 보자고, 결심 또 결심하며 현 여사는 짐 꾸리기를 마쳤다. 다른 한편으론 소연을 벌주고 싶은 마음도 없지 않았다. 날이 새면 되풀이되는 초조한 기다림 속에서 문득문득 맛보게 되는 굴욕감, 모멸감이 그녀에 대한 원망과 야릇한 복수심으로 바뀌기도 했다. 그래, 나도 언제까지나 너에게 질질 끌려다니기만 하지는 않을 거야. 내가 이렇게 너에게 무작정 백기를 들고 있을 때, 너는 겸손하고 감사할 줄 알아야 돼. 왜냐하면 네 오만과 무지가 너의 눈을 찌를 수도 있으니까. 그때는 네가 나를 찾아도 그 자리에 내가 있지 않을 거야.

현 여사는 떠나기 전에 혹시라도 소연의 전화를 받고 마음이 동요될까 봐 전화 코드를 뽑았다. 그런 다음, 간밤의 일로 지훈이 품고 있을 의구심을 풀어 주어야 하는데 어떤 방법이 좋을지 생각해 보았다.

어젯밤에는 감정이 격해서 자기 스스로 비밀의 벼랑까지 아슬아슬하게 걸어 나갔지만, 지금은 피할 수만 있으면 피하고 싶었다. 게다가 소연에게 그의 출생의 비밀을 털어놓은 일로 죄책감에 짓눌려 있었다.

현 여사는 전화 코드를 도로 꽂고 집으로 전화했다.

"아주머니, 지훈이 일어났어요?"

"네, 지금 뜰에 나가 있어요."

"좀 바꿔 주세요."

"오늘도 집에 안 오세요?"

"네, 며칠 여행을 떠날 거니까, 집 잘 보세요. 그리고 지훈이 아침 먹도록 신경 써주세요."

개 짖는 소리가 수화기 속으로 흘러 들어왔다. 봉순이와 귀남이가 뛰노는 평화로운 뜰 안 풍경이 떠오르자, 현 여사는 자신이 남몰래 치르고 있는 무서운 열병을 떠올리며 한층 외롭고 고독했다.

"어머니, 잘 주무셨어요?"

지훈의 목소리는 의외로 밝고 쾌활했다.

"어저께 잠 깨워서 미안했다. 요즘 내가 무슨 글을 청탁받고 자료를 소연에게 부탁했었어."

"통화는 하셨어요?"

"아니, 집에 없었어."

"무슨 자룐지, 저희 회사에도 있을 텐데요."

"아니, 됐다. 너 오늘 엄마가 점심 사줄까? 시간 있니?"

"저 지금 출근해야 돼요. 오늘 점심은 우리 팀원들이랑 같이 하기로 했어요."

"나는 며칠 동안 여행을 떠나려고 하는데……."

"그러세요? 어디로요?"

"생각 같아선 발리나 몰디브 섬 같은 곳에 가고 싶지만, 그건 안 될 것 같고, 동해안 쪽으로나 갈까?"

동해안 쪽으로 간다는 것은 방금 떠올린 생각이었다. 마음을 다지기 나름이었다. 설사 몰디브처럼 뚝 떨어진 곳으로 간다 해도, 여전히 마음의 지옥을 벗어나지 못하면, 공연히 국제전화값만 수백만 원 물게 될지도 모른다. 그런데 지훈은 무슨 일이 있길래 저렇게 기분이 고조되어 있을까. 어젯밤 무언가를 눈치채고 있는 듯했던 그의 무거운 침묵이 어떻게 풀렸을까.

"너 좋은 일이 있는 것 같다?"

"아니에요, 어머니. 오늘 아침 속옷을 찾는데 제가 초등학교 때 입었던 팬티가 난데없이 튀어나오잖아요."

"그래서?"

"너무 작아서 지금은 팔뚝도 안 들어가던데요?"

"그게 그렇게 기분 좋으니?"

"우스웠어요."

껄껄대고 웃는 지훈의 웃음소리는 뭔가를 뒤에 감추고 있는 것처럼 느껴졌다.

그 웃음소리가 자신의 뇌리에서 또다시 맴돌면서 소연에게 이어지기 전에 서둘러 수화기를 놓았다.

가방을 챙겨 들고 작업실을 나와서 문을 잠그고 있는데, 안에서 전화벨이 울렸다. 승강기 쪽으로 걸음을 옮기노라니 등뒤에서 희미하게 전화벨이 계속 울려대고 있었다. 현 여사는 마치 자신을 붙잡는 소연의 손길을 힘겹게 뿌리친 듯, 승강기 문이 닫히자 무릎이 푹 꺾여 바닥에 주저앉았다.

열한 시 이십 분 발 강릉행 우등버스에 올랐다. 버스는 떠나기 직전인 듯 시동을 걸어 놓고 있었다. 열 명이 채 안 되는 승객들이 띄엄띄엄 흩어져 출발을 기다리고 있었다. 현 여사의 지정좌석은 출입문 곁에 설치되어 있는 전화기 바로 뒷좌석이었으나, 가능하면 그 기계로부터 멀리 떨어져 있기 위해 뒤켠으로 가서 자리를 잡았다. 그 전화기는 간신히 마음을 싸매고 떠나온 현 여사에게 의지를 시험하는 위험한 폭발물 같았다.

버스가 터미널을 빠져 나와 고속도로로 진입했을 무렵이었다. 창변으로 빠르게 흘러 지나가는 풍경은, 자신이 그만큼 빠르게 소연으로부터 멀어지고 있다는 것을 암시하는 것 같았다. 바라던 바였다. 현 여사는 팔짱을 낀 채 등받이에 몸을 깊숙이 파묻고 잠을 청할 참이었다. 십일월의 맑은 가을 하늘과 고속도로변에 밀집한 아파트 단지들이 망막 뒤로 사라져 버린 그 순간에 하나의 불길한 의구심이 현 여사의 거짓된 마음의 평정을 여지없이 깨뜨렸다.

소연이 잠자리를 같이한 남자는 누구였을까. 두 사람은 사랑하는 사이였을까, 아니면 어쩌다 불장난처럼 밤을 함께 지낸 것일까. 얼굴 모르는 남자의 눈으로 누워 있는 나신의 소연을 바라보는 동안, 아직도 몸 속에 꿈틀거리는 정염의 여운이 되살아나 어느새 자신이 그녀의 몸을 깊이깊이 탐하고 있는 것처럼 느껴졌다. 하지만 그것은 질투의 감정이 만들어 내는 환영일 뿐이었다. 그 환영 속으로 빠져들면서 현 여사가 얻으려는 것은 그녀의 마음이지, 육체의 쾌락은 아니었다. 이미 육체가 주는 현란한 절정에 대해 너무나 잘 알고 있는 현 여사에겐, 소연의 육체가 주는 것은 풋풋하긴 해도 그다지 신기할 것이 없는 보잘것없는 기쁨이었다. 그럼에도 현 여사는 그 육체를 통해 그녀의 마음을, 영원과 불변의 약속, 믿음을 함께 타서 마시는 마음을 주고받는 것으로 믿었다.

현 여사의 괴로움은 자신이 소연을 마음속으로부터 깊이 사랑하고 있는 데 반해, 그 마음이 그녀로부터 종종 도외시되고 외면당하는 것 같은 징후를 느낄 때였다. 지난밤만 해도 그랬다. 뒤늦게라도 자신이 준비한 선물들을 소연에게 주고 싶었다. 그 선물들을 통해서 그녀를 사랑하는 자기의 마음이 전달되기를 바랐다. 그런데, 소연은 마신 술의 취기 때문에 작업실에 들어서자마자 쓰러져 잠들었고, 그녀의 곁에서 뜬눈으로 지새운 현 여사는 새벽녘 그녀가 잠을 깼을 때 이미 선물 주기를 포기해 버렸다. 아침에 소연은 하얀 천이 씌워져 있는 이상한 물건을 보았고, "저게 뭐예요?" 하고 물었다. "그네야." 현 여사는 감정 없이 짧게 대답했다. "그런데 왜 천을 씌워 놓았어요?" "나중에 알게 되겠지."

소연의 무딘 감정 또는 씁쓸한 어긋남으로 해서 자신이 입은 상처를 계속 곱씹었다. 왜냐하면 벌써부터 버스 안에 설치되어 있는 전화기가 유혹의 손짓을 보내며 마음을 들썩이게 했기 때문이다. 잠시 후 기어이 핑곗거리를 만들어 냈고, 그 때문에 전화를 걸지 않을 수 없다고 스스로를 납득시켰다. 하지만 수화기를 집어 든 마지막 순간에 전화번호를 바꾸어 버렸다. 친구의 음성이 곧바로 전화를 받았다.

"나야."

"너 지금 어디 있니? 집으로, 아틀리에로 전화를 해도 받지 않더라."

"그것이 네 전화였구나."

실망을 감추지 못하며, 현 여사는 눈길을 차창 밖으로 돌렸다. 벼를 벤 논에 군데군데 낟가리가 쌓여 있었고, 만추에 겨운 노란 산등성 위로 뭉게구름 한 덩이가 걸쳐져 있었다.

"나 지금 강릉 가는 길이다."

"거기는 왜?"

"바다가 보고 싶어서."

"기가 막히네. 너 오늘 우리 남편하고 점심 약속 했잖아."

실망은 침울한 자포자기로 이어졌다.

"내 대신 남편한테 미안하다고 그래 줘."

"이건 네 일에 관한 거야. 명예에 관한 거야."

그 순간 현 여사는 친구에게 마음을 털어놓고 싶다고 생각했다.

"마음을 가눌 길이 없어."

"그렇겠지. 하지만 아무도 도와 줄 수 없는 일인걸. 작업에 몰두해 봐. 내년에 전시회 계획도 있다면서?"

"작업? 그게 지금 내 골수를 파먹고 있는 악몽과 무슨 상관이 있어."

"악몽이라니? 평생에 너 같은 사랑을 해보고 죽는 사람이 몇이나 되겠니?"

"글쎄 그게 아니라니까. 그 사람은 나에게 마음을 다 주지 않았어."

"그게 네 병이다. 사람이 사람에게 어떻게 그 이상 더 마음을 줄 수 있겠니? 다른 부부들은 너네 부부의 십 분의 일도 못 되는 마음을 주고받으면서도 그러려니 하고 살아가는데."

"그건 사랑의 절대를 믿지 않기 때문이야. 난 남편에게서 그걸 얻지 못했어. 실패한 거야."

"네가 찾는 그런 절대는 사람이 사람에게 줄 성질의 것이 아닌 것 같다. 그러니 진실을 직시해."

친구와 주고받는 대화가 점점 공소해진다고 느끼면서도 현 여사는 자신의 절망적인 감정의 무거움만큼 수화기에 매달리고 있었다.

"……."

"우리 남편한테는 내가 잘 말해 줄게. 그러니……."

"아니, 잠깐, 끊지 마."

"너 거기 버스 안 아니야?"

"맞어."

"그런데 공중전화를 붙잡고 그렇게 오래 있으면 안 되잖아."

현 여사는 몸을 틀어서 주위를 돌아보았다. 승객들은 저마다 창밖을 내다보고 있었다.

"괜찮아. 아무 말이고 좀 하렴."

"너 그렇게 속이 허전하니?"

"뿐만 아니라……."

"응?"

"죽고 싶어."

수화기를 오른손에서 왼손으로 넘기고 나서, 몇백 원밖에 남지 않은 공중전화 카드를 바꾸기 위해 현 여사는 주머니 속에 손을 집어넣었다. 당혹해하는 친구의 음성을 들으며.

빈 방에서

그녀는 어디로 갔을까. 가정부의 말대로 여행을 떠난 것이 사실이라면 왜 나에게 한 마디 말도 없이 떠났을까. 여행을 떠났다 해도 전화는 할 수 있지 않을까.

뒤에서 울리는 경적소리에 나는 깜짝 놀라 액셀러레이터를 밟았다. 신호등이 파란불로 바뀐 것도 모르고 있었던 것이다. 오늘은 몹시 바쁜 하루였다.

전화, 만남, 취재, 기사 쓰기로 이어지는 빡빡한 하루였기 때문에 일 이외의 다른 것은 생각할 여유가 없었다. 그런 중에도 삐삐나 핸드폰을 받을 때마다 은연중에 현 여사를 생각했고, 다른 용건 다른 목소리일 때는 가벼운 실망감이 없지 않았다. 그렇더라도 언제든지 내 편에서 전화를 할 수도 있는 일이어서, 여느 때와 달리 퇴근 시간이 되도록 그녀로부터 아무 연락이 없었어도 그다지 크게 신경 쓰이지 않았다.

저녁 여섯 시쯤 기사의 마지막 교정까지 보고 나서 한숨 돌리고 있을 때 핸드폰이 울렸다. 이번엔 틀림없이 그녀일 것이다. 핸드폰을 집어 들며 나는 생각했다. 수영을 함께 하고 나서 에로틱한 영화를 보자고 할까. 마지막 상영 영화를 보고 나서 적막한 거리를 손잡고 걸어 보고 싶다. 하지만 그녀가 아니었다.

몸이 편찮으신 것일까. 아침에 봤을 때 그녀의 눈밑은 심한 화마에 그을린 듯 검츠레했고, 얼굴이 푸석푸석 부어 있었다. 꽃을 사가지고 찾아가 봐야겠다고 생각하며 작업실로 전화를 했다. 전화를 받지 않았다. 집으로 전화를 했다. 가정부가 전화를 받았고, 현 여사는 여행을 떠났다고 했다.

"여행요?" 믿기지 않았다기보다, 가정부가 모르고 하는 말이려니 생각했다.

"그럴 리가 없는데요. 아침까지……."

하마터면 나는 아침까지 함께 있었다고 말할 뻔했다.

"네, 오늘 아침에 떠나셨어요."

가정부의 목소리는 무심하고 퉁명스러웠다. "어디로 가신다고 그러셨어요?"

모른다는 대답이었다. 그녀의 행방, 갑작스럽게 여행을 떠나게 된 이유가 궁금하긴 해도, 기다리고 있노라면 소식이 올 거라는 느긋한 여유가 돌연한 충격으로부터 나를 지탱해 주었다. 그렇다. 깊숙이, 그토록 깊숙이 그녀는 내 안에서, 나는 그녀 안에서 나누고 확인한 그 무엇이, 나의 일부분이 되어 동요나 초조, 불안감으로부터 나를 지켜 주고 있다. 그녀가 이 세상 어디에 가 있든, 그녀는 나를 떠나지 못할 것이다. 그녀가 혹시 다른 남자와(그녀를 흠모하는 이런저런 남자들이 많다는 소문이 있다) 잠자리를 같이하게 되더라도, 그녀가 받아들이는 것은 나의 입김, 나의 눈빛, 나의 웃음이지, 결코 그 어떤 남자의 몸이 아닐 것이다.

삼십 분쯤 수영을 하고 나와서 삐삐를 켜보았지만, 현 여사로부터 들어온 연락은 없었다. 전화를 할 수 없으리만치 먼 곳으로 떠난 것일까. 국외는 물론 산간벽지라 하더라도 요즘은 전화 없는 곳이 없을 텐데. 아니면 동행이 있어 전화하기가 곤란한 상태일까.

샤워용 거품비누를 터무니없이 많이 몸에 바른 모양이다. 세찬 물줄기에 씻겨 내리는 풍성한 거품이 그녀의 손길에 벗겨져 내리는 비단 속옷처럼 보였다.

"자, 눈을 감고 느껴 봐. 이 옷이 네 몸에서 흘러내리는 느낌. 참 깊고 은밀하지?"

아, 그녀의 세심하고 깊고 따스한 입맞춤의 여운이 온몸에서 되살아난다. 그녀는 여행지에서 얼마나 머물 것인가. 만약 그것이 이틀, 사흘, 나흘이 된다면?

라커 룸으로 와서 나는 서둘러 옷을 입었다. 하지만 그녀에게 달려갈 일도 없는데, 무엇이 나를 설레게 하고 떨리는 맘으로 단추를 채우고, 지퍼를 올리게 하겠는가. 갑작스럽게, 너무도 갑작스럽게 내 앞에 놓인 이 휴식이 힘겹다. 그녀 없는 휴식은 공허함이며 외로움이다. 이전에 나는 이토록 공허하고 외로웠던 적이 없다. 삐삐나 핸드폰에 신경 쓸 필요 없이 차분하고 여유 있게 책을 읽을 수 있고, 오랜만에 어머니를 모시고 외식도 할 수 있는데, 전혀 그럴 기분이 아니다. 이때까지 나에게 위안과 긍지를 준 만남과 약속들 모두가 나를 외롭게 한다. 숨차게 몰아치는 그녀의 격정이 버거울 때면, 풀어 줘요, 쉬게 해줘요, 하는 시늉을 재미 삼아 하곤 했는데, 막상 그 휴식을 얻고 보니…….

주차장에 세워 놓은 자동차 앞에 이르렀을 때 한 가지 생각이 떠올랐다. 그녀가 없더라도 아틀리에에 들러 보면 어떨까. 시동이 걸려 붕붕거리는 자동차 소리가 마치 설렘과 흥분이 되살아난 내 심장에서 들려오는 소리 같았다.

거리로 쏟아져 나온 차량들의 행렬이 길게 늘어서 있어, 양재동의 아틀리에까지 가려면 지루하고 먼 길이 될 테지만 무슨 상관이랴. 나는 테이프 버튼을 누르려다 그만두었다. 레스피기의 〈로마의 소나무〉. 이제 그 음악은 보이지 않는 다이아몬드 바늘이 내 몸에 선율의 홈을 새겨 놓은 것같이 테이프를 틀지 않아도 절로 들려온다.

아틀리에까지 한 시간 십오 분이 걸렸다.

어둠이 내린 거리에 네온 간판들이 명멸하고, 가로등이 빛을 뿜고, 차량들이 흥분한 수소 마냥 어디론가 질주하는데, 도시의 그 야만스런 소란이 나하고 아무 상관이 없어진 듯 이상해 보였다. 어젯밤만 해도, 그녀가 나를 잡고 있는 끈이 끊어져라, 밤 속으로 소란 속으로 숨어들 때는 네온이, 가로등이, 차량들이 모두 내 뜻에 동조해 주지 않았던가.

그녀의 작업실이 있는 5층 복도는 아직 초저녁인데도 인기척이 거의 느껴지지 않았다. 다른 때는 어땠었나? 모르겠다. 그녀가 기다린다는 생각 때문에 늘상 조금은 허둥거렸고, 주위를 돌아볼 여유가 없었다. 나는 자주색 열쇠 지갑을 꺼냈다. 그녀로부터 받은 것이지만 아직까지 써볼 기회는 없었다. 잠금쇠 풀리는 금속음. 그것은 아주 깊은 곳에서 들려오는 듯했고, 그 깊음은 금기의 세계로 닫혀 있어야만 할 것 같았다. 나는 멈칫했다. 그 두려운 이향(異響)은 내 앞에서 난 것이 아니라, 등뒤에서 난 것이다. 나는 이미 문 안쪽에 들어와 있다. 그녀가 나에게 준 열쇠는 다만 그것을 확인시켜 줄 뿐이었다.

비어 있는 실내의 어둠은 축축하고 싸늘했다. 나는 벽의 스위치를 눌렀다. 말끔하게 정리되어 있는 작업실이 그녀의 부재를 두부모처럼 드러내 보이고 있었다. 작업실을 둘러보고 나서 안쪽에 있는 '정'으로 갔다. 잠긴 문을 또 하나의 열쇠로 열었다. 그곳도 말끔히 정돈되어 있었다. 아침까지 그녀와 내가 함께 있었던 흔적 같은 것은 어디에도 남아 있지 않았다. 뿐만 아니라, 그녀가 떠나간 방향을 암시해 주는 어떤 것도 없었다. 배반감이 느껴졌다. 그녀가 없는 줄 알면서도 작업실로 찾아온 이유가 따로 있었던 것일까, 하고 나는 자문해 보았다. 그랬다. 나는 뭔가를 찾아내고 싶었다. 이처럼 생경스런 단절감은 그 뭔가를 위장하기 위한 것이다.

작업실 모퉁이에 흰 천이 덮여 있는 그네. 그 천을 벗겨 보는 것으로부터 나는 탐색을 시작했다. 그네는 왜 샀을까, 그리고…… 하얀 천을 벗기자 초록 줄무늬 방수천으로 지붕까지 씌운 그네가 모습을 드러냈다. 뿐만 아니라 그 그네엔 붉은 리본이 묶여 있었고, 의자에 흰 장미 한 송이와 카드가 놓여 있었다. 장미와 카드를 동시에 집어 들었다. 카드에 쓰인 글귀를 읽어 보았다.

"그네를 타보고 나서 두 번째 소원을 말하고, 똑바로 걸어서 싱크대 앞으로 가시오. 커피병 옆에 있는 흰 항아리 안에 손을 넣어 보시오."

나는 리본을 풀고 그네에 앉았다. 약간 시들긴 했어도 한층 짙어진 장미의 향기. 아, 그렇구나. 어젯밤 삐삐를 연거푸 보내며 나를 기다린 그녀의 기다림 속에는 이런 것이 감춰져 있었구나. 가슴이 미어졌다. 그녀의 기다림 속으로 고스란히 걸어 들어와 그녀가 시키는 대로 했더라면 얼마나 기뻐했을까. 우리가 함께 나누어 가질 너무도 그윽하고 경이로운 어떤 것을, 나의 무신경으로, 또는 거짓된 반항으로 인해 영원히 잃어버린 것이다. 첫 번째 소원도, 두 번째 소원도 말할 자격이 없다, 나는. 아니, 지금 나의 소원은 그녀가 나에게 품은 노여움을 풀어 주기 바라며, 그녀가 있는 곳을 알아내는 일이다. 그네에서 일어났지만 나는 카드에 쓰인 대로 하지 않았다. 그녀가 없는 상태에서 그 글귀대로 하는 것은 무의미했다.

어떻게 그녀가 있는 곳을 알아낼 수 있을까. 지훈 씨는 알고 있을까. 그는 요즘 내가 자기를 피하고 있는 것을 눈치챘음직하다. 내 쪽에서 먼저 전화를 해서 현 여사에 대해 물어 본다면 이상스럽게 생각하지 않을까.

아니다, 감정을 억누르고 이성적으로 생각해 보자. 나는 소파에 몸을 던졌다. 몸이 젖은 솜처럼 무거웠고, 후회와 낙담으로 마음이 한없이 가라앉았다.

정(釘)을 맞다

전화벨 소리에 깜짝 놀라 눈을 떴다.

반사적으로 핸드폰을 집어 들었으나, 그것은 작업실 전화벨이 울리는 소리였다. 누군가 현 여사를 찾고 있었다. 벨소리가 세 번 울린 끝에 자동응답기에 녹음된 현 여사의 음성이 흘러나왔다.

"지금은 전화를 받을 수 없습니다. 하실 말씀을 남겨 주세요."

삐— 소리가 난 뒤에, 굵직한 남자의 음성이 들려왔다.

"박 감독입니다. 꼭 한번 뵙고 싶습니다. 제 전화번호는 ○○○의 ○○○○번입니다. 전화 기다리겠습니다."

나는 전화기가 놓여 있는 테이블 앞으로 자리를 옮겼다. 메시지 버튼이 파란불을 켜고 계속 깜박거리고 있었다. 박 감독? 어디선가 들어 본 음성이었다. 단순한 호기심 이상의 관심이 끓어올랐다. 방금 그 음성을 다시 재생해 보려고 버튼을 눌렀으나, 리플레이된 테이프에서 다른 음성의 메시지가 흘러나오기 시작했다.

"나다. 너 오늘 우리 남편하고 약속한 거 알고 있지? 시간 잘 지켜. 어쩌면 나도 나가게 될지 몰라. 그럼 끊는다."

붕붕붕, 몇 차례 신호음만 이어지다가 갑자기 현 여사 자신의 음성이 흘러나왔다.

"네가 내 이 말을 듣게 될 수 있을까……."

나는 숨을 죽이고 귀를 기울였다. "지금은 저녁 여덟 시 이십 분이야. 아침 열한 시 이십 분 버스를 타고 강릉에 내려왔어. 이곳은 바다가 내려다보이는 ○○호텔 삼백팔호실이야. 너에게 말없이 떠난 것은 나 자신을 견뎌 보기 위함이야. 지금 이 순간도 나는 힘겹게 버티고 있어. 지금 내가 나를 넘어서지 못한다면 사랑은 너에게도 나에게도 재앙이 될 것이기 때문에." 현 여사의 목소리는 거기서 끊어지고 다시 붕붕거리는 신호음이 이어졌다. 나는 재생 버튼을 누르고 현 여사의 음성을 다시 들어 보았다.

"네가 내 이 말을 듣게 될 수 있을까……."

그녀는 자기의 부재중에 내가 아틀리에로 찾아와서 녹음을 듣게 될 것이라고는 거의 생각지 않는 듯했다. 나를 염두에 두긴 했어도 그녀의 말은 독백이나 다름없었다. 그러나 한편으로는 자신의 그 독백을 내가 듣게 되기를 간절히 바라고 있기도 했다. 그녀가 나에게 직접 전화를 하지 않고, 이처럼 불확실한 가능성 속에 자신의 말을 감춰 놓는 것은, 자기 자신을 그만큼 견딘 증거이기도 하지만, 내가 스스로 사랑 속으로 한층 깊숙이 걸어 들어오기를 바라는 마음에서이기도 했다.

그녀의 부재중에 내 발로 찾아와서, 이 녹음을 듣게 되기는 했지만, 그녀가 있는 곳으로 전화를 한다든가 또는 찾아간다든가 하면, 나는 마침내 사랑의 겨룸에서 그녀의 적지(敵地)로 한 발 더 깊숙이 끌려 들어가게 되는 것이다. 내가 그녀 있는 곳으로 전화도 하지 않고 찾아가지도 않는다면, 그녀는 아무것도 모를 것이다. 따라서 내 마음의 적지로 한 발 더 깊숙이 끌려 들어와야 하는 것은 그녀이고 그녀의 선택이 된다. 이미 너무나 많은 것을 나에게 양도해 버린 그녀가. 그녀는 지금쯤, 치명적이리만치 심장 깊숙이 꽂힌 칼을 간신히 잡아 뽑아 보고는 있으나, 뽑힌 자리에서 펑펑 솟는 선혈 때문에 그 칼을 도로 아픔과 고통 속으로 디밀어 넣지 않을 수 없을 것이다.

과연 나는 이대로 그냥 집으로 돌아갈 수 있을까. 아픔이, 미어짐이 멎지 않는다. 뾰족하고 여지없는 어떤 것으로부터 가슴 한복판을 세게 얻어맞은 것처럼. 이 아픔은, 미어짐은, 오직 그녀에 의해서만 멈춰질 수 있다. 아니, 아픔을, 미어짐을, 더 배가하기 위해 나는 그녀에게로 달려가고 싶다. 그녀와 가슴을 포갬으로써 그녀의 심장에 박혀 있는 칼이 내 가슴까지도 맞뚫을 수 있게 되기를…….

시계는 열 시 오 분을 가리키고 있었다. 나는 강릉에 한 번도 가

본 일이 없다. 마음 같아선 당장 떠나고 싶지만, 어둠 속에서 길을 찾기는 쉽지 않을 것이다. 새벽까지 기다릴 수 있을까? 그러기 전에 먼저 몇 가지 수습해 놓아야 할 일들이 있다.

나는 집으로 전화를 걸었고, 어머니에게 거짓말을 했다. 다행히 내 직업은 밤샘을 핑계댈 수 있는 직업이었다. 그러고 나서 강 기자의 집에도 전화를 해서 내일 일을 부탁했다. 이번 한 번만이야,라고 나는 자신에게 다짐했다.

갑자기 배가 고팠다. 냉장고 안에는 포도와 키위, 아보카도 같은 과일들과 접시째 랩에 싸여 있는 바닷가재, 그리고 빵과 치즈가 있었다. 나는 포도와 빵과 치즈를 꺼냈다. 그로써 나는 그녀의 적지에 이미 한 걸음 내딛고 있었다. 음식이 없어진 것으로써, 아틀리에에 발을 들인 나의 흔적은 지울 수 없는 자국을 남기게 되므로.

새벽이 밝아 올 즈음 작업실을 나섰다. 복도를 지나 승강기를 타고 1층 로비까지 내려오는 동안, 이 새벽의 행보를 위해 크게 기지개를 켰던 나의 팔다리는 수위실 앞을 지날 때는 잠시 발걸음을 죽일 수밖에 없었다. 어제 아침에 이어 또다시 새벽에 빠져 나가는 외래손님으로서 수위에게 기억되는 일은 별로 유쾌하지 못하다.

냉기가 감도는 주차장의 정적 속에 몇 대의 차량들이 곤한 잠에 빠진 짐승들처럼 잠들어 있었다. 시동이 걸린 내 차는 이처럼 이른 시간에 길을 떠나 본 일이 없다는 듯, 볼멘소리를 토해 냈다. 물론 그럴 것이다. 내 마음에서 깨어난 이 거침없는 해방감, 그 무엇도 막을 길이 없어진 속깊은 욕망의 불길을, 너는 곧 눈치채지 않을 수가 없을 것이며, 필요하다면 너를 사정없이 몰아칠 내 맨발에 복종해야 될 것이다.

닫혀 있는 대문들, 아직도 단잠에 빠져 있는 지친 도시인들에게 커튼을 꼭꼭 여며 주고 있는 크고 작은 창문들을 뒤로하며, 차는 내 맨발에 서서히 복종하기 시작했다. 활주로처럼 훤히 뚫린 차도로 들어서자마자 나는 힘껏 액셀러레이터를 밟았다. 희뿌연 아침 안개 속에 몽롱하게 서 있는 가로등들, 굳게 닫혀 있는 상점들의 문들, 밤사이 떨어져 길가에 뒹구는 낙엽들이 질주하는 내 차의 맹렬한 기세에 낡은 종잇장처럼 휘날리며 뒤로 사라졌다. 또한 그것은 나 자신이 맹렬한 기세로 그 무엇으로부터 빠져 나오는 것을, 떨어져 나오는 것을 말해 주기도 했다. 아직도 잠자리 속의 그 보잘것없는 온기에 취해 있는 이전의 나, 특종을 다투고, 오빠의 빚 막음, 가족들의 실패한 꿈까지 대신 짊어지고, 매일매일 손끝으로 세상의 구석구석을 액정화면 속에 띄우고 들여다보며 서투른 진단과 비판을 서슴없이 해대는 나, 교통신호 위반을 하고도 얼마 안 되는 벌금을 물기 싫어 기자증을 내밀며 선처를 강요하는, 실제로는 잘생긴 외모에 집안 좋고 경제적으로 능력 있는 남자를 만나 결혼하는 것이 장래 바람의 전부이면서, 입술에서는 추상적인 어휘로 위장된 그럴싸한 가치관을 표방하는 나로부터, 빠져 나오는 것이었다.

고속도로로 진입한 내 차의 계기판은 시속 150킬로미터를 가리키고 있었다. 차는 겁을 집어먹은 듯 그 이상의 숫자를 넘지 않으려고 바늘 끝이 바들바들 떨리고 있었다. 길 양편으로 푸른 이내에 싸여 있는 들판과 나지막한 산들이 무자비한 칼날에 잘려 나가듯이 스쳐 갔고, 어느 순간 아득한 길이 벌떡 일어나 나를 넘어서 뒤로 넘어졌다.

스피드, 그날 냄새 나는 스피드가 내 존재로부터 군더더기를 벼리어 내고 또 내면서, 신선한 기쁨 하나만 남겨 놓았다. 내 속에서 솟구치는 그 기쁨으로 길을 온통 적시면서 나는 달려가고 있다. 그녀는 길 저 끝에서 빛처럼 희디희게 펄럭이는 하나의 표상.

어둠 또 어둠

자기 안에서 날뛰는 야수에게 쇠뭉치를 달아 놓고, 현 여사는 침대에 누워 꼼짝도 하지 않았다. 유리창 너머로 멀리 푸르게 보이던 바다조차 어둠에 삼켜져 버린 뒤로는, 모든 것이 서울을 떠나기 이전의 어떤 상태로 되돌아가 있었다. 네 시간 남짓 달려서 동해안의 작은 도시에 온 것이며, 답답하고 짓눌린 마음에 해답이나 위안이 될 것으로 기대했던 바다가 지척에 있고, 철썩거리는 파도가 귓가에서 포말을 날리고 있음에도 변한 것은 아무것도 없었다. 현 여사는 모래톱을 걸어 보지도, 파도에 신발을 적셔 보지도 않았고, 허기도 갈증도 느낄 수 없었다. 오히려 소연으로부터 자신을 떼어내 멀리 끌고 온 만큼 기운이 쇠진했고, 전화나 삐삐를 하지 않으려고 마음에 채워 놓은 차꼬의 무게만큼 고통과 괴로움만 배가되었을 뿐이었다.

그녀의 머리맡 작은 스탠드 옆에는 뚜껑이 열려진 생수 한 병만이 달랑 놓여 있었다. 두 개의 베개를 포개 놓고 누운 듯, 기댄 듯 다리를 뻗고 있는 그녀의 자세는, 적어도 겉보기엔 너무도 편안한 휴식 상태였다. 그녀의 인생을 크게 조감해 볼 때는 더욱 그랬다. 생활은 안정되어 있고, 아들은 장성하여 자기 분야에서 인정을 받으며 입지를 다지는 중이고, 오륙 년 동안 침묵을 지켜 온 자신은 그림만 그렸다 하면 세인들의 더욱 깊은 관심과 평판을 불러일으킬 것이다. 물론 남편이 떠난 자리에 크나큰 상처가 남아 있긴 하다……. 그 충격의 한복판에서 이곳에 오기까지 몇 년이 걸렸고, 실제로 현 여사는 휴식이 필요했다. 아니면 최소한 꿈 없는 잠이라도 자야 했다.

호텔방의 천장과 벽에는 흰색과 푸른색 방울꽃들이 무수히 대칭으로 피어 있었다. 현 여사는 달군 쇠꼬챙이 같은 의식을 누그러뜨리고 잠을 청하기 위해 천장의 방울꽃들을 헤아려 보려고 애썼다. 몇 개 헤아리기도 전에 그 의식적인 노력은 밑도 끝도 없이 달려든 상념에 먹히어…… 이를테면 소연은 지금쯤 내가 여행을 떠나온 사실을 알고 있을까, 로 시작된 의문이 손목시계를 보게 했고, 그러나 시계만 들여다봤을 뿐, 몇 시인지는 전혀 모르는 채로, 뭉툭 잘려진 영상 하나가 의식 속으로 굴러 들어왔다.

핸드폰으로 전화를 걸고 있는 소연의 모습. 그 모습은 언젠가 함께 있는 자리에서, 현 여사가 사준 핸드폰으로 어디론가 전화를 걸던 때의 소연의 모습이었다. 얼굴 전체에 활짝 퍼지는 웃음. 여보세요, 하는 단아하고 깊은 울림을 지닌 목소리. 현 여사는 그때 그 순간 자신이 느꼈던 언짢은 감정이 생생하게 되살아났다. 넌 잊었니? 그건 내가 사준 핸드폰이야. 그런데 너는 내 앞에서 그 핸드폰으로 다른 사내(그녀의 웃음의 빛깔은 상대가 남성일 때만이 여성이 무의식적으로 자극받게 되는 그런 것이므로)와 통화를 하면서 웃고 있잖아. 물론 전화를 할 수도 있고, 웃을 수도 있다. 소연에게 핸드폰을 사주면서, 그것이 두 사람만의 핫 라인으로 쓰여지길 바라긴 했지만 꼭 그렇게 되리라곤 기대하지 않았다. 뭐야, 전화기 하나 사주고 그 권리를 주장하는 건가. 자신의 유치한 감정이 부끄러워 꽁꽁 감추고 있었으나, 현 여사가 말없이 내뿜고 있는 짙은 담배연기는 소연에 대한 억누를 길 없는 불만과 비난을 담고 있었다.

하지만 소연이 지금 그 핸드폰으로 숫자판에 찍고 있는 전화번호는 아틀리에 번호일 것이 분명했다. 언제나 수동적이기만 해온 그녀라 해도 이 시간쯤 되면, 아무 연락도 오지 않는 것이 궁금해지지 않을 수 없을 것이다.

비어 있는 화실에서 울려대는 전화벨 소리. 귓가에서 집요하게 맴도는 그 벨소리에, 현 여사는 머리맡 스탠드 옆에 놓여 있는 호텔 수화기를 집어들 뻔했다. 그 순간 자신이 그 벨소리를 울려대고 있는 전화기로부터 네 시간이나 고속도로를 달려와, 바닷가의 호텔방에 은신해 있는 사실을 깨달았고, 그러한 자신이 도무지 이해할 수 없고, 우스꽝스런 희극배우처럼 느껴졌다. 전화가 오면 받고, 만나게 되면 만나고, 못 만나게 되면 그만인 것이지, 나이가 이쯤 되는 내가 어린 여자아이에게 마음이 온통 묶여, 이 무슨 주책없는 짓을 하고 있단 말인가. 자신을 되돌아보게 하는 절망적 자괴감이 시원한 해방감으로 바뀌면서, 현 여사는 병에서 치유된 환자가 그러하듯, 가볍게 침대에서 내려왔다. 그리고 야수에게 쇠뭉치를 매달아 놓을 필요가 없어진 것을 스스로 확인해 보듯, 허공을 향해 주먹질을 해보기도 하고, 다리를 번쩍 쳐들어 쿵후를 하는 시늉을 해보기도 했다. 그러나 그렇게 쳐든 다리가 바닥을 짚기도 전에, 불쑥 끼여든 상념이 그녀를 다시 소연에게 비끄러맸다.

웬일일까, 전화를 왜 안 받을까, 하면서 소연은 집으로 전화를 해볼 것이다. 이때 혹시 지훈이 집에 있어서 그 전화를 받게 된다면? 소연은 지훈에게 내 행방을 물어 볼까. 꼭 알고 싶다면 어떻게 해서든지 지훈으로부터 내가 동해안으로 내려간 사실 정도는 알아내겠지. 어쩌면 지훈은 내가 말하지 않았어도 으레 이 호텔에 머물 거라는 것을 알고 있지 않을까. 그렇게만 되면, 전국 전화번호부에서 이 호텔 전화번호를 찾아내기는 어렵지 않을 텐데. 맙소사, 여기까지 내려와서 또다시 전화 오기를 기다린단 말인가.

하지만 꼬리를 물고 이어진 또 다른 상념은 현 여사를 한층 깊은 어둠의 수렁 속으로 질질 끌고 갔다. 소연은 두 사람만 있을 때는 매우 대담하지만, 대외적으로는 아주 신중하게 처신하는 여자다. 그러므로 설사 나의 행방을 알고 싶어 전화를 했더라도, 지훈에게 섣불리 속내 궁금증을 드러내 보이지 않을 것이다. 그렇게 되면, 소연의 전화는 저절로 지훈을 찾게 된 것이 되고, 지훈은 그 기회를 그냥 넘기지 않을 것이다. '우리 저녁 같이 할까요?' 굵직한 저음으로 소연에게 프로포즈를 하는 지훈의 모습이 눈에 선했다. 소연은 약간

적적하고 허전하던 터였으므로, 그 제의를 받아들일 것이다.

밀도 안 되는 소리! 너는 내 안에서 모든 것을 쫓아내고 자신이 주인 행세를 하면서, 네 마음속엔 아직도 지훈이를 남겨 두고 있단 말이냐. 두 사람은 벌써 어느 레스토랑에 마주앉아 있었고, 붉은 촛불 너머로 서로를 바라보고 있었다.

현 여사는 가슴 위에서 두 팔을 깍지끼고, 천천히 침대가에 걸터앉았다. 칠흑처럼 캄캄했다. 그녀의 내면은 빛 한 점 없는 어둠뿐이었다. 동그란 갓전등 불빛 아래 하얗게 빛나는 전화기. 현 여사는 그 수화기를 집어 올려 장전된 총구 마냥 자신의 관자놀이에 갖다대었다. 살 수가 없어. 살아낼 수가 없어. 한 줄기 눈물이 뺨을 타고 흘러내려 턱 밑으로 휘어졌다.

야수: 네 마음 구석구석까지도 이젠 나의 영지(領地)가 되어 버렸어. 무엇 때문에 더 버티려고 하지? 항복해, 항복하고 맘껏 내달려 보는 거야. 정작 네가 두려워해야 하는 것은 지금 이 순간에도 '그것'이 지나가고 있다는 것이야.

제물: 언제라도 구차한 목숨을 날려 버릴, 장전된 총구가 내 손에 있어. 내가 내 손으로 나를 살해할지언정, 너에게 나를 양도하는 죽음은 맞지 않을 거야.

현 여사는 방아쇠를 거머쥐었던 그 손으로, 전화번호를 눌렀다.

"아주머니, 나예요."

"아니, 목소리가 왜 그러세요? 어디 편찮으세요?"

"네, 많이 아파요."

"그럼 병원에 가셔야지요. 하필이면 왜 객지에서 병이 나실까."

"지훈이는요?"

"네, 아침 먹고 열한 시쯤 출근했어요."

"지금, 지금 뭐하냐구요?"

"지금 집에 없는데요. 좀 늦을 거라고 하던데요?"

"그 말을 언제 했는데요?"

"아침에 나가면서 그랬어요. 어머니가 안 계시니, 가능하면 늦더라도 집에 와서 자겠다구요."

그렇다면 아침에 이미 두 사람은 약속을 했단 말인가.

"지훈이 염려는 하지 마시고, 어서 약이라도 드세요."

지훈이 염려라고? 이건 죽이느냐, 죽임을 당하느냐의 싸움이다. 이토록 뻔뻔스러워질 수 있음은, 아들을 참혹한 번제로 바치면서라도 이 불타는 지옥의 화택으로부터 벗어나 보려는 무서운 이기심에서일까.

현 여사는 일그러진 얼굴로 입술을 지그시 깨물며 또 다른 전화번호를 눌렀다. 신호음이 세 번 울린 뒤에 자신의 음성이 흘러나왔다.

"지금은 전화를 받을 수 없습니다. 하실 말씀을 남겨 주세요."

삐— 소리가 난 뒤에 현 여사는 방금 자신의 머리를 겨누었던 그 총구를 향해, 처연한 기분으로 입을 열었다.

"……지금 이 순간도 나는 힘겹게 버티고 있어. 지금 내가 나를 넘어서지 못한다면, 사랑은 너에게도 나에게도 재앙이 될 것이기 때문에."

수화기를 내려놓고 나서, 현 여사는 한동안 어찌할 바를 몰랐다. 천장에서, 벽에서 방울꽃들이 검은 비처럼 그녀를 향해 쏟아져 내렸다. 고독했다. 너무도 외로웠다. 어디를 둘러봐도 홀로 독방에 감금되어 잔혹한 야수에게 사정없이 뜯어먹히고 있는 자기를 도와 주기 위해 구원의 손길을 내밀어 줄 만한 사람이 없었다. 문득 미국에 계신 노모가 그리웠다. 소연에게 빠져 있는 동안, 현 여사는 친정집의 다른 가족들은 물론 노모까지도 까맣게 잊고 있었다.

어머니, 엄마.

머리에 새치가 생긴 이후로, 그토록 절절하게 어머니를 불러 보긴 처음이었다.

바닷가에서

벨소리에 잠이 깼다. 전화벨 소리인 줄 알고 수화기를 집어들었는데, 도어 쪽에서 나는 소리였다. 아무도 찾아올 사람이 없었으므로, 현 여사는 대답 없이 잠자코 있었다. 잘못 알고 초인종을 누른 그는 곧 발걸음을 되돌릴 것이다.

초인종이 연거푸 계속 울렸다.

"누구세요?"

"……."

"누구세요?"

출입문 앞에서 다시 한 번 물어 보았으나 바깥에서는 여전히 아무 대답도 하지 않았다. 한순간 그 침묵이 매우 낯익다는 것을 깨달았다. 가슴에서 퍽 소리가 나면서 피가 역류했다. 출입문 손잡이를 돌리는 손이 떨렸다.

문 밖에는 소연이 서 있었다. 헝클어진 머리에 손에는 색안경을 들고 있었다. 두 사람은 말없이 격렬하게 끌어안으며, 등뒤로 문을 닫았다. 그대로 침대 위에 쓰러져 깊고 깊은 입맞춤을 나누었다. 서로를 으스러지게 끌어안고, 또 안아도 여전히 채워지지 않는 그 무엇이 있는 듯, 좀체 서로를 놓지 못했다.

동해에 높이 떠오른 아침 해가 방 안을 환하게 비추며, 포옹 속에서 달콤한 침묵을 음미하고 있는 두 사람에게로 소리없이 다가갔다.

"이제 혼자서 말없이 떠나지 마세요."

현 여사는 소연을 안고 있는 팔에 힘을 주며 고개를 끄덕였다. 마음 구석구석까지 퍼지는 햇살 같은 안도감. 아프게 패인 마음 그득히 가득 들어와 있는 존재의 충만한 포개짐. 성의 오르가슴을 넘어서는 그 무엇.

"바다는 참 푸르고 아름답구나."

현 여사가 문득 소연의 머리 위에서 중얼거렸다.

이제야 비로소 창 밖의 바다가 마음속으로 들어왔다. 소연은 포옹 안에서 바다를 향해 돌아누웠다.

"어떤 게 바다고, 어떤 게 하늘?"

"밑에 있는 푸르름이 바다 아닐까?"

두 사람은 갑자기 누가 먼저랄 것도 없이 웃음을 터뜨렸다.

"잠이 오기도 하고, 커피를 마시고 싶기도 하네."

"나는 지금부터 자면 내일 아침까지 푹 잘 수 있을 것 같아. 너를 알고 나서 이런 기분이 드는 건 처음이다."

갑자기 대화가 끊어졌다. 어느 쪽도 대화를 이으려 애쓰지 않았다. 가슴과 등을 포갠 채 말없이 누워 있어도, 내면에서 소리없이 오가는 말들을 느낄 수 있었다.

깊은 휴식 같은 평화롭고 고요한 시간, 그 시간이 흐르지 않고 정물처럼 멎어 있었다.

몇 시인지 알 수 없었다. 방에서 음식을 시켜 먹고 두 사람은 호텔 밖으로 나왔다. 대나무들이 바람에 수런거리는 소리를 뒤로하고, 파래 냄새가 섞인 바람을 가슴에 안으며 경사진 길을 따라 내려갔다. 현 여사는 어깨에 검은 숄을 둘렀고, 소연은 바바리 깃을 세우고 있었다.

호텔 담장이 끝나는 지점에 차도가 있었고, 차도 건너편에 하얀 모래사장과 초록빛 바다가 빛나고 있었다. 두 사람은 차도를 건너 모래사장으로 들어섰다. 길고 흰 해안에 점점이 사람들이 흩어져 있을 뿐, 바닷가는 적막했다. 해안을 따라 북쪽으로 걷고 있는 두 사람의 머리 위로 갈매기들이 언뜻언뜻 검은 그림자를 떨어뜨리며 스쳐 갔다. 처음엔 조금 앞선 듯이 걷고 있는 현 여사 옆으로 소연이 다가와 두 사람은 손을 맞잡았다. 손을 잡고 나란히 한동안 또 걸었다. 바다에 이는 파도는 높고 거칠었지만, 그린 듯이 선연한 수평선은 고요했다.

"사람들은 왜 이 아름다움을 그냥 비워 두고 있을까요?"

바람 때문에 소연이 목소리를 높였다.

"내가 보기엔 그렇지 않은데? 이쪽 횟집에서는 개숫물을 버리다가 바다를 보고, 찻집에 있는 사람들은 왼쪽, 또는 오른쪽 얼굴에 바다를 느끼며 차를 마시고, 멀리 시내 안쪽에 사는 사람들은 잠결에도 파도소리를 들을 테고, 더 멀리 서울에 사는 사람들은 그 마음의 창 하나는 늘 바다를 향해 열어 두고 있지 않을까? 우리는 지금 그 아름다움 곁에 가장 가까이 있는 사람들이고."

현 여사는 걷기를 멈추고 모래사장에 앉았다. 그 곁에 소연도 따라 앉았다. 그때 바다 쪽으로 길게 드러눕는 그림자가, 멎어 있던 시간이 어느새 다시 흐르고 있는 것을 깨우쳐 주었다. 현 여사는 소연이 몇 시에 떠날 것인지 물어 보지 않았다. 그러나 이제 그 시간은 어김없이 다가오고 있는 것이 분명했다. 그것이 한 시간 뒤가 되든, 내일 새벽이 되든 그 차이는 중요하지 않았다. 모래를 한 움큼 집어 손가락 사이로 흘러내리게 하는 장난을 되풀이하고 있는 소연의 표정이 어둡고 슬퍼 보이는 것도 그 때문일까. 말하지 않는 가운데 떠날 시간을 가늠해 보고 있기 때문일까.

"서울서 몇 시에 떠났어?"

물론 현 여사가 묻고 싶은 것은 그것이 아니었다.

"새벽 여섯 시쯤. 제가 화실에 들르지 않을 수도 있고, 들렀다 해도 녹음을 듣지 못할 수도 있는데……. 너무 자신을 괴롭히지 마세요. 저를 소유하려 하지 마시고 있는 그대로 놓아 두고 보시면 좋겠어요."

"너에 대해서 확실한 믿음이 생기면 저절로 그렇게 되겠지."

"저는 이미 선생님 마음속으로 깊이 걸어 들어가 있어요."

그렇게 믿어졌다. 그럼에도 그것이 주는 믿음은 아무 도움이 되지 못했다. 초조와 불안감이 다시 고개를 쳐들고 있었다. 현 여사는 소연이 미구(未久)에 드러내 보일 어떤 기미를 예감하고 있었다. 그것은 시계를 들여다보는 것일 수도, 아니면 자리에서 일어나 바바리에 묻어 있는 모래알들을 털어내는 것일 수도 있으리라.

"너도 알겠지만……." 그녀를 앞지른다는 생각에서 거의 충동적으로 말이 튀어나왔다. "믿음이란 생활을 함께하는 데서 다져지는 거야. 함께 밥을 먹고, 음악을 듣고, 같이 산책도 하고, 가구를 맞잡고 옮겨 놓기도 하면서 호흡이 비슷해지는 것이 믿음이야."

"우리도 그렇게 하고 있잖아요."

"네가 일 년쯤 휴직을 한다면, 너를 데리고 세계여행을 하고 싶어. 킬리만자로에도 올라 보고, 마추피추에도 가보고 이비자 섬에서 집을 얻어 한두 달쯤 살아 보기도 하면서……."

"저는 지금 신문사를 쉴 수 없어요. 오빠가 공금을 유용했는데, 어머니가 친지분한테서 빚을 얻어 갚아 주었어요. 저는 오빠 때문이라기보다 어머니 때문에 그 이자를 대신 물어 주고 있어요."

"그게 얼마나 되지?"

"사천만 원이에요."

세운 무릎 위에 턱을 파묻고 잠시 골똘하게 생각하던 현 여사는 소연을 쳐다보며 쑥스러운 미소를 빙긋 지었다.

"내가 그 돈을 갚아 주면 안 될까?"

어느 사설 미술관에서 몇 년 전부터 탐내던 그림을 내놓는다면, 그 돈을 마련할 수 있을 것이다.

소연은 일어나서 바바리에 묻은 모래알들을 탁탁 털었다. 서울로 떠날 시간이 가깝다는 암시일까, 아니면 나의 제의가 그녀의 기분을 상하게 한 것일까. 현 여사는 따라 일어나지 않았다. 아니, 그럴 수 없었다. 그녀는 방금 또 하나의 경계를 넘어, 자기 자신과 소연에게 더 큰 위기를 불러들인 것을 깨달았다. 소연은 등을 보이며 두 사람이 걸어온 방향으로 걷기 시작했다. 물끄러미, 비통한 심정으로 현 여사는 소연의 뒷모습을 지켜보았다.

투우에는 투우사의 영역과 소의 영역이 있다. 투우는 서로 상대의 영역을 넘지 않고도 할 수 있다. 그러나 투우사에 따라서는 소의 영역을 넘어, 붉게 낼름거리는 공포의 혀 앞에 순간순간 생명을 던지는, 그 경지에까지 들지 않고는 투우를 할 수 없는 사람도 있다.

방금 현 여사의 입술을 떠난 제의는 자기 자신에게나 소연에게나 위험한 그 무엇이었다. 아끼는 그림을 손에서 놓는 만큼 소연에게의 집착이 커질 것이고, 소연의 입장에서 보면 그만큼 마음이 묶이는 것을 의미했다. 소연이 그 제의를 받아들일까, 아니면 거절할까. 그 대답이 어느 쪽이든 현 여사의 번민은 이전보다 더 깊어질 것이다. 더욱 깊은 번민에 휩싸일 줄 알면서도 현 여사는 그 말을 하지 않고는 견딜 수 없었다.

저만큼 가던 소연이 현 여사를 향해 되돌아오고 있었다. 마침내 그녀의 그림자가 꼼짝 않고 앉아 있는 현 여사를 소리 없이 끌어안았다.

"추워요. 방으로 들어가요."

아담, 너는 어디에 있었느냐

이틀이나 결근을 했기 때문에, 출근하자마자 나는 부장에게 싫은 소리를 들었다. 동료들도 말없는 가운데 의심의 눈초리를 숨기고 있었고, 책상 위엔 전화번호와 삐삐 번호가 적혀 있는 메모지가 몇 장 놓여 있었다.

나는 지난 이틀 동안의 분방하고 격정적이었던 내 행적이 몸가짐에서 표정에서 숨소리에서 묻어나지 않도록 세심한 주의를 기울여야 했다. 그럼에도 동료들의 눈이 맵고 날카롭다면, 사흘 전에 입었던 옷에, 스카프까지 똑같고, 발가락을 꽉 조이는 불편한 검은 구두를 그대로 신고 있는 것을 눈치챌 만도 했다. 새벽 여섯 시에 강릉을 출발해서 간신히 출근시간에 맞추어 오느라고 집에 들러 옷을 갈아입지 못했다.

내가 감출 수 있는 부분은, 내 구두 안에서 서걱거리는 바닷모래처럼 언젠가부터 가슴을 짓누르기 시작해 온 답답함, 내가 나를 제어하기 힘들어진 돌연한 감정의 돌출, 점점 헤어나올 길 없는 수렁으로 변하고 있는 내 삶의 발밑, 그런 것들일 것이다. 이런 것을 언제까지 감추고 지낼 수 있을까. 동료들에게는 그저 이틀 결근을 했더라, 로 끝나고 말 일이지만, 나의 내면을 뒤바꿔 놓고 있는 이 위험한 존재의 침입은 앞으로 나를 어디까지 끌고 갈 것인지?……. 나의 가족들, 특히 나의 어머니가 받으실 충격은? 어머니에게 아들처럼 믿음직한 딸이 되어, 그 가슴의 슬픔과 아픔을 맞들어 드리려고 했던 내가, 바로 그 감정 때문에 같은 슬픔을 품고 있는 다른 가슴으로 마음이 옮겨진 이 아이러니컬한 진실이 뭘까. 사랑하는 관계일수록 인간은 인간에게 폭력적인 존재가 되는 걸까.

현 여사를 옆에 싣고, 새벽길을 달릴 때도 나는 내 있음이 그녀에게 무자비한 폭력으로 변해 있는 것을 느꼈다. 서울이 가까워지고, 헤어질 시간이 가까워질수록 안절부절못하며 내 시선을 붙잡고자 애쓰는 그녀의 마음을 헤아리면서도, 나는 운전이 나에게 그렇게 시키기라도 하는 것처럼, 빳빳이 앞만 바라보았다. 그녀에 대해 강해질 수 있는 나 자신이 은근히 자랑스러웠다. 그 마음의 우위란, 생각해 보면 참 보잘것없고 어처구니없는 자만심이기도 했다. 그녀보다 덜 초조해하고 덜 불안해한다는 그 차이가, 내 강함의 전부였다. 그녀가 나보다 더 초조해하고 더 불안해하는 것은 그만큼 나를 더 사랑하기 때문인데, 사랑의 겨룸에서는 더 사랑하는 쪽이 약자가 된다는 걸까.

서울을 비운 이틀 동안에 나를 찾는 전화 중에는 지훈의 메모도 있었다. 나는 그 메모를 찢어 쓰레기통에 버렸다. 이제 그는 내 삶에서 그냥 스쳐 보내야 할 사람이 되었다.

오후 늦게서야 나는 밀린 일들을 대강 수습할 수 있었고, 내 안의 나로부터 신문사의 책상 앞으로, 그런대로 감쪽같이 돌아올 수 있었다.

일곱 시쯤 나는 지훈의 전화를 받았다. 그는 내게로 오는 중이라고 했고, 십오 분 뒤에 신문사 정문 앞에 서 있으라고 했다. 그는 내 대답을 듣지 않고 카폰을 놓았다. 그에게 언젠가 한번은 속맘을 분명히 밝혀 두어야 하겠지만, 옷차림이 너무 꾀죄죄한 것이 꺼림칙했다.

지훈은 말쑥한 정장 차림으로 운전석에서 나와, 자동차 뒤를 돌아서 자기 옆자리에 나를 앉힌 후, 자동차 문을 닫아 주고 운전석으로 되돌아갔다. 그는 평창동에 있는 어느 레스토랑에 닿기 전까지 나에게 한 마디 말도 시키지 않았다. 그는, 내 거북스런 침묵에서 지난 이틀 동안의 수수께끼 같은 잠적의 흔적을 읽고 있는 걸까. 애타는 궁금증, 리플레이된 테이프에서 흘러나온 독한 술 같은 말들, 새벽 안개 냄새, 질주하는 자동차 앞에서 사다리처럼 벌떡 일어나 뒤로 넘어지는 고속도로의 짜릿한 굉음, 기다림, 초조, 불안으로 찢겨진 마음이 일시에 아무는 사무친 포옹, 침대에서 하는 게으른 식사, 시간의 함몰, 세상의 끝에서 느끼는 소름 끼치도록 두려운 외로움을, 이미 알아 버린 나의 이 거북스런 침묵을. 더듬거리는 거짓말들이 남기는 씁쓸한 죄책감, 그러나 여전히 세상을 속여 넘겨야 하는 절대절명(絶對絶命)의 비밀의 문, 그 안으로 들어와 버린 나.

지훈은 이제 나의 건너편 세계에 있는 사람이다. 올이 굵은 베이지색 양복에, 밝은 오렌지색 무늬가 수놓여 있는 검은 넥타이 차림의 세련되고 건실하고 능력 있는 남자. 그를 움직이게 하는 것은 세속적 야심, 일과 진급과 아름다운 집과 안정된 생활일 것이다.

겉으로 보기엔 우리는 같은 꿈을 추구하는 젊은이로 보일 것이다.

나이 지긋한 중년의 웨이터에게 그는 먼저 와인을 주문했다. 창밖 정원에서는 나무에 장식되어 있는 붓끝 같은 작은 전구들이 지상에 쏟아진 별들처럼 점멸하고 있었다.

지훈은 자기 본래의 순수한 모습을 되찾으려 애쓰는 눈치가 역력했다. 그는 지금과 같은 사려 깊은 적극성을 좀더 일찍 보였어야 했다.

웨이터가 얼음에 채운 포도주 한 병과 투명한 유리잔 두 개를 가져왔다. 그 와인은 현 여사가 좋아하는 리스칼 리세르바였다. 나는 내 잔에 차오르는 붉은 액체를 바라보며, 가슴에 날카로운 통증을 느꼈다.

그와 나의 잔은 부딪칠 때 맑고 투명한 소리를 냈다. 나는 잔을 내려놓는 척하면서 그의 깊고 강한 눈초리를 피했다. 그에게서 내가 찾아냈던 처음의 그 순결하고 기품 있는 모습.

"사실은 이 자리에 우리 어머니도 모시려고 했는데, 지금 동해안에 계세요."

"……."

"오늘, 중요한 얘기를 하고 싶어요. 그러기 전에 몇 가지 물어 보더라도 귀찮아하지 마세요."

나는 테이블 밑에서 주먹을 꽉 쥐었다.

"우리 어머니 좋아하세요?"

"무슨 뜻이에요?"

나는 대담해져야 했다.

"한 집에 살게 될 경우, 우리 어머니와의 사이가 어떨지를 물어 보는 거예요."

"우리가 왜 한 집에 살아요?"

얼굴이 붉어지는 것을 감추려고 나는 이마에 주름을 세웠다. 반대로 지훈은 당당하고 여유 있고 침착했다.

"나는 소연 씨가 나를 싫어하지 않는다고 생각해요. 그 정도만으로도 괜찮아요. 내가 소연 씨를 아주 깊이 사랑하니까. 그 사실은 알고 있었죠?"

"……."

"우리, 한 집에 살면 어떻겠어요?"

"이미 늦었어요."

나는 그의 눈에 내 눈을 맞추고 분명하게 대답했다. 지훈은 숨을 크게 들이쉬며, 넥타이 매듭을 흔들어 느슨하게 만들었다.

"무슨 뜻입니까?"

"결혼이란 당사자끼리만 결정할 수 있는 문제가 아니잖아요."

"소연 씨 부모님이 나를 반대할 만한 이유라도 있어요?"

"지훈 씨 어머님이 허락하지 않으실 거예요."

"우리 어머니는 소연 씨를 좋아하고 계시는 줄로 아는데요."

"……."

"어머니한테 허락을 받고 나서 다시 말합시다. 그 동안 잘 생각해 보세요."

"그러지 마세요, 제발. 나는 지훈 씨랑 결혼할 수 없어요."

내 목소리에 담겨 있는 다급한 결연함이 지훈을 멈칫하게 했다. 미소가 사라지며 그의 입술이 꾹 닫혔다. 그 이상 더 캐묻거나 같은 얘기를 반복하지 않았지만, 그의 눈빛은 안으로 더욱 은밀하게 타오르는 열기를 담고 있었다. 그러나 그를 완전히 단념한 나는 날카로운 아픔으로 가슴이 미어졌다.

소의 영역

강릉에 다녀온 뒤 현 여사는 그림을 팔기 위해 전화통에 매달렸다. 남에게 아쉬운 소리 하는 것을 죽기보다 싫어해 온 터였지만, 빠른 시일 안으로 반드시 그 돈을 만들어야 한다는 맹목적인 투지가, 오히려 기꺼이 그 일을 하게 했다. 사실 그 기꺼움 속에는 옛날 가난했던 시절에, 지훈의 등록금을 마련하기 위해 동분서주했던 희미한 기억이 포개어져 있기도 했다.

소연은 현 여사의 느닷없는 제의에 대해 분명한 대답을 피하고 있었지만, 굳이 그녀의 속맘을 읽어 내자면 거부하는 쪽이었다. 그럼에도 현 여사는 돈을 만들어 보기로 결심했다. 자신이 꺼낸 말에 스스로 묶인다기보다, 그만한 액수의 돈을 만들기 위해 감내하는 수고로움이 소연을 사랑하는 자기 마음의 표현이자 확인이라고 확신했고, 그것이 소연의 저 알 수 없는 속마음 깊숙이 박히는 믿음의 말뚝이 되기를 기대하기 때문이었다. 또한 돈을 만드는 데 몰두해 있는 동안, 현 여사는 그 저주스러운 불안, 초조, 의혹, 질투로부터 넌지시 놓여나 있는 자신을 발견했다.

그리하여 나기태에게 미처 지난 일을 사과하지도 못한 채, 그를 만나 통사정을 하면서도 현 여사의 표정은 오히려 밝기만 했다.

"낙원미술관에서 개관 전부터 그 그림을 탐냈었는데, 관장이 파리에 가서 내달에나 온대요. 그러니 누가 이 그림을 저당 잡고 사천만 원만 빌려 주면, 관장이 온 뒤에 바로 팔아서 갚아 드릴게요. 물론 이자는 낼 테니까. 난 무슨 일이 있어도 이 돈을 일주일 안으로 만들어야 해요. 도와 줘요, 나기태 씨."

심각한 표정으로 담배를 빽빽 태우고 있던 나기태가 미심쩍은 듯 현 여사를 쳐다보았다.

"무슨 일이신데 그러세요?"

그러자 현 여사는 하얀 이를 드러내며 활짝 수줍게 웃었다.

어쨌든 현 여사는 나기태의 도움으로 고리의 이자를 줘야 하는 빚돈을 얻게 되었다. 빳빳한 수표 한 장을 만들어 손에 들고, 현 여사는 소연에게 전화했다. 일부러 목소리를 무심하게 꾸미지 않을 수 없을 만큼 가슴이 두근거렸다.

"난데, 지금 바빠?"

"네, 취재중이에요."

"어떡하지?"

"왜요?"

"지금 꼭 좀 만났으면 좋겠는데."

"퇴근 후에 제가 그리로 갈게요."

그때까지 기다릴까? 아니다. 내친 마음은 좀체 단념이 되지 않았다.

"잠깐이면 되는데."

"그럼 이리로 오세요."

소연의 목소리에서 가벼운 짜증이 묻어났다.

"거기가 어딘데?"

"안국동에서 인사동으로 들어서기 직전에 왼쪽으로 있는 찻집이에요."

"전화번호는?"

"금방 찾을 수 있을 거예요. 한 시간 안으로 오실 수 있죠?"

"알았어."

일에서 오는 긴장감 때문일까, 아니면 어딘지 함부로 가지는 마음가짐에서일까. 소연의 어조에는 마구 몰아치는 기색이 있었다. 스스로 한심하다는 생각을 하면서도, 그 의기소침한 기분을 넘어서는 곳에서 손짓하는 소연의 존재는 너무도 강렬한 것이었다. 허둥지둥 외출 채비를 하는 동안에도 생각의 끈을 놓지 못했다. 말들이(소연에게 수표를 건네줄 때) 머릿속에서 어지럽게 이합을 되풀이했다.

택시를 타고 가는 동안 강남역 근처에서 길이 막히는 바람에 택시를 버리고 지하철을 탔다. 안국역에서 출구를 잘못 찾아 애를 태우고, 간신히 약속 장소인 찻집을 찾아냈을 때는 온몸이 땀으로 젖어 있었다. 삼십 분이나 늦었는데 기다리고 있을까, 싶은 조마조마한 마음으로 찻집 문을 열고 들어섰다.

다행히도 소연은 아직도 그곳에 있었다. 출입문 쪽으로 등을 보이고 앉아 있었기 때문에, 현 여사는 그녀가 손님과 같이 있음에도 가까이 다가가서 알은체를 하지 않을 수 없었다.

"오셨어요?"

그뿐이었다. 아직도 취재중이라는 것은 알 수 있었다. 그렇더라도 소연의 무덤덤한 태도, 부동의 단단함 속에 고양이처럼 도사리고 있는 듯한 저 말짱한 표정에 현 여사는 마음이 얼어붙는 듯했다. 뿐만 아니라, 소연이 그의 얘기를 열심히 받아적고 있는, 수염이 더부룩하고 어깨가 떡 벌어진 낯선 남자에게 어쩐지 낯이 깎이는 기분이 들었다.

현 여사는 비어 있는 다른 자리로 가서 앉았다. 기분이 상한 것도 잠시, 그녀가 시야에 들어와 있으니 이제는 시간 따윈 아무래도 상관없었다. 뜨거운 차맛이 좋았다. 실내는 적당히 훈훈했고, 음악이 나른하게 흐르고 있었다. 차를 한 잔 마시고, 또 한 잔 마시는 동안, 현 여사는 소연이 이쪽에 신경이 쓰여 눈길을 주고 있지 않나 해서, 그럴 경우 조금도 신경 쓰지 말고 천천히 취재를 잘하라는 눈짓이라도 보내려고, 지속적으로 그쪽을 쳐다보고 있는데도, 눈길은 좀체 마주쳐지지 않았다. 소연이 이쪽에 신경 쓸 거라고 여겨지는 것은 자기만의 생각이었다.

혼자 자리를 지키고 있는 시간이 벌써 삼십 분을 넘어서고 있었다. 이렇게 시간이 걸리는 일이면, 무엇 때문에 한 시간 안으로 와야 한다고 못박았을까. 그 시간에 맞추려고 애를 태운 것을 생각하니 어이가 없었다. 어이가 없는 것으로 치면, 그녀의 빚을 갚아 주려고 이잣돈을 빌린 것부터가 그러했다. 일이 잘못되어, 낙원미술관 관장의 해외 체류가 길어진다든가, 다른 사정으로 그림을 구입해 주지 않는다면 자신은 소연이 해온 것보다 더 높은 이자를 물면서, 얼굴도 모르는 그녀 오빠의 빚을 고스란히 떠안게 될 것이 아닌가. 무엇을 바라길래 그녀에 대해 이다지도 맹목적이 되는가.

아무것도 바라는 것이 없다고는 말할 수 없었다. 돈으로 그녀의 환심을 사려는 유치한 저의는 없다 해도, 그토록 사무친 포옹 뒤에도 돌아서면 이내 손 닿지 않는, 도무지 손 닿은 적도 없어 보이는 낯선 사람, 바로 그 사람의 마음을 붙잡고 싶은 것이다. 낯선 사람인 남편과 살았고, 낯선 사람인 아들과 살고…… 낯선 사람인 친구들, 낯선 사람인 형제자매들, 친척들. 그렇게 살다가 어느 날 자기도 그들에게 낯선 존재로 세상을 떠날 수밖에 없는 걸까. 그것이 아닌 뭔가가 반드시 있을 것이다.

이윽고 소연과 턱수염의 남자가 자리에서 일어났다. 서로 인사를 나눈 뒤, 소연은 현 여사에게로 와서 맞은편 의자에 앉았다. 거의 한 시간 남짓 기다린 셈이었다. 그녀는 지쳐 보였고, 하품 끝에 눈꼬리에 맺힌 눈물을 손가락 끝으로 찍어냈다.

"힘들지?"

"늘 하는 일인데요, 뭐."

"여기는 좀 산만한데 다른 곳으로 자리를 옮길까?"

"삼십 분 뒤에 들어가 봐야 돼요."

한순간의 망설임. 이렇게 쫓기는 상태에서 후딱 경황없이 할 일이 아닌데. 그녀의 기분이 좀더 밝고 유쾌한 때를 보아 충분히 대화를 나누면서 줘야 하지 않을까. 그러고 싶지만, 오늘따라 저렇게도 낯설어 보이는 그녀를 그냥 두고 있으면, 더욱 손 닿지 않는 곳으로 그 마음이 아주 떠나 버리지 않을까 염려되었다. 또한 분명한 용건이 있는 듯이 찾아와서 그냥 간다면 소연이 자기를 실없는 사람으로 여길지도 모를 일이었다.

사실은 그게 아니었다. 현 여사는 소연에게 그 수표를 빨리 주고픈 자기 맘을 누를 길이 없었다. 그래서 손이 먼저 맘속의 헤아림을 앞질러 손가방에서 수표 봉투를 꺼내 놓았다.

"이게 뭐예요?"

자기 앞에 놓여진 봉투를 내려다보고 나서 소연이 현 여사를 말끄러미 쳐다보았다. 충분히 생각해 둔 말들이 있었음에도 현 여사는 얼굴이 붉어질 만큼 당황했다.

"너, 너한테 도움이 되고 싶어서……." 말까지 더듬거렸다. "그러니까, 부담감 갖지 말고 우선 빚을 갚고, 나중에 돈이 생기면 돌려줘."

소연은 놀라지도 감동을 하지도 않았다. 적어도 표정에는 아무런 변화가 없었다. 사뭇 당돌하게도 그녀는 봉투를 열고 수표를 들여다보더니, 불쑥 쑥스러운 미소를 흘렸다.

"나쁘진 않겠어요."

현 여사는 그 미소에 넋이 쑥 빨려드는 것 같았다. 그녀의 바로 이런 당찬 매력 때문에……. 수표를 도로 봉투 속에 밀어 넣는 소연을 지켜보는 것이 흐뭇했다. 한시라도 빨리 만나고자 애를 태운 보람이 있었다.

"이걸로 저쪽에다 돈을 갚고, 선생님한테 이자를 드리면 되겠네요."

"아니야, 너한테 이자를 받으려는 건 절대 아니야. 솔직히 있는 그대로 말하겠는데, 너는 나한테 살고 싶은 의욕을 되살려 주었어. 너로 해서, 사랑의 감정도 되찾게 되었단 말이야. 이제 나는 너를 하루라도 안 보면 못 살 것 같아. 병이 날 지경이야. 내가 혹시 비정상적인 행태를 보이더라도, 너는 나를 놓지 말고 꽉 잡아 줘."

소연은 현 여사를 측은한 눈으로 바라보며 고개를 끄덕였다.

"그리고 부탁이 있는데, 일주일에 몇 번씩, 화목토나 월수금이나 날짜를 정해 놓고 화실로 와서 저녁식사를 같이 하면 좋겠어. 그렇게 되면 내 마음이 좀 안정될 것 같단 말이야."

"화목토로 하지요."

소연은 선선히 약속을 해주었다. 그리고 덧붙였다.

"선생님이 저를 믿고 안정되시면 저도 좋겠어요. 이제는 그림을 그리셔야 하잖아요."

"마음만 안정되면 얼마든지 좋은 그림을 그릴 수 있을 것 같아."

"필요하시면 제가 모델이 되어 드릴게요."

"그래, 이제는 너를 좀 알 것 같아. 저녁식사도 하고, 그림도 그리고, 그럴 수만 있다면 더 바랄 것이 없겠지. 그런데 중요한 것은 네가 약속을 칼같이 지켜 줘야 한다는 거야. 온다고 정해진 날에는 다른 약속들을 피하고 시간을 꼭 지켜 줘야 해. 안 그러면 나는 너를 기다리느라 아무 일도 못하고 전화통만 끼고 있게 된단 말이야. 피가 마른다구. 생각해 봐, 이제 어차피 우리는 서로를 사랑하게 되었는데, 상대를 아프게 하고 피를 마르게 해서 좋을 게 뭐냐구. 너는 나에 대해서 어떤 경우에도 의심하거나 질투할 필요가 없어. 이 세상에서 내게 기쁨을 주는 존재는 오직 너밖에 없으니까. 알겠지?"

"네."

"그럼 일어날까?"

현 여사는 먼저 자리에서 일어났다. 이제 베일 너머에 있던 소연의 생활에도 어느 정도 개입할 수 있는 권리를 얻게 되었다는 뿌듯함이 있었다. 그녀만의 칫솔, 수건, 수저, 슬리퍼가 필요하게 된 것이다.

거리에는 땅거미에 앞서 바람이 거세게 불고 있었다. 택시를 잡아 소연을 태우고 신문사에 그녀를 내려 주고 자기는 집으로 갈 참이었다. 퇴근 시간이 임박한 거리에는 온갖 차량들이 쏟아져 나와 심한 정체를 빚고 있었다. 소연에게는 어떨지 몰라도, 현 여사는 그 정체로 인해 그녀와 같이 있는 시간이 늘어나고 있음에, 속으로 은근히 차들이 좀더 많이 기어나와 길을 꽉 막아도 좋겠다고 생각했다.

월수금 그리고 일요일

이제는 만나게 되는 시간과 장소가 정해짐에 따라, 전화에 덜 매이고, 자신의 생활 리듬을 되찾게 될 줄 알았다. 그러나 그게 아니었다. 시도 때도 없이 삐삐와 핸드폰을 눌러대고, 언제든지 시위를 떠나 날아갈 준비가 되어 있는 상태에서는, 아무것도 견딜 필요가 없었다. 질주 또 질주 속에서 자기를 소진하는 눈부신 공포가 있을 뿐이었다.

일주일이 만약 화목토로만 이루어져 있다면……. 그런데 그 사이사이에 소연이 오지 않는, 그래서 그녀를 만나지 못하는 날, 월수금 그리고 일요일이 끼여 있음으로 해서, 현 여사는 극도의 보고 싶음을 견뎌야 했다. 물론 전화로 목소리를 듣는 것으로 간신히 갈증을 달랠 수는 있었다. 그에 반해, 소연은 방류된 물고기처럼 그 시간에 이 세상 구석구석을 자유롭게 헤엄치고 다니는 것이었다. 매임으로부터 해방되기 위해, 스스로 삼킨 고통이 자기에게는 더 큰 고통으로 배가된 데 비해, 소연은 그 자유를 유유자적 누리고 다니는 것이었다.

그러므로 그녀의 손길이 닿지 않는 월수금 그리고 일요일의 소연은 더욱 미궁으로 빠져 버렸고, 현 여사는 그러한 그녀에 대해 질척한 의심과 너그러운 이해를 반복하며, 전전긍긍하는 시간을 보냈다.

거기다 칼같이 지켜져야 할 약속이 이런저런 이유로 늦어지고 번복되며, 간신히 지켜지는 형편이었다.

그날, 소연은 화실로 오는 길에 급한 볼일 한 가지를 봐야 하기 때문에, 한 시간쯤 늦어질 거라고 했다. 한 시간은 두 시간으로 늦어졌다. 아주머니가 집에서 솜씨를 다해 음식을 만들어서 날라왔고, 현 여사는 그 음식들을 아름다운 도기그릇에 담아 살 차려 놓았는데, 구운 생선에서는 물기가 배어 나왔고, 싱싱한 야채는 선도가 떨어져 잎이 축 늘어졌는가 하면, 소연이 좋아하는 대게는 싸늘하게 식어 비린내를 풍겼다.

그래도 두 시간보다 더 늦지 않은 것을 다행으로 여기며, 현 여사는 촛불을 밝힌 뒤 소연의 잔에다 와인을 채워 주며 흥취를 내려 애썼다.

"선생님은 매일 이렇게 호화판 식사를 하세요?"

이게 무슨 말인가. 오직 자기를 위해 특별히 차려지는 식탁인 것을 모르고 있단 말인가. 현 여사는 대답을 삼켜 버리고, 게살을 발라 소연의 접시에 놓아 주었다.

"레몬즙을 뿌려서 먹어 봐."

"배가 부른데요."

"먹지도 않았는데, 어떻게 배가 불러?"

"오는 길에 만난 사람과 같이 뭘 좀 먹었어요."

그 사람이 누구야? 왜 만났어? 성마른 질문들이 입 안에서 맴돌았다.

"뭘 먹었는데?"

"수프하고 샐러드요."

"그걸로 저녁이 되겠어? 어서 먹어."

생선살을 발라 접시에 놓아 주며 현 여사는 먹기를 재촉했다. 소연의 시원찮은 젓가락질에서는 수프와 샐러드 이상의 포만감이 느껴졌다.

입맛이 달아난 현 여사는 수저를 놓고 담배와 재떨이를 가져왔다. 가슴에서 바지작거리는 성마름이 진정되기는커녕 더욱 밭게 고조되었다.

"그 사람이 누구야?"

"최근에 다우라기 봉우리를 등정하고 돌아온 알피니스트예요."

"취재 때문에 만났어?"

"아뇨."

"그럼?"

"그냥 한번 만나자고 해서요."

"그런 약속은 다른 날에도 할 수 있잖아?"

"아이 참, 내일 미국으로 떠난다고 해서 만났단 말예요. 그리고 제 일에 대해서 그렇게 꼬치꼬치 캐묻지 마세요. 제 일은 제가 알아서 잘해요."

하지만 너는 오늘 그 때문에 나를 두 시간씩이나 기다리게 했잖아. 그 동안 나는 음식이 식는 것이 안타까웠고, 네게 무슨 사고가 나지 않았나 해서 걱정했다구, 하는 말은 할 수가 없었다. 속맘을 있는 그대로 드러내면 낼수록, 소연의 자만심만 키우는 것 같아서였다. 하지만 현 여사는 또다시 묻게 되었다.

"너, 나하고 식사하는 것이 부담스러워졌어?"

"그렇게 넘겨짚지 마세요."

두 사람이 태우는 담배연기가 자욱해지는 것처럼 두 사람의 마음속도 표현되지 못한 감정으로 빽빽해지고 있었다.

"너 이리 좀 와봐."

식탁 앞에서 벌떡 일어난 현 여사는 '정'으로 들어갔다. 도대체 무엇이 이렇게 힘들게 하는가. 그녀에 대한 나의 집착인가, 아니면……?

소연이 '정'으로 들어왔다. 현 여사는 처연한 음성으로 말했다.

"거기 누워. 그냥 안고만 있을게."

메뚜기처럼 두 몸을 포개고 누워 보았지만, 사무침도 따스함도 애틋함도 좀체 만져지지 않았다. 그녀의 등은 알 수 없는 경계심으로 잔뜩 위축되어 있었다. 그래서 현 여사는 조심스럽게 그녀를 돌아눕게 하고 입을 맞췄다. 그러자 포개어진 입 속에서 그녀의 따뜻한 혀가 훅 하며 엎으러졌다. 이 일을 어쩌면 좋을까. 내가 너에게 참으로 못할 짓을 시키고 있구나. 왜 하필 너여야만 했니? 아무리 잡으려 해도 '무서워요, 싫어요' 하며 달아났으면 좋았을걸. 네게서 내 운명을 보게 된다는 것이 참으로 끔찍하다.

현 여사의 손바닥은 하염없이 소연의 등을 쓰다듬고 있었다. 앞가슴이 소연의 뜨거운 눈물로 젖어들었다.

"어쩌면 좋을지 모르겠어요. 일이 손에 잘 안 잡혀요. 가만히 누워서 선생님만 생각하고 싶어요. 삐삐도 잃어버리고 수첩도 잃어버렸어요."

마침내 그녀의 마음이 만져지는데, 왜 기쁘지 않을까.

누드 모델

호기심 반 허영심 반이었다. 그것은 그저 옷을 벗기만 하면 되는 일이 아니었다.

"그대로 평소나 다름없이 행동해. 물도 마시고, 전화도 하고, 손톱도 깎고, 머리도 빗고, 걸어다니기도 하란 말이야."

현 여사의 어조는 부드러웠지만 위엄이 있었다. 우리 사이의 친밀감을 은근히 밀어내면서.

그녀 앞에서 마치 생전 처음으로 나신이 되는 것처럼 내 벗은 몸에 대해 몸둘 바를 모르겠다. 그런데 '이제 일을 시작해 보자' 고 한 그녀 자신은 이젤에 캔버스를 세운다든가, 화구를 늘어놓는 따위의 준비를 전혀 하지 않았다. 그녀는 줄리아 크리스테바의 《사랑의 역사》를 무릎 위에 펼쳐 놓고 읽을 뿐, 어색해하는 나에게 대해 냉담하기 짝이 없었다.

그녀의 말대로 나는 화실을 걸어 보기도 하고, 재떨이를 비우기도 하고, 커피잔을 씻어 보기도 했지만, 내 벗은 몸으로부터 의식이 좀체 자유로워지지 않았다. 나는 무안한 기분으로 중얼거렸다.

"옷을 도로 입을까 봐요."

그녀가 안경 너머로 나를 책망하듯 쳐다보았다.

"맘대로 해."

그런데 맘대로 할 수가 없었다. 나는 책꽂이에서 화집 한 권과 사진집 한 권을 빼내어 무릎 위에 올려놓고 책장을 넘기기 시작했다. 그녀가 느닷없이 나에게 물었다.

"몸에 대해서 생각나는 것이 있으면 뭐든지 말해 봐."

엄격한 스승 같은 눈빛으로 그녀가 명령했다. 어리광을 피울 틈이 전혀 없었다.

"영혼을 담고 있는 그릇."

"영혼이란 게 뭐야?"

"보이지 않는 것이나, 육체를 통해서 보이는 것으로 드러나는 것."

"그 밖에 또?"

"도구, 수단."

"무엇을 위해?"

"삶을 위해."

"삶 중에서도 사랑을 위해서는 어떤 수단일까?"

하얀 폴라 스웨터를 입고 있는 그녀가 팔짱을 끼고 내 앞에서 오락가락하며 질문을 연속적으로 던졌다.

"교감 또는 환희를 연주하는 악기."

"환희만일까?"

"그러면 다른 그 어떤 것이……?"

"도착이나 치정이 그 교감의 내용이 될 때는?"
"폭력의 수단."
"폭력을 낳게 되는 이유는?"
"상대로 하여금 자기를 더 강하게 붙잡도록 하기 위해서."
"또는 상대에게 사로잡힌 자기를 되찾기 위해서."
양탄자가 깔려 있는 화실 바닥을 손가락으로 가리키며 그녀가 나를 쳐다보았다.
"네?"
"지금까지 네가 말한 것들을 담고 있는 그릇으로서의 너의 몸을 나한테 보여 봐."
"포즈로써?"
"포즈가 아닐수록 좋지. 포즈는 멈춤의 상태이니까, 지금 현재를 살고 있는 상태를 나타내 봐."
"춤 같은 건가요?"
"나한테 묻지 말고, 네가 하고 싶은 대로 해. 자, 다시 한 번 정리해 보자구. 우리는 문답식으로 어떤 말들을 나누었어. 앰브로즈 비어스란 사람은 그런 말들을 가리켜 타인의 보물을 지키는 뱀을 홀리게 하는 음악이라고 했어. 너는 그 음악을 소리로 나타내지 않고 몸으로 나타내야 하는 거야."
"저 혼자 한번 연습해 볼게요."
"연습이 아니라, 표현에 대한 열렬한 욕구를 끌어내야 해."
그녀는 다시 소파에 앉아 책을 펼쳤다.
"그런데, 선생님은 왜 그릴 준비를 전혀 안 하세요?"
내 말은 책장 넘기는 소리로 묵살되었다. 나는 양탄자 바닥으로 내려와 가슴을 바닥에 붙이고 엎드려 보았다. 팔을 몸에 꽉 붙였을 때는 보이지 않는 밧줄에 묶여 있는 기분이었고, 팔을 수평으로 펼쳤을 때는 신에게 자기를 바치는 듯했다. 그대로 가만히 있어 보았다. 기도가 되었다. 모로 누워 팔을 뻗어 보았다. 어딘가에 닿으려고 닿으려고 하는 안간힘, 열망. 그녀가 원하는 것이 무엇인지 조금쯤 이해되었다.

지훈의 결혼 제의를 거절하고 난 뒤, 내 마음은 오히려 심하게 흔들리고 휘청거렸다. 그것은 그를 단념하는 것만의 문제가 아니었다.

나의 발등에는 세로로 찢긴 상처 하나가 있다. 어렸을 때 냇가의 제방에서 생긴 일이었다. 제방이 냇물 쪽으로 가파르게 경사진 곳은 통나무로 끝을 여며 놓아 외나무다리를 연상케 했다. 그 끝을 밟으며 스릴을 느끼는 곡예는 나에게 아주 매혹적인 놀이였다. 한쪽은 안전하지만, 발을 헛놓아 냇물 쪽으로 떨어지면 깊은 물에 빠지는 것이었다. 안전함과 위험이 동전의 양면처럼 맞닿아 있는 곳. 그날도 곡예의 스릴을 즐기다가 나는 발을 헛놓았고, 물에 빠졌다. 물속엔 제방을 만들 때 잘못 떨어져 바닥에 가라앉아 있는, 날카로운 모서리를 가진 돌들이 있었다. 그 모서리에 발등이 찢겼던 것이다. 지훈과 현 여사 사이에서 이어져 온 나의 아슬아슬한 감정의 곡예는 그의 결혼 제의를 거절함으로써, 그가 추구하는 건실한 가치들이 내 인생에서 아주 멀어져 버린 듯이 느끼게 했다. 결혼, 임신, 안정된 생활. 그런 것을 아주 놓아 버리기엔 내 나이가 아직 너무 젊지 않은가.

나는 몸을 뒹굴렸다. 나도 모르게. 발효중인 붉은 액체를 가득 담은 술병처럼 이리저리 몸을 뒹굴리는 동안, 내 안의 신음, 고뇌, 억제된 욕구들이 뒤섞이며 나는 절로 몸부림치는 육체로 변했다. 신음하는 몸부림이 구르면서 현 여사의 발치에 이르렀다. 그녀는 진작부터 나를 지켜보고 있었던 듯했다.

"너 무슨 일이 있구나."

그녀가 소파에 앉은 채로 나를 내려다보며 나직하게 말했다.

우리는 이제 어찌해야 하나요. 이런 날들이 언제까지 이어질까요.

언제까지 세상 사람들을 속일 수 있을까요. 내 몸부림이 터질 듯한 외침으로 고조되고 있는 어느 순간, 나는 그녀의 입가에 떠오른 싸늘한 노여움을 보았다.

"지훈 씨가 찾아왔었어요."

나의 변명에도 그녀의 노여움은 스러지지 않았다.

"결혼을 하자고 했어요."

"그래서?"

말문이 막혔다. 비수처럼 차디차고 단호했다.

"그까짓 결혼 제의 때문에 괴로워한단 말이야? 내가 너에게 주는 사랑은 그 어떤 것하고도 비교되어서는 안 돼. 나는 너에게 내 전부를, 재산과 명예와 목숨 전부를 걸었어. 그런 내 앞에서 감히 괴로움을 드러낸단 말이야? 내 아들이지만, 지훈이 걔가 너를 나처럼 목숨같이 생각하더냐? 내 목숨을 움켜쥘 자신이 없으면, 그것만이 너의 기쁨이 될 수 없거든 당장 날 떠나도 좋아. 네가 내 감정을 희롱하면 죽여 버린다고 했지? 내 진실이 너에게 진정으로 소중하면 내 앞에서 눈물도 괴로움도 보이지 말아."

내 몸 안에서 구르고 지끈거리던 몸부림이 숙연하게 가라앉았다. 이곳이 어디일까, 어디일까 하며 더듬어 보고 있던 벽이 쩍 갈라지는 듯, 내가 잡혀 있는 것의 그토록이나 선연하고 명징한 힘. 나는 부끄러웠다. 엎드린 채 얼굴을 파묻고 있노라니 손이 내 어깨를 잡았다. 그 손은 물감을 듬뿍 묻힌 붓이 빈 캔버스를 어루듯, 내 어깨와 목덜미, 등을 지나 아래로 미끄러졌다. 그녀의 손이 내 안의 보물을 지키는 뱀을 유혹하는 음악처럼 내 몸을 쓰다듬었다. 나는 마치 귀신에게 입을 빌려 주는 무녀처럼 그녀의 손길에다 나를 맡겼다. 내 몸이 그녀의 손에서 그녀의 말을 읽어 내기 시작했다.

예술가로서의 그녀는 나를 단숨에 정복하고 굴복시키는 왕과 같았다.

월수금 그리고 일요일 · 2

그러나 소연의 속맘은 알 길이 없었다. 지훈의 결혼 제의에 대해 소연의 입술의 대답이 무엇이었는지 아는 것은 중요하지 않았다. 문제는 그 일이 현 여사에게 일깨워 준 상황 인식이었다.

현 여사는 소연에 대한 자신의 사랑 속에는 뱀처럼 지혜로운 연륜이 담겨 있다고 생각해 왔다. 지름길과 돌아가는 길, 정상과 밑바닥, 영(榮)과 욕(辱), 기쁨과 슬픔, 예술을 통한 자기 실현과 그것의 한계, 명성과 부의 앞면과 뒷면, 생의 본질적 덧없음과 그 이상의 불멸의 어떤 가치 등등. 이처럼 인생의 모순된 양면 관계를 알기 위해서는 긴 세월이 필요했다. 그래서 현 여사는 소연이가 시간을 헛되이 낭비하지 않고도 인생에 무엇이 필요하고, 무엇이 참다운 것이며, 무엇이 지름길로 가는 것인지 분명하게 가르쳐 줄 수 있으며, 현실적으로도 그녀가 원하는 것이면 무엇이든지 다 해줄 수 있다고 믿어 왔다.

그런데, 결혼과 결혼이 의미하는 모든 것이 빠져 있었고, 그것만은 자기가 해줄 수 없는 것이었다. 남편, 임신, 호적 그리고 육체적 사랑에 있어서의 완벽한 오르가슴. 소연을 안고 있을 때의 그토록 깊은 안도감에도 불구하고, 그녀가 주는 육체적 만족감이란 남편의 그것에 비해 보잘것없는 것이었듯이, 현 여사 자기가 소연에게 주는 성적인 만족감도 역시 보잘것없는 것일지도 모른다.

사랑을 나눌 때 현 여사는 자기의 입맞춤이 소연의 몸에서 신음, 몸부림, 경련, 외마디 소리를 끌어낼 때까지, 지치도록 자신을 혹사하고 소진시켰다. 그러고도 마음이 안 놓여서, 뜨거운 물수건으로 소연의 젖은 몸을 닦아 줄 때마다 물었다.

"했—어?"

그런데 그것이 미적지근한, 그저 어렴풋이 스쳐 가는 미진한 느낌에 지나지 않는다면? 그 어떤 남성이, 단지 남성이라는 이유만으로 소연에게 자기가 주는 것보다 훨씬 깊은 성적 만족감을 준다면?

온몸에서 기운이 빠져 나가는 듯했다. 현 여사는 앉은 자리에서 모로 쓰러졌다. 세운 두 무릎을 가슴에 붙이고 참담한 떨림을 진정시켜 보려고 애썼다. 이제 와서 네가 나를 이토록 비참하게 만들어? 그러나 그 너가 누구인가? 소연도 지훈도 아니었다. 아, 나는 내가 싫다.

그렇게, 모태 속의 태아처럼 몸을 웅크리고 꼼짝도 하지 않았다. 절망과 낙담의 독침으로부터 자기 자신을 구제할 의욕조차 없었다. 몸에서 맥이 놀지 않았다. 그것으로 끝인 것 같았다. 골수를 파먹던 불안, 초조, 의혹, 질투, 내달림마저 증발된 것 같았다.

화실을 뒤흔드는 전화벨 소리에 현 여사는 간신히 몸을 움직여 수화기를 집어들었다.

"저예요."

"……."

"여보세요?"

"그래 말해."

힘겹게 밀어내는 목소리.

"편찮으세요?"

"응."

"제가 지금 그리로 갈까요?"

"아냐."

"갈게요. 저 지금 시간이 있어요."

"아냐, 그냥 혼자 있고 싶어서 그래."

"……."

계속되는 침묵 속으로 웅웅거리는 잡음이 흘러들었다. 그뿐이었다. 현 여사는 여전히 맥을 놓고 있었다. 동요하는 소연의 마음이 침묵 속으로 빨려 오는 것이 느껴졌다. 내가 내 혐오 때문에 너까지 아프게 만드는구나. 현 여사는 입 안에 가득 괸 침을 삼켰다.

"거기 어디야?"

"점심 먹고 들어가려던 참이었어요."

"그럼 들어가 봐. 교통신호 잘 보고."

"보고 싶은데요."

"……."

"이따가 다시 전화드릴게요."

잃었던 맥이 피톨 속으로 되돌아와 다시 뛰기 시작했다. 그녀로 해서 죽음에 이를 만큼 자신이 혐오스러웠고, 그녀로 해서 다시 그 혐오로부터 구출되었다. 그녀의 말 한 마디, 그녀의 손짓 하나에 따라 숨이 쥐였다 놓였다 했던 일은 수없이 많았다. 그런데 이전과 다른 것이 있었다. '그것'이 회오리처럼 한 차례 지나간 느낌. 적막하고 권태로운 무력감.

그럼에도 멈춰진 것은 아무것도 없었다. 아니다. 멈춰질까 봐 두려운 것이다. 맥이 피톨 속으로 되돌아와 뛰는 것과 동시에, 야수의 의기양양한 유린이 다시 시작되었다.

야수: 너는 그녀를 절대로 놓지 못해. 그것은 일시적인 낙담이었다구.

제물: 나도 알아. 그녀가 혹시 내 낙담을 오해하지 않을까 염려돼. 자기를 놓으려는 줄로 알고 상심하면 어쩌지? 어쨌든 트릭을 부릴 생각은 전혀 없었는데, 그녀 마음의 고삐가 어느 정도 내 손에 잡혀 있는 것이 느껴졌어. 내가 잠시 놓았더니 그것이 느껴졌어.

야수: 그걸로 안심을 하겠단 말이지? 네가 잡고 있는 그녀 마음이란 바다에서 갓 잡아올린 펄펄 뛰는 활어 같은 거야. 그녀는 언제든지 다시 바다로 돌아갈 수 있어. 그것이 젊음이란 거야.

제물: 그녀가 내게 미치도록 빠져들게 하려면 어떻게 해야 할까.

내 입맞춤으로 그녀의 몸을 너덜너덜하게 할 수는 없을까.

야수: 너의 입맞춤은 너무 이지적이야. 백치가 되어야 한다구. 그녀가 남자하고 입맞출 때를 상상해 보라구. 부드럽고 따스하고 포근한 것만으로는 그녀의 살 속 깊이 침투할 수 없어. 너에게는 슬픔이란 독이 있잖아. 그녀의 성감대를 슬픔으로 저리게 만들어.

고뇌가, 불안이, 의혹이, 질투가 되살아났다. 애태움이 다시 가슴을 파먹기 시작했다. 또한 그 고뇌와 불안, 의혹이 현 여사를 다시 움직이게 하고, 살아나게 했다. 그 때문에 이 정신적 흥분, 도취감을 위해 상처를 후벼 파듯 고뇌와 불안과 의혹을 스스로 증폭시키고 있는 것은 아닌지? 하지만 멈출 수가 없다.

성감대? 소연의 몸에는 어디에 성감대가 있을까.

현 여사는 방금 머릿속으로 스쳐 지나간 상념의 자극적인 여운을 곱씹어 보고 나서 무선전화기를 집어들었다.

"나야."

"응 그래. 나도 전화를 하려던 참이었어."

"왜?"

"우리 남편이 그러는데 저쪽에서 새로운 증거를 제출했다는군."

"그 얘긴 나중에 하고, 너한테 뭘 좀 물어 볼까 해."

"뭔데."

"너 요즘도 남편하고 같이 자니?"

"얘가, 누굴 늙은이로 아나?"

"넌 남편이 어떻게 해줄 때 기분이 좋니?"

"너 자신을 생각해 보렴."

"하지만 여자들마다 다 다르지 않을까."

"그야 그렇지만, 일반적으로 말하는 성감대라는 것이 있잖아."

"그게 뭔데?"

"너, 그 나이가 되어 가지고 그것도 모르니?"

"몰라."

"이런!"

"정말 몰라서 그래. 그게 뭐니?"

"클리토리스도 있구……."

"클리스토리?"

"애, 관둬라. 그쯤 해둬. 농담도 지나치면……."

"농담이 아냐. 정말 알고 싶어서 그래."

"그럼 그 말을 처음 듣는단 말이야?"

"말은 들어 봤어. 하지만 그게 정확하게 몸의 어떤 부위를 말하는 건지 모르겠어."

"사전을 찾아봐."

"글쎄, 사전을 찾아봐도 모르겠다니까."

현 여사는 느닷없이 화를 벌컥 냈다. 내친김이었다.

"너, 이두박근이 팔뚝의 어느 부위인지, 사전을 찾아본다고 알 수 있니?"

"그럼 나더러 어떡하란 말이야? 지금 너한테로 달려가서 손으로 만져 보이기라도 하련?"

무슨 일이야? 도대체 왜 이러는 거니? 친구의 음성에서 노여움 서린 책망이 묻어 나왔다. 절박한 자기 감정에 씌여 부끄러움조차 잊었던 현 여사, 불현듯 고개를 떨어뜨리고 발 밑을 내려다보았다. 양말을 한쪽만 신고 있었다.

"끊을게."

"잠깐, 석화야, 끊지 마."

수화기를 내려놓은 뒤에도 현 여사는 자신의 발 밑을 여전히 물끄러미 내려다보고 있었다. 마치 그 한쪽만 신고 있는 양말에 대해 곰곰이 생각하는 것처럼.

소연의 친구들

낙원미술관장과의 약속이 여섯 시에 있었다. 화목토를 피해 금요일로 만날 약속이 정해지기까지는 몇 차례 전화가 오가야 했다. 자신에게 아주 긴요한 용건이었으므로 현 여사는 약속 시간에 늦지 않으려고 네 시 남짓해서부터 외출 채비를 했다. 통장에 들어 있던 저축이 바닥을 드러내고 있어, 그림을 두세 점 정도 내놓을 참이었다.

왼손에 들고 있는 크림단지에서 크림을 찍어 얼굴에 문지르면서 현 여사는 방 안을 오락가락하고 있었다. 손 끝에는 크림의 감촉이 미끈거리고 있었으나, 피부 한 겹 밑에서는 미구에 들어올 수입과 그것으로 한동안은 소연을 위해 풍족하게 쓸 수 있겠다는 생각이 함께 문질러지고 있었다. 흐뭇하게 피어난 입가의 미소 위로 자꾸 크림을 문지르던 현 여사가 우뚝 멈춰선 것은 전화벨 소리 때문이었다.

"전데요, 집에 계셨군요."

"화실로 전화했었어?"

"네. 지금 뭐 하고 계세요?"

외출하려는 참이라고 대답해야 했다.

그런데 소연의 의중이 읽혀져, 차마 그것을 밀어낼 용기가 나지 않았다. 밀어내다니, 약속한 날도 아닌데 그녀 쪽에서 먼저 전화를 하고, 오고 싶어하는데……. 현 여사는 그녀의 기분이 바뀌어 생각을 뒤집는 일이 없도록 조심스럽게 물었다.

"왜?"

"화실로 갈까 해서요."

현 여사는 외출하려는 참이라고 대답해야만 했다. 뿐만 아니라, 오늘은 금요일이어서 내 볼일을, 그것도 아주 중요한 볼일을 봐야 한다고 대답해야 했다.

"몇 시에?"

"지금 여기가 동숭동이니까, 한 시간 정도 걸리겠어요."

어렵게 맞추어진 약속이었다. 게다가 이쪽에서 용건을 가지고 가는 입장이었다. 수입이 걸려 있는 문제였다. 고리의 이자빚을 하루 속히 갚아야 했다. 서너 시간만 미루면 볼일을 보고 나서도 소연을 만날 수 있을 것이다.

"알았어. 가능하면 빨리 와."

약속 시간을 또다시 변경하자고 하면 이번에야말로 관장은 화를 내고 말지도 모른다. 도대체 내가 어쩌자고 이러는 것일까. 난감한 기분도 잠시였다. 그가 나가기 전에 전화 통화를 해야 했다. 신호가 울리고 있는 동안, 현 여사는 불안감을 누르며 입 속으로 중얼거렸다. 일이 틀어지면 은행에 집이라도 저당잡힐 수밖에 없지.

관장은 체면과 예의를 지켰지만, 목소리가 냉랭했다. 현 여사는 더 이상 그에게 신경 쓸 겨를이 없었다. 소연이 화실에 도착하기 전에 먼저 가서 음식을 차려 놓으려면 시간이 빠듯했다. 그때 또다시 전화벨이 울렸다.

"전데요. 지금 친구들이랑 같이 있는데, 함께 가도 될까요?"

"친구들?"

"네. 제 친구들이 선생님을 보고 싶어해요."

"데리고 오지, 그럼."

"저녁은 밖에서 먹고 가겠어요."

"글쎄, 빨리 오라니까. 저녁 걱정은 하지 말고."

"화나셨어요?"

"아니."

"화나셨으면 오늘 안 갈래요."

그녀에게 화가 난 것이 아니었다. 자기 자신에 대해 화가 치밀었다. 숨결 하나 말 한 마디에 따라 휘청거리는 것이 꼭 거센 바람 속의 나뭇가지 같았다.

"어떻게 할까요?"

"그걸 몰라서 물어?"

"친구들까지 있는데 저녁을 어떻게……."

"괜찮아, 숟가락 몇 개 더 놓는 건데."

"그럼, 지금 갈게요."

전화를 끊고 나서도 마음의 옥죄임이 늦추어지지 않았다. 조금만 긴장을 늦추어도 '그것'은 손가락새로 빠져 달아날 것 같았다. 진땀이 흐르는데, 등인지 목덜미인지 또는 손바닥인지 알 수 없었다.

무얼 먼저 해야 할지도 알 수 없었다. 얼굴에 칠한 크림을 닦아내는 것인지, 냉장고에서 먹을 만한 음식들을 찾아보는 것인지, 아주머니에게 한두 가지 음식을 해달라고 할 것인지, 소연의 친구들에게 멋진 인상을 심어 줄 옷을 골라 보는 것인지……. 갖가지 생각이 뒤엉킨 채로 마음만 바쁠 뿐, 손에는 휴지 한 장 집어들 기운조차 없었다.

정신없이 서둘러서 화실에 도착했다. 양손에 들고 온 음식보따리를 내려놓고 열쇠를 꽂으려는데 문이 이미 열려 있었다. 아틀리에는 그 전날 소연이 다녀간 채로 미처 치우지 않아 어지러웠다. 거기에 소연과 그녀의 친구들 세 사람이 먼저 와서 들어앉아 있었다. 주인 없는 화실에 자신이 가진 열쇠로 문을 열고 들어서면서 소연은 친구들에게 무어라고 말했을까.

어쨌든 헛수고가 되어 버렸다. 먼저 와서 어질러진 화실을 치우고 식탁을 말끔하게 차려 놓은 뒤, 샤워를 하고, 가볍게 화장도 하고, 분위기 나는 옷으로 갈아입고 나서 그녀들을 맞으려고 애태우며 시간에 쫓긴 이유 자체가 통째로 어긋나 버린 것이다. 크림만 겨우 닦아낸 얼굴이 늙어 보일까 봐 신경 쓰였고, 아무렇게나 막 입은 허술한 옷차림이, 너무나 어질러져 있는 실내의 풍경이 신경 쓰였다.

소연의 세 친구, 방송국 스크립터, 인턴, 전통춤 전수자인 그녀들이 자기를 어떻게 생각하든 아무 상관이 없었다. 신경 쓰이는 대상은 오직 소연 한 사람뿐이었다. 바로 어젯밤 열한 시까지 화실에서 함께 뒹굴었던 사람, 맨얼굴이며 맨몸뚱이 구석구석을 다 내보여 더 이상 감출 것이라곤 없어져 버린, 그 한 사람에게만 온통 모든 것이 신경 쓰였다.

그래서 현 여사는 소연이 다른 세 친구처럼 가만히 앉아 있지 않고, 재떨이를 비운다든가, 바닥에 널려 있는 책이나 신문지를 치우고 커피 자국이 말라붙어 있는 잔들을 개숫대에 갖다 놓고 하는 등의 행동이 오히려 고통스럽게 느껴졌다. 화실을 깨끗하게 정리해 놓지 않은 것이 불만스러운 것일까. 그녀는 나를 친구들 앞에서 딱하게 여기고 부끄러워하는 게 아닐까. 그녀의 꼭 다문 입 속의 말이 무엇인지 궁금해질수록, 그 무언이, 내려뜬 눈시울이, 현 여사의 맘을 무겁게 짓눌렀다.

생각했던 것과는 전혀 다른 식탁이 차려졌다. 촛불도 꽃병도 없었고, 수저 받침도 없었다. 접시도 제각각이었고, 컵도 제각각이었다. 현 여사는 일찌감치 스스로 주인이기를 포기하고, 그저 소연이 자기 친구들하고 음식을 먹으며 담소하는 자리를 시중들어 주는 이모나 고모 같은 마음으로 주저앉아 버렸다.

아주머니를 떠다밀듯이 재촉하다 못해, 자신이 팔을 걷어붙이고 기름에 튀기다가 손을 데이기까지 한 새우튀김, 오는 길에 슈퍼마켓에 들러서 한사코 활어여야 한다고 우겨 간신히 사가지고 온 생선회. 그것은 우아한 꽃무늬 접시에 옮겨져 식탁 가운데 놓여져야 했고, 새우튀김은 다시마 간장에 곁들여 먹어야 했다. 이 음식들을 위해 공들인 보람이 소연의 활짝 핀 입가의 웃음으로 되돌아와야 했다.

그런데, 활어회는 상인이 포장해 준 쿠킹호일 도시락에 담긴 채로 식탁에 놓였고, 새우튀김은 생선회에 딸려온 겨자 간장이나 초고추장에 찍어 먹을 수밖에 없었다. 소연이 마구잡이로 보따리를 풀어 그대로 식탁을 차려 놓았기 때문이었다.

현 여사는 자신의 예상에서 너무나 빗나가 있는, 그와 동시에 마주앉아 있어도 좀체 그 마음속을 알아차릴 길이 없는 소연을 식탁 너머로 막막하게 조바심치며 지켜보았다.

"튀김이 아삭아삭해요."

"생선회가 쫀덕쫀덕해요."

음식에 대한 소연의 친구들의 찬사에도 불구하고 현 여사는 식욕이 전혀 없었다. 오가는 대화의 중심에 앉아 음식을 먹고 있는 소연은 무슨 까닭인지 애써 현 여사로부터 눈길을 피하고 있었다.

왜 그래? 무엇이 잘못됐다는 거야. 현 여사는 그녀의 눈길을 잡아 보려고 안타깝게 허둥거렸으나 소연은 거의 무자비할 정도로 그 의중을 무시했다. 그럼에도 현 여사는 그녀의 눈길을 구걸하듯 애타게 잡으려 하면서, 점점 뜨거운 양철지붕으로 변하고 있는 식탁에서 간신히 버티고 있었다.

가지런히 빗은 머리칼에 중간가르마를 하고 입술이 유난히 붉은 친구, 그녀의 얘기는 지루하고 따분했다.

"……그러니까 내가 우리 선생님으로부터 배울 수 있는 것은 춤사위의 동작뿐인 거야. 그 동작조차도 제대로 배우려면 그 춤사위를 낳게 하는 한이나 신명 같은 정서를 알아야 하는 거지."

"넌 너의 한이나 신명 같은 게 있을 거 아냐."

소연에겐 제 또래를 위에서 내려다보는 듯한 어른스러움이 있었다.

"물론 슬픔이나 비애, 기쁨, 환희 같은 감정이야 있지. 그러나 그것은 한이나 신명 같은 정서하고는 전혀 다른 거야."

"어떻게 다르니?"

안경을 쓴 노력형의 수련의가 눈을 깜박이며 물었다.

"슬픔이 한이 되려면 풍파를 겪어야 하고, 그 풍파를 거치며 쌓인 감정이 안으로 곰삭아야 한다고 할까."

"그래, 뭔지는 알겠다, 그치?"

수련의는 고개를 끄덕이며 소연의 동의를 구했다. 빙긋 미소를 짓는 한편, 소연은 말없이 자작술을 연거푸 마시고 있는 현 여사를 얼핏 스쳐보았다. 불안한 눈빛으로 다시 한 번 스쳐보고 나서 소연은 마른 입술을 축였다.

"넓은 의미에서 한국이란 토양이 한을 기르는 게 아닐까."

"한국? 오늘의 한국에 아이덴티티가 있다고 생각해? 군주제, 가부장제, 농경사회에서 산업사회, 자본주의, 개인주의, 정보화시대로 발전했다고 하지만, 결국은 아메리카나이즈한 거지. 침대에서 잠을 자고 포크와 나이프를 쓰고 마요네즈를 얹은 샐러드에 빵을 먹고 집에 앉아서 전화로 세금을 내는 이런 생활에서는 슬픔이 있어도 한으로까지는 침전되지 않지. 요컨대 이 시대 자체가 더 이상 전통춤을 필요로 하지 않는 거야. 문제는 한국 전통춤이, 가르치는 사람과 가르침을 받는 사람 사이에서조차 정서적 유니트를 잃어버린 거야. 그저 흉내인 거지."

"그건 흉내가 아니라, 변용이지. 흐르는 시간 속에서의 불가피한 변용."

이제는 소연의 눈길이 현 여사에게 불안하게 멈춰 있었다. 단숨에 넉 잔을 연거푸 마신 현 여사는 타는 듯 빨갛게 달아오른 얼굴을 쳐들고 소연을 노려보았다. 말해 봐. 너의 변치 않는 마음을 잡으려면 어떻게 해야 하니. 그 마음은 도대체 어디에 숨겨져 있는 거냐? 상황에 따라 이렇게도 변하고 저렇게도 변하는 마음이 아니라, 내 마음과 함께 묶여 천 년이라도 함께 썩을 그런 마음 말이야.

현 여사는 그 속엣말들을 자기 가슴을 겨누는 비수처럼 되뇌는 동안 슬픔의 날에 스스로 가슴을 버히어 비통하게 엎으러졌고, 온몸이 저리는 전율을 느꼈다.

그때였다. 소연은 호출을 받고 허리에 찬 삐삐를 들여다보았다.

"잠깐요."

자리에서 일어난 소연이 소파 위에 놓여 있는 가방에서 핸드폰을 꺼내어 어디론지 전화를 걸었다. 현 여사는 고개를 숙이고 있었으나, 귀를 칼같이 세우고 통화 내용을 엿들었다.

"아, 그래요? 이 근처까지 오셨다구요. 그러면 그 제과점을 끼고 오른쪽으로 골목이 있는데, 이백 미터쯤 들어오시면 화강암으로 지은 십 층짜리 빌딩이 있어요. 성현빌딩. 제가 현관 앞에 서 있을게요."

전화를 하는 소연의 태도는 다소곳하고 상냥하기 그지없었다. 상대방이 남자인 것은 분명했으나 그녀가 무슨 까닭으로 그를 오피스텔까지 오게 했는지 궁금했다.

자리에서 일어난 현 여사는 소연의 곁으로 가서 낮은 소리로 물었다.

"무슨 일이야?"

"네, 누가 뭘 가지고 온다고 해서요. 잠깐 나갔다 올게요."

"오래 걸려?"

"아뇨. 자료를 받기만 하면 돼요."

현 여사는 출입문 뒤로 사라지는 소연을 착잡하고 불안한 눈길로 우두커니 지켜보았다. 그녀의 내부에서 째각거리는 초침이 돌아가기 시작했다. 그 초침은 소연이 눈앞에서 사라지는 순간부터 그녀를 뒤쫓고 감시하기 위해 작동되었다.

자리로 돌아가 그녀 친구들의 한가로운 얘기를 듣고 있을 기분이 아니었다. 현 여사에겐 소연이 잠시 자리를 비운 것이 아니었다. 눈앞에서 사라지면 세상은 이내 소연을 삼켜 버리는 크나큰 미궁이 되었다. 그녀가 누구를 무슨 일로 만나는지 알 길이 없었고, 소연의 존재는 다시 손 닿지 않는 원점으로 돌아가, 그 동안의 만남은 꿈처럼 속절없어지는 것이었다.

개숫대에 쌓여 있는 그릇들을 씻는 척하며, 선반에 놓여 있는 반달

형의 작은 탁상시계를 수시로 곁눈질했다. 소연의 말이 사실이라면 넉넉히 잡아 십 분이면 충분했다. 아니, 저쪽에서 차를 가지고 온다면 골목에서 양방향 차들이 얽힐 경우가 있으니까, 오 분쯤 더 지체될 수도 있으리라. 그릇을 하나씩 씻어서 건조대에 넣을 때마다 현 여사는 시계와 눈을 맞추었다. 소연의 친구들이 이야기에 정신이 팔려 있어, 참으로 다행이었다. 수시로 시계조차 볼 수 없다면 이 기다림은 지옥이나 다름없을 것이다. 드디어 십오 분. 그녀의 발걸음소리가 복도에서 들려와야 했다. 현 여사는 수도꼭지를 잠그고 귀를 기울였다. 그 사이 일 초가 지났다. 그리고 또다시 일 초. 피를 말리는 조바심을 조금이라도 늦추어 보려고 다시 수도꼭지를 틀었다. 어쩌면 남자는 그녀에게 차나 한잔 하자고 할지도 모른다.

소연은 자료를 받아야 할 처지이므로 거절할 수 없을 것이다. 두 사람은 옆의 빌딩에 있는 찻집으로 가기 위해 차를 주차시켜야 할 것이다. 그렇게 되면 시간은 얼마나 더 걸릴지 모른다. 그런데 왜 하필 이 시간에, 여기까지 와서 자료를 준단 말인가. 그 말이 사실일까.

방금 씻은 유리컵이 손에서 미끄러져 바닥에 떨어졌다. 현 여사는 허둥거리며 깨어진 유리조각을 손으로 쓸어 모았다. 소연의 친구들이 몰려와서 현 여사를 둘러쌌다.

"어머나, 손에 피가 나요."

유리조각에 베인 손바닥의 상처는 의외로 깊었다. 수련의가 재빨리 키친타월로 상처를 싸고 지혈을 시켰다. 지혈을 시키는 그녀의 손목에 찬 시계가 삼십 분을 넘기고 있었다.

마침내 소연이 돌아왔다. 상기된 얼굴에 활기찬 웃음을 띠고 있었다. 그녀의 손에는 아무것도 들려 있지 않았다.

"자료는 어떻게 됐어?"

현 여사는 억제된 목소리로 조용하게 추궁했다.

"더 좋은 것이 있다고 해서 내일 아침에 받기로 했어요."

"그 말 하는데 시간이 그렇게 오래 걸렸단 말이야?"

두 사람이 주고받는, 대수롭지 않은 듯한, 그러나 팽팽한 긴장감이 감도는 대화를 듣고 있는 친구들의 표정에 당혹감이 스쳐 갔다.

"선생님이 너 없는 사이에 손을 베셨어."

수련의의 설명에 소연의 눈길이 붕대를 감고 있는 현 여사의 손으로 쏠렸다.

담뱃갑에서 담배를 뽑는 현 여사의 손이 후들후들 떨렸다. 눈길을 피한 채, 입을 꼭 다문 소연이 성냥불을 켜서 불을 붙여 주려고 했다.

"그만둬!" 하고 고함치듯이 현 여사는 그 불과 손을 난폭하게 밀쳤다. 밀쳐진 손이 와인잔을 쓰러뜨렸고, 그 잔이 접시 위로 엎어지며 깨어졌다. 붉은 술이 피처럼 붉게 식탁보를 적셨다.

"아이, 죄송해요."

소연이 재빨리 자기 실수로 위장했다.

방송 스크립터가 먼저 심상치 않은 기류를 눈치채고 소연과 현 여사를 번갈아보며 슬그머니 입을 다물었다. 곧이어 다른 두 친구도 무엇인가 눈치채려는 참에, 소연이 자리에서 벌떡 일어났다. 현 여사의 눈길은 그녀의 등에 꽂혀 함께 따라갔고, 세 친구는 말없이 고개를 숙였다. 기어이 이렇게 되고 마는군. 그러나 아직은 수습할 여지가 있어.

욕실 문이 소연의 등에서 현 여사의 눈길을 떼어냈다. 친구들의 어색한 침묵이 현 여사를 둘러쌌다. 그 침묵 속에서 발가벗기우는 듯한 수치와 굴욕감. 현 여사는 자리에서 일어났다. 왜 일어났는지 알 수가 없었다. 돌아섰다. 세 친구의 시선이 뒤쫓아오는 것을 느꼈고, 당혹해하는 자기 자신에 대해 분노가 치밀었다.

노크 없이 욕실 문을 열었고, 안으로 들어가서 등뒤로 문을 잠갔다. 수건으로 젖은 손을 닦고 있는 소연의 얼굴에 두려움이 스쳐 갔다. 세 친구들의 호기심과 소연의 두려움. 현 여사는 물러설 수 없다고 생각되었다. 누구든 내 감정을 기만하면 죽여 버릴 테다. 싸워야 한다, 그것도 정직하게.

"말해 봐, 왜 그러는 거야."

현 여사는 변기의 뚜껑을 닫고 소연을 그 위에 주저앉혔다. 그녀의 어깨에 손이 닿자, 비통하게 날이 선 슬픔이, 베어도 아프지 않는, 오히려 시원한 안도감으로 바뀌었다.

"뭘요?"

소연은 애써 태연한 표정을 꾸미고는 있으나 눈시울이 떨리고 있었다.

"이 세상에 중요한 것은 아무것도 없어. 우리가 순간순간 거짓 없이 마음을 섞고 사랑하는 일 이외엔 다른 모든 것이 헛것이야."

"밖에서 제 친구들이 듣고 있어요. 진정하세요."

"친구들? 관심없어. 친구들이 날 어떻게 생각하든 관심없어. 세상 사람들, 그들이 나한테 돌을 던지면 맞을 수밖에. 그 돌더미가 내 무덤이 되어도 좋아. 나한텐 오직 너 하나야. 너는 그게 부끄럽다는 거냐?"

"선생님은 너무 자기 중심적이세요. 어쨌든 나중에 얘기해요."

일어나려는 소연을 이번엔 좀더 우악스럽게 주저앉히며, 현 여사는 소연의 얼굴을 자기 앞으로 끌어당기고 그 머리칼 속으로 깊숙이 손가락을 집어넣었다.

현 여사의 가슴에 얼굴을 파묻듯이 맡기고 있던 소연이 갑자기 세차게 가슴을 밀어내며 일어났다. 몸이 떠밀린 현 여사는 비틀거리다가 벽에 등을 받쳤다.

무릎이 푹 꺾여 바닥에 주저앉은 채로 현 여사는 아득히 먼 곳에서 들려오는 것 같은 말들을 듣고 있었다.

"왜 그러니?"

"아무것도 아니야. 너네 여기 더 있을 거니?"
"가려구?"
"머리가 아파. 약을 사먹어야 할까 봐."
"선생님한테 인사는 드려야지."
"조금 취하셨어. 그냥 가는 게 좋을 것 같아."

잠시 후 서먹서먹한 수런거림과 함께 문이 열렸다가 닫혔다. 현 여사는 살갗을 벗기운 듯 아프고 매운 정적 한가운데 홀로 남겨졌다.

가학(加虐)의 시간 · 1

나는 친구들의 어색한 웃음과 엉뚱한 말들이 무마하려고 했던 것이 무엇이었는지 짐작해 보려 애썼다. 놀라움, 기이함, 호기심이었을까. 남의 입설에 올라 한 번도 씹혀 본 일이 없는 내가 친구들에게 놀라움과 기이함의 대상으로 비춰지다니. 긴 학교생활은 물론 경쟁이 치열한 사회생활에서도 나는 선망의 중심에서 살아왔다. 친구들이, 그것도 나를 늘 부러워하고, 알게 모르게 추종해 온 친구들이, 내 등뒤에서 나를 놓고 쑤군덕거리다니, 있을 수 없는 일이었다.

신음을 깨물며 나는 갑자기 클랙슨을 꽉 눌렀다. 건널목을 건너고 있던 두 남자가 불쾌한 얼굴로 나를 흘겨보았다. 그들의 가벼운 눈흘김마저 굴욕감을 부추겼다. 어쩌다 이렇게 되었을까. 어디서부터 수습의 실마리를 찾아야 할까. 신호가 바뀌었고 나는 액셀러레이터를 밟았다.

친구들을 데리고 그녀의 화실로 간 것부터가 내 실수였다. 두 사람만의 가열한 분위기에 친구들을 끼여들게 함으로써 내 감정의 완충지대를 마련해 보려고 생각했던 것이 잘못이었다. 과연 그것뿐이었던가. 혼미. 진정으로 내가 원하는 것이 무엇인지조차 알 수가 없다.

그녀와의 눈맞춤을 피한 것이 친구들 때문만이었을까. 물론 친구들을 의식한 점도 있었지만, 다른 한편으론 그녀가 초조해하고 몸달아 하는 것을 보면서, 나는 그녀의 마음이 내 얼레에 감기는 것을 시시각각 확인할 수 있었다. 그러는 어느 순간 그녀의 마음을 바닥이 드러나도록까지 애태우게 만들어 죽음으로 몰아가고픈 충동을 느꼈다.

마음이 딸려 오면서 헉헉거리는 모습이 가엾고 측은할수록 그 충동은 더욱 거세어졌다. 드디어 그녀가 내 친구들의 시선도 아랑곳없이 욕실까지 따라 들어왔을 때도 그 충동은 진정이 되지 않았다. 사무치게 끌어안는 포옹조차도 밀쳐냈을 때, 내 안에서 한 번도 뚜껑이 열린 적이 없는 야만적이고 포악한 감정이 끝간 데 없이 분출하는 것 같은 쾌감을 느꼈다.

친구들, 동료들, 가족들 앞에 나의 진실이 밝혀져 입방아에 오르내리는 것도 두려운 일이지만, 내 안의 만족을 모르는 난폭한 욕구가 눈을 뜬 것, 아 어찌해야 좋을지 모르겠다.

끼익— 하고 급브레이크 밟는 소리에 나는 정신을 차렸다. 백미러로 흰색 세피아 승용차에 탄 중년의 남자가 차창을 내리고 나를 향해 욕을 퍼붓고 있었다.

그때 나는 갑자기 깨달았다. 집으로 가고 있는 것이 아니라, 나는 화실로, 현 여사에게로 되돌아가고 있었던 것이다.

오피스텔의 주차장에 차를 주차시키고 시동을 껐다. 지하 주차장은 고요했고, 으스스한 냉기가 감돌았다. 파리한 형광불빛이 밝혀져 있는 주차장. 붉은 비상등이 켜져 있는 철문이 오피스텔 내부로 들어가는 문이었다. 핸들을 끌어안은 채 나는 한동안 그 문을 바라보았다. 그녀도 나도 이 난폭한 내달음에서 비켜나 조용히 자기를 돌아볼 시간을 가져야 한다. 이대로 가다가는…….

그러기 전에 찢겨지고 상처입은 마음을 위로해 줘야 한다. 내가 밀쳐낸 것 때문에 그녀는 지금 몹시 아파하고 괴로워할 것이다. 아니다, 내가 생각하는 만큼 괴로워하지 않을 수도 있다. 안으로 수많은 상처를 끌어안고 있는 병사의 방패 같은 연륜, 남편의 돌발적인 죽음, 아들의 배신까지도 끄떡없이 견뎌낸 세월의 힘이 그녀의 편이다. 그녀는 더 이상 나에게 휘둘리지 않겠다고 결심하며 출입문부터 굳게 잠글 것이다. 기다림을 단호하게 잘라 버리듯이. 그리고 지금쯤은 어질러진 방과 식탁을 말끔히 치우고 나서 한 잔의 커피를 앞에 놓고 책장을 뒤적이고 있을지도 모른다. 물론 책이 읽힐 정도로 마음이 평온한 것은 아닐 것이다. 그녀는 책을 엎어 놓고 오디오 리모콘을 누른다…….

화실 문은 잠겨져 있지 않았다. 쑥스럽고 서먹한 감정을 누르며 나는 안으로 들어가 소리나지 않게 문을 닫았다. 아무것도 손댄 흔적이 없었다. 식탁 위의 잔 하나 수저 하나 옮겨진 것이 없었다. 무섭게 조용한 침묵만 아니라면, 내가 나갔다가 되돌아온 것이 거짓말인 것처럼 느껴질 지경이었다. 그녀가 '정' 안에 있을 듯싶었기 때문에, 나는 그쪽으로 가까이 다가가지 않았다. 그저 내가 되돌아왔다는 것을 그녀가 알면 그것으로 족했다. 선 채로 서가에서 책을 한 권 꺼내 들려는데 맨 윗단에 놓여 있는 멜로디카 함이 눈에 띄었다. 그것은 내가 그녀에게 준 선물이었다. 악보와 바이올린과 나팔이 상감되어 있는 뚜껑을 열자 실로폰으로 연주하는 〈꽃의 왈츠〉가 흘러나왔다. 맑고 투명한 선율이 끊어질 듯 끊어질 듯 이어지며 아득하게 사라진 기억을 실어 왔다. 잃어버린 순수, 머리에 꽃을 꽂고 들판을 뛰어다니던 그 시절로 되돌아갈 수는 없을까.

감긴 태엽이 다해서 멜로디가 그칠 즈음 나는 등뒤에서 그녀의 기척을 느꼈다. 뚜껑을 닫고 숨을 멈춘 채 돌아섰다. 그녀의 기척은 닫혀 있는 욕실 안쪽에 있었다. 두려운 마음으로 욕실 문을 열었다. 그녀는 아직도 거기에 있었다. 거울 속에 그녀의 모습이 사진처럼 담겨 있었다. 타일바닥 위에 무릎을 세운 자세로 얼굴을 파묻고 앉아 있는 그녀의 웅크린 모습은 숨을 거의 쉬지 않는 것처럼 보였다.

아프게 스쳐 가는 후회의 마음과는 반대로 나는 가방을 던지듯 바닥에 내려놓았다. 머리를 틀어올린 그녀의 목덜미에 소복한 흰 머리카락이 후회의 염을 더욱 자극했지만, 나는 그녀를 위로하는 말이나 몸짓을 하기보다, '도대체 왜 이렇게 사람의 마음을 아프게 하는 거예요. 누구를 지레 죽일 참인가요' 하고 소리치고 싶은 것을 간신히 눌러 참았다.

나는 식탁 위에 마시다 둔 와인잔에 술을 가득 부어 단숨에 마시고, 그 잔을 다시 채워 욕실에 있는 그녀에게로 가져갔다.

"드세요."

그녀처럼 나도 바닥에 주저앉았다.

잔을 내밀고 있는 팔이 아파 올 즈음 그녀가 천천히 고개를 쳐들었다. 얼굴이 온통 눈물에 젖어 있었다. 온통 젖어 있는 얼굴, 붉게 젖어 있는 눈이 나를 조용히 비애스럽게 지켜보았다. 나는 갑자기 그녀의 얼굴을 때려 그 눈을 감게 하고 싶었다. 그와 동시에 그녀에게 주려던 잔을 내가 마셔 버렸다.

"어쩌자고 저를 이런 식으로 몰아가세요."

나는 어깨를 떨며 으르렁거렸다. 몸을 일으킨 그녀는 욕조 안으로 들어갔다. 그녀의 손이 떨면서 샤워 버튼을 눌렀다. 세찬 물줄기가 쏟아지며 그녀의 옷을 적셨다. 내가 버튼을 눌러 물줄기를 멈추게 하자, 그녀가 다시 버튼을 눌렀다. 세찬 물줄기 속에서 그녀는 고개를 떨어뜨리고 목놓아 울기 시작했다.

"정말 왜 이러세요."

발을 구르며 나는 또다시 소리쳤다.

"멈추지 않으면 아주 가버릴 거예요."

나는 짐짓 가버릴 것처럼 돌아서서 욕실을 나왔다. 갑자기 뒤에서 그녀의 젖은 손이 나를 붙잡았다.

"가지 마, 가지 마, 가지 마."

그녀는 세 번씩이나 애원했다. 나는 그녀 쪽으로 돌아섰다. 흠뻑 젖은, 그리고 아직도 온몸에서 물이 줄줄 흘러내리는 그녀에게서 고통이, 슬픔이 흘러내렸다. 나는 그녀의 몸에 가죽처럼 달라붙어 있는 군청색 셔츠를 헤치고 유방을 끌어내어 입을 맞췄다. 날더러 어쩌란 말예요. 당신 속에 빠져 죽으란 말인가요. 마침내 나는 이빨로 그녀의 살을 물어뜯었다. 살갗 속으로 파고든 이빨자국이 금방 부풀어오르는데도 그녀는 신음소리조차 내지 않았다. 나에게 들리지 않게 하려고 그녀는 어금니를 앙다물고 있었다.

"됐어. 이제 그만해. 내가 너에게 바라는 것은 이런 게 전부가 아니야."

옷깃을 여미며 그녀가 말을 계속했다.

"옷 갈아입는 동안 커피 좀 끓이겠어?"

그녀의 손을 가슴에서 밀쳐내고 여며진 옷 속으로 숨어 버린 유방을 다시 끄집어내기 위해 나는 다급하게 옷을 잡아 찢었다. 앞섶의 단추 몇 개가 뜯어져 발 밑에 떨어졌다. 그녀를 바닥에 쓰러뜨리고 나는 미친 듯이 그녀를 탐하기 시작했다.

"선생님이 원하시는 게 바로 이런 내 모습이 아녜요. 갈 데까지 가보자고 했잖아요."

"모두 내 잘못이다. 우리 이러지 말자. 제발."

그녀의 몸이 슬픔을, 고통을 안으로 삼킬수록 나는 더욱 난폭해졌다. 그것은 동시에 야릇한 성적 흥분으로 이어졌다. 그녀가 나를 흥분으로 유도했을 때와는 비교도 안 될 만큼 강하고 독한 쾌감이 만족을 모르고 나를 그녀의 몸 속으로 내몰았다.

절정을 넘긴 뒤 시간이 흐르면서 부끄러움과 죄책감이 나를 엄습했다. 그녀도 나도 손 하나 까딱하지 않은 채 시간이 길게 흘렀다.

그녀가 먼저 움직였다. 그녀의 손이 엎드려 있는 내 머리카락을 조심스럽게 쓸어내렸다.

"너, 나를 정말로 사랑하니?"

나이 든, 백 년이나 나이 든 것 같은 음성이었다.

얼굴을 파묻은 채 나는 고개만 끄덕였다.

"됐어, 그럼. 나도 널 몹시 원했어. 다만……."

그녀가 내 가슴 밑에 쿠션을 고여 주고 욕실로 들어갔다. 갑자기 나는 그녀 속에서 무엇인지 문득 멈춰진 것이 있음을 깨달았다. 어쩌면 그것은 그녀가 세찬 물줄기 속에서 목놓아 울 때였는지도 모르겠다.

가학의 시간 · 2

"앞으로 한 주일 정도 너한테 전화도 삐삐도 하지 않을 거야."

그녀를 괴롭히고 나서 사과하고, 또다시 괴롭히는 나날이 계속되고 있었다. 깨어진 유리조각을 쓸어 담으면서 그녀가 떨리는 음성으로 말했다.

"너를 잃을까 봐 참아 왔는데 이제는 더 이상 참지 않겠어. 나는 결코 너를 이런 식으로 몰아가고 싶지는 않아. 그래서 결심하게 된 거야. 너보다 나이 많은 내가 결심할 수밖에 없잖아. 이해할 수 있지?"

나는 전혀 예상치 못했다. 뜻밖이었다. 고통을 감수하면서라도 그녀는 애증의 혼돈 속으로 빠져들고 있는 우리의 관계를 바로잡아 보려는 것인데……. 그녀의 뜻을 충분히 이해할 수 있으면서도 나는 혀를 깨물었다. 갈수록 몰염치해지는 나의 욕구를 그녀로부터 제지당한 것이 부끄러웠다. 뿐만 아니라, 노여운 감정도 슬며시 고개를 쳐들었다. 당신이 먼저 나를 놓겠다구요? 어떻게 그럴 수 있지요? 이제는 내가 무서워지나요? 당신의 목숨을 움켜쥘 자신이 없으면 떠나라고 했던 말은 거짓이었나요? 나는 당신을 내 속에서 익사시키고 싶어요. 나 때문에 당신이 갈가리 찢겨 파멸하는 것을 보고 싶어요.

나는 일부러 그녀의 마음을 곡해하며 노여움을 부채질했다.

첫 번째 날, 그녀는 자기의 약속을 지켰다. 두 번째 날, 핸드폰이 울려서 응답을 했으나 그냥 끊어졌다. 아침의 일이었다. 저녁에 또 한 번 그냥 끊어지는 전화를 받았다. 나는 견딜 수 없이 그녀가 그리웠다. 또한 견딜 수 없이 그녀가 미웠다. 전화를 하지 않겠다고 약속한 것은 그녀이지 내가 아니다. 그녀의 말에 나는 묶일 이유가 없다. 나에겐 내 감정이 소중하다. 나는 번호를 누르고 '통화' 버튼을 눌렀다. 신호가 건너가는 소리. 한 번, 두 번, 세 번 만에 그녀가 수화기를 집어들었다. 나는 잠자코 있었다.

"여보세요, 여보세요."

그녀는 나인 줄 이내 알아차렸다. 지치도록 기다린 나머지 거의 쇠진한 듯한 음성. 나는 여전히 잠자코 있었다. 나를 아끼는 그녀의 순연한 마음을 존중하고 고귀하게 생각하면서도, 나는 그녀를 시험하고픈 충동을 억누를 수 없었다.

"여보세요. 너지? 알고 있어. 대답해."

나는 대답하지 않았다. 고조되는 그녀의 조바심을 한 번 더 확인하고 나서 나는 그냥 끊었다. 그날 나는 친구를 불러내어 술을 마셨다. 가물거리는 취기 속에서 마지막 한 점 남은 의식으로 나는 그녀에게 또다시 전화를 했다. 술집의 왁자지껄한 소음이 그녀를 미치도록 괴롭게 해서, 스스로 약속을 팽개치도록 만들겠다고 이를 부드득 갈면서.

세 번째 날, 나는 하루 종일 그녀의 전화를 초조하게 기다렸다. 드디어 일몰의 시간. 그때까지도 그녀는 잘 견뎌내고 있었다. 문제는 나였다. 나는 마구 허물어지고 있었다. 몸도 마음도 가파른 비탈을 굴러 내리는 것 같았다. 일찍 집으로 들어가려 해도 나를 기다리는 빈방의 고독이 무서웠다.

빈방. 고치 속에서 잠을 자는 누에처럼 이십대 초반의 내 젊음은 고독을 고치로 여겼었다. 밥을 먹어도 음악을 들어도 책을 읽어도 논문을 써도, 증류수 같은 말간 고독이 그림자처럼 따라다녔다. 그것은 나의 일부분이었고, 나를 홀로 서게 하는 힘이었다. 그런데 지금은 그것이 내 존재를 위협하는 고문이 되고 있다.

시간이 흐를수록 잠잠한 전화선 저 끝에서 홀로 고투하고 있는 현 여사의 침묵이, 그 가련한 자기와의 싸움이 나를 화나게 했다. 나는 일부러 약속을 만들었다. 그녀의 견딤에 대한 복수…….

그는 나를 신임하는 신문사의 국장이었다. 한때 나는 나에 대한 그의 신임을 은근히 자랑스러워했다. 그런데 지금은 아니다.

"최 국장님, 제가 오늘 저녁대접을 할까 하는데요."

"오늘 저녁이라……."

"아, 다른 약속이 있으시면 그만두시구요."

"그럴 수야 없지."

나는 그를 회사 근처에 있는 한정식 집으로 초대했다. 우리는 교자상을 가운데 두고 마주앉았다. 그의 등뒤로는 복사품으로 만든 겸재의 산수화 여덟 폭 병풍이 세워져 있었고, 그림이 조잡한 백자 항아리가 놓여 있는 문갑이 방의 오른쪽에 장식되어 있었다.

그는 멋쟁이였고 기품이 있는 신사였다. 온화하고 지식인다운 용모, 가정 생활도 원만하고, 부친으로부터 물려받은 재산도 상당하다고 알려져 있었다. 또한 평기자 시절에서부터 차장, 부장을 거치는 동안 각 부서를 두루 돌며 원만한 인간관계를 쌓고, 한편으로는 혁신적이고 자유주의를 표방하는 각종 글을 통해 많은 독자층을 확보하고 있는 언론계의 명사급 인사였다.

"국장님이 입고 계신 옷은 직접 고르신 거예요, 아니면 부인이 골라 주신 거예요?"

나는 그의 잔에 문배주 한 잔을 따르고 나서, 겨잣빛 남방셔츠를 은근히 추켜세웠다.

"아내 옷을 살 때는 내가 동행을 하고, 내 옷을 살 때는 아내가 동행을 하지만, 옷을 고를 때는 서로 참견을 안 하지요."

"국장님 댁에 다녀온 사람들이 그러는데, 집 안 분위기가 아주 우아하면서 현대적이라고 하던데요, 실내장식에도 관심이 많으세요?"

"그런 편이지요. 집을 값비싼 물건으로 장식하기보다는, 공간 속에서 물건들을 어떻게 하면 편안하게 숨쉬게 해주느냐, 그런 데 좀 관심이 있어요."

"지난번에 쓰신 이집트 구르나 마을의 건축에 대한 글 참 잘 읽었어요. 예술적 타락에 침해받지 않은 형태의 어떤 순수성에 대한 관점이 아주 인상적이었어요. 그런 관점으로 국장님의 우리나라 건축에 대한 공간 순례 같은 고정란을 한번 만들어 보아도 좋을 것 같아요."

나는 그의 빈 잔에 세 번째 술을 따르면서 문득 벽시계를 쳐다보았다. 여덟 시 십 분. 어제 이 시간에 나는 어디서 무얼 하고 있었나? 현 여사의 전화를 기다리다 거의 자해를 하는 심정으로 술 속에 몸을 던졌었다. 그때의 나와 지금의 나는 같은 사람일까. 직장 상관을 모시고, 그의 잔에 공손히 술을 따르며, 그의 기분을 엿보며, 조심스럽게 대화를 나누고 있는 이 내가 진짜 나일까, 아니면 마성(魔性)의 뚜껑이 열려 언제 어떻게 내달을지 모르는 광기를 감추고 있는 폭약, 그것이 나인가.

그러자 나는 그가 소유한 것들, 깊고 내밀한 취향의 실내장식으로 꾸며진 집과 이지적이면서도 상냥한 내조자인 아내, 스쿠버다이빙과 패러글라이딩을 좋아한다는 대학생 아들, 영어웅변대회에서 일등을 하고 외교관이 되려는 꿈을 키우고 있는 여고생 딸, 몇십 년 동안 수집해 온 골동품들, 지금까지 그래 왔듯이 앞으로도 이 사회에서 지도층의 특권과 혜택을 누리며 안락하고 편안하게 살아가게 될 그의 미래까지 포함해서, 그것들 때문에 자기 삶을 요지부동의 성채로 믿고 있는 그가 우스꽝스러워 보이고, 조금쯤 밉살스럽기도 했다.

당신은 나를 잘 모르시는군요. 나는 손 하나 까딱 안 하고도 당신을 폐인으로 만들 수 있어요. 당신의 그 잘난 성채, 그곳으로부터 당신 스스로 돌쩌귀가 부서져라 문을 열어제치고 밖으로 뛰쳐나오게 할 수 있다구요.

"왜 그렇게 보세요?"

"방소연 씨, 밖에서 보니 아주 요염한데?"

"국장님 취향은 아니실 텐데요."

"확신한다는 투로군."

"국장님은 인생에서 절대로 미끄러지는 일이 없으실 거예요."

내 어조에 빈정거림이 담겼다.

"미끄러진다는 것은 무슨 뜻이지요?"

"예를 들어 알코올중독이나 마약에 빠져드는, 극단에의 매혹 같은 것이죠."

"글쎄, 알코올중독이나 마약에 빠져드는 것은 극단이라기보다, 질병이 아니겠어요?"

눈자위가 불그레해진 국장이 여유 있는 미소를 지었다.

"저는 이미 일어난 일의 결과를 말하는 것이 아니라, 한 잔 술이 두 잔 술로 되고, 두 잔 술이 석 잔 술로 되면서, 차츰 중독 증세에 말려드는 과정을 말하는 것인데요……."

"그건 의지가 약하기 때문이지."

"결과에 대한 두려움이나 공포를 전제로 하면 국장님 말씀이 사실이지만, 술이 술을 부른다는 말이 있잖아요. 그건 취기에 대한 매혹이 아닐까요. 말하자면 취한다, 취한다 의식하면서 똑바로 취기의 끝을 향해 걸어가 보는 것이지요."

"그 결과가 뻔히 예상되는데도 계속 끝을 향해 간다는 것이 가능할까? 본능이 제동을 걸어 줄 것 같은데."

잔을 비우고 내려놓는 국장의 몸짓이 호기로워졌다.

"본능이 반드시 안전함에 대해서만 민감한 게 아니잖아요. 자기 파괴의 욕구도 본능의 다른 일면이지요. 국장님은 한 번도 그런 욕구에 자기를 내어줘 본 일이 없으시죠?"

꿈틀거리는 짓궂은 충동을 웃음으로 감추며 나는 그를 쳐다보았다.

"자기 파괴의 충동이라? 나는 감정적이고 충동적이고 섬약한 사람들을 혐오해요."

"어머, 그들은 약한 사람들이 아녜요. 극단이나 절정을 살아낼 수 있는 것이야말로 힘있는 사람들에게만 가능한 일이에요. 보들레르나 랭보를 보더라도."

내 말투가 건방지고 오만한 것일까. 그것은 내 말이 아니었다. 내 안에서 살고 있는 현 여사의 말이었다.

"그런 힘은 나무가 꺾이듯 인생을 바꾸어 놓기 때문에 대부분의 사람들은 용기가 없어서 비켜 가는 것이겠죠."

"말이 나온 김에 방소연 씨 속을 더 들여다보고 싶군. 흥미롭군, 아주 재미있어."

"제 속의 말을 끌어내시려면 국장님은 술 힘을 더 빌으셔야 할걸요."

"그 힘이 얼마나 극단에 가까워져야 하는지 모르지만, 오늘 그럼 술을 좀 마셔 볼까?"

그의 어조는 어느새 위계의 틀을 완전히 벗어나 있었다. 그와 동시에 나는 지갑 사정을 가늠해 보았고, 오늘 아침 손가방을 바꾸어 가지고 나오면서 지갑을 빠트린 사실을 뒤늦게 깨달았다. 지갑을 챙겨 가지고 나왔더라도 현금은 어제의 탕진으로 이삼만 원이 남았을지 말지 했다. 그래도 지갑이 있으면 카드라도 사용할 수 있을 텐데. 앉은 자리가 차츰 불안해지기 시작했다.

문배주 한 병을 거의 혼자 마셨음에도 국장은 얼굴이 말짱했다. 그가 추가로 발렌타인을 시켰다. 미리 나가서 기자증을 맡기고 올까. 만약 받아 주지 않는다면? 그러다가 나는 현 여사를 떠올렸다. 그녀에게 돈을 좀 가지고 나와 달라고 해볼까. 하지만 내심 나는 궁지에서 벗어날 길이 전혀 없는 건지, 궁지를 핑계 삼아 그녀의 결심을 파기하도록 만들고 싶은 것인지, 마음이 혼란스러웠다. 마침내 나는 화장실에 가는 척하고 아래층 계산대에 놓인 전화를 빌렸다.

"알았어. 거기가 어디야."

나의 설명을 듣고 나서 현 여사가 말했다. 거기가 어디야, 거기가 어디야. 그러고 보니, 그 말은 늘상 내 뒤를 좇고 있었다. 내 마음을 잡아 보려고, 그 나이의 아쉬울 것이 없는, 이름있는 화가가 입술이 마르도록 허둥거리며 내 뒤를 쫓아온다. 그녀는 왜, 무엇이 답답해서, 자기의 모든 것을 던져서라도 나를 잡으려 하는 것일까. 내가 그녀에게 주는 것이 도대체 무엇이란 말인가. 주기는커녕 항상 받기만 한다. 오빠의 거액의 빚을 갚아 준 것에서부터, 일주일에 두세 번씩 저녁상을 차리는 것, 그리고 수시로 받는 고가의 선물들. 그녀의 시간 전부가 거의 나를 위해 고스란히 바쳐지고 있다. 인생에서 이미 많은 것을 성취하고 얻은 그녀가 무릎을 굽혀 절하고 이제는 엎어져 눈물까지 흘리며 얻으려 하는 내 마음. 마법의 신기루.

손님이 찾아왔다는 전화를 받았을 때, 국장은 이미 눈동자가 풀려 몸가짐이 흐트러져 있었고, 나 또한 웬만큼 취해 있었다.

고통 · 1

다소 으슥한 느낌을 주는 한정식집이었다. 바둑판 무늬의 타일이 깔려 있는 현관으로 들어서면서 현 여사는 장갑을 벗었다. 계산만 치러 주고 바로 돌아갈 참이었다. 양옥을 개조한 그 음식점의 계산대는 이층으로 올라가는 계단 옆에 있었고, 퍼머머리에 짙은 화장을 한 중년 여인이 혼자서 텔레비전을 지켜보고 있었다. 응접세트가 놓여 있는 마루 한 켠에 놓여 있는 텔레비전에서는 연속극이 진행되고 있었다. 방문이 닫혀 있는 손님들의 방에서 두런거리는 소리가 들려오긴 해도 그 안에 몇 개나 되는 방과 손님들이 있는지는 좀체 짐작하기 어려웠다.

현관 우측에 세워져 있는 신발장의 선반에는 구두들이 가지런히 정돈되어 있었다. 현 여사는 소연의 밤색 앵글부츠를 발견했다. 그 신발과 나란히 놓여 있는 남자 구두는 스포티하면서도 박음질이 섬세한 고급품이었다. 소연은 국장을 대접하고 있노라고 했지만, 나란히 놓여 있는 구두가 주는 느낌은 기분 나쁠 만큼 은밀했다. 현 여사는 구두를 벗고 마루로 올라섰다. 갑자기 등에 소름이 돋는 것은 마룻바닥이 차가웠기 때문만은 아니었다.

그제서야 계산대 앞의 중년 여인은 현 여사를 쳐다보며 비음이 섞인 목소리로 의례적인 인사를 던졌다. 그녀의 직업적인 민첩함 때문에 현 여사는 가방에서 지갑을 꺼내려다 주춤했다.

"B신문사 기자분 찾아오셨지요? 잠깐 기다리세요."

그리고 내선 전화를 했다. 이 집 안 어딘가에서 소연이 전화를 받고 있을 거라고 생각해도 그저 담담한 기분이었다. 그 기분대로라면 현 여사는 자기 골수에 달라붙어 떨어지지 않는 그녀로부터 어느 정도 거리감을 유지할 수 있을 것 같은 자신감이 들었다.

"지금 그 방의 식사값을 계산하고 싶은데요."

소연이 아래로 내려온다 해도 마음에는 흔들림이 없을 것 같았다.

"어떻게 되시는 관계세요?"

여인의 불필요한 질문을 위엄 있게 묵살하고 현 여사는 짧게 물었다.

"얼마지요?"

"십육만 원인데요."

느닷없이 소연이 계단을 내려왔다. 취기 때문에 얼굴이 홍시처럼 빨갰고, 어울리지 않는 야릇한 디자인의 자줏빛 원피스에다 오른쪽 눈에 다래끼까지 나서 몹시 보기 흉한 모습이었다. 거기다 어딘지 들떠 있고 몸가짐을 함부로 하는 듯한 방종한 티도 눈에 거슬렸다.

삼 일 만의 만남이었다. 현 여사는 소연의 보기 흉한 모습에서 이상한 안도감을 느꼈다. 어느 누가 무엇에 씌이지 않고서는 그녀에게 자기만큼 매혹될 사람이 없을 것이라는. 자기 자신만 해도 이제는 거슬리는 감정이 고개를 쳐들고 있지 않는가.

"계산은 했어."

현 여사는 보란 듯이 장갑을 끼며 말했다.

"그냥 가시려구요?"

"응."

"그렇다고 그냥 가시면 제가……."

소연은 실망스러운 듯이 고개를 떨어뜨렸다. 사실은 그 이상이었다. 소연의 목덜미에 불끈 솟은 굵은 핏줄이 한순간 현 여사의 마음을 뒤흔들어 놓았다.

"돌아갈 교통비는 있어? 설마 차를 운전할 생각은 아니겠지?"

"그러니까 제 곁에 계셔 주시면 좋잖아요. 안 그러면 사고를 저지를지도 몰라요."

그 말 속에 담겨 있는 묘한 뉘앙스가 일종의 투정 어린 위협이라는 것을 알면서도, 현 여사는 불안과 흐뭇함을 동시에 느꼈다. 이제 너도 나에게 매달릴 수밖에 없는 거겠지. 너의 젊음 주위에 굶주린 사내들이 상어 떼처럼 몰려든다 해도, 너는 이제 그들 모두를 저울에 올려놓아도 내가 너에게 주는 것과 바꾸지 못할 것이다. 그들에게 있어 너는 많은 스침 중에 하나지만, 나에겐 네가 우연한 스침이 아니라 운명이기 때문이야.

“그럼 지금 데려다 줄 테니까 가자구.”

“지금은 안 돼요.”

계산대 앞의 중년 여인이 두 사람을 지켜보고 있었다. 호기심을 품은 것도, 무엇을 눈치챈 것도 아니었다. 어쨌든 그렇게 지켜보고 있었다. 소연이 갑자기 어조를 바꾸었다.

“저희 국장님이 선생님을 뵙고 싶어해요.”

현 여사는 못 이기는 체하는 식의 얄팍한 감정 놀음은 딱 질색이었다.

“그 사람이 너를 오래 붙잡고 있지 못하게 하는 것도 좋겠지.”

소연이 계산대 쪽을 흘깃 스쳐보았다. 여인과 눈이 마주치자 소연은 뭔가를 들킨 사람처럼 당혹스런 미소를 지었다.

층계 참에 이르러 여인의 눈길을 따돌렸다고 생각될 즈음, 현 여사의 코트 주머니 속으로 소연의 손이 쓰윽 미끄러져 들어왔다. 나른한 감촉, 그러나 손은 뜨거웠다. 깍지를 끼면서 현 여사는 소연의 눈길을 강하게 자기 쪽으로 끌어당겼다. 눈길이 딸려 오지 않았다. 그 손은 자기 손이 아니라는 듯이 시침을 뚝 떼며. 속셈이 뻔한 짓궂음인 줄 알면서도 현 여사는 조바심이 치밀었다. 그리고 이내 주머니 속에서 깍지낀 소연의 손이 빠져 나가면서 남기는 허전함.

방문이 열렸다. 키가 크고 지적인 풍모의 오십대 남자가 자리에서 일어났다. 막연한 두려움을 품고 현 여사는 방 안으로 들어섰다. 남자는 긴장하며 몸가짐을 바로했다. 얼핏 보아선 많이 취한 것 같지 않았다. 소연의 소개로 두 사람은 인사를 나누고 자리에 앉았다. 현 여사는 그가 자기에 대해 일말의 흥미조차 없다는 것을 눈치챘다.

뿐만 아니라 자기의 돌연한 등장을 그가 거북해하는 느낌도 표정에서 읽을 수 있었다. 그것은 현 여사 자신도 마찬가지였다. 세련된 옷차림에 원만한 인상의 지적인 남자, 그가 머릿속에 어떤 놀라운 지식을 담아 가지고 있든, 사회적인 지명도가 어떠하든, 신문사 내의 직함이 무엇이든 현 여사는 하등의 관심도 없었다. 인생을 매끄럽게 살아온 동년배 사람들에 대한 낯익음과 무상감이 심드렁한 마음가짐이 되게 했다.

어색한 분위기. 그런데 두 사람 사이에 다리를 놓아야 할 소연이 흥분한 탓일까, 현 여사의 신상에 대해 장황한 설명을 늘어놓을수록 분위기는 더욱 어색해졌다. "아, 그래요" 하고 고개를 끄덕이면서도 국장은 수저받침을 가지고 손장난을 하고 있었다. 상황은 마치 현 여사가 소연을 내세워 국장에게 사교적 접근을 시도하고 있는 것처럼 비쳐지고 있었다. 국장은 어느 결에 다소 거드름 섞인 어조로 소연의 말을 잘랐다.

"그런데, 방소연 씨는 현…… (그는 이름을 기억하지 못했다) 현 선생님을 어떻게 알게 됐지요?"

굳어져 있던 현 여사의 표정이 이제는 붉게 상기되었다.

"네, 제 친구의 어머님이세요."

"친한 친구요?"

"네."

국장의 묘한 고갯짓은 이런저런 청탁건 속에서 눈치가 빤해진 사람 특유의 몸짓이었다. 뒤늦게 그의 잘못된 내심을 눈치챈 소연은 황급히 오해를 바로잡으려 했다.

"그런데 현 선생님은 아주 과작 작가세요. 그래서 아마 국장님이 ……. 그리고 작품 활동 외에는 잡일 같은 것을 전혀 안 하세요."

국장은 소연의 말을 듣는 둥 마는 둥하며 시계를 들여다보았다.

"시간이 이렇게 되었나?"라고 혼자말처럼 중얼거리고 나서 그는 소연을 쳐다보았다. 뭔가 미진한 느낌. 그러면서도 현 여사를 의식해서 자제하고 있는 것이 분명한⋯⋯ 거기에 답하는 소연의 짙은 향내 같은 고혹적인 미소. 그것은 자신이 지닌 비장의 매력을 확신하는 여자가 무의식적으로, 어쩌면 천진하게 스스로를 뽐내는 듯한 그런 미소였다. 현 여사는 자신이 알지 못하는 그녀의 다른 모습을 보며 묘한 배반감을 느꼈다.

"이제 가셔야 되겠죠?"

"아쉽지만⋯⋯."

말끝을 흐리며 그는 상 위에서 담배와 라이터를 거두어 셔츠 주머니에 넣었다. 현 여사로선 국장만 이 자리에서 빠져 나가는 것인지, 자기도 함께 자리에서 일어나야 하는 것인지 가늠이 되지 않았다. 끼지 않아야 될 자리에 끼어, 체면이 우스워진 입장이 화나고 한심스러웠다.

"선생님은 좀더 계실 수 있죠?"

대답이랄 것도 없이 현 여사는 어색한 미소를 지었다. 어찌 됐든 국장을 보내고 나서 둘만의 오롯한 시간을 가질 수만 있다면, 그것으로 이 모욕받은 듯한 불쾌한 기분은 보상이 되는 것이리라.

소연은 자리에서 일어나 옷걸이에서 양복 윗도리를 벗기어 국장에게 건네주었다. 그것은 예의로라도 충분히 할 수 있는 일임에도 현 여사는 그냥 바라보기가 고통스러워 고개를 외면했다.

"저어, 그럼 먼저 실례하겠습니다."

미처 답례를 할 겨를도 없이 국장은 의례적인 인사를 남기고 방에서 나갔다. "잠깐 나가서 배웅해 드리고 오겠어요" 하는 말을 남기고 소연도 그의 뒤를 따라 나갔다.

어째서 이렇게까지 해야 하나. 마음이 비참했다. 두 사람이 먹다 남긴 음식으로 어질러져 있는 상을 바라보고 있는 것 자체가 그러했다. 이제 곧 소연이 돌아오는 대로 장소를 옮기면 기분도 나아지게 되리라, 하는 기대로 간신히 마음을 달랬다.

자신은 아직 빈속이었다. 저녁 식사만 못한 것이 아니라, 하루 종일, 그 전전날부터 마음의 부대낌과 씨름하는 동안에 입맛이 꺾이어 밥 한 끼 제대로 먹지 못했다. 비록, 자기 입으로 일주일 동안 서로를 돌아보는 시간을 갖자고 제의하긴 했지만, 그 약속을 지키기 위해 피를 말리는 고통을 치러야 했다. 그럼에도 결과는 더욱 심각해졌다. 고통을 치른 만큼 자신을 지탱할 힘을 얻은 것이 아니라, 아픔에 파먹히어 오히려 그 이전보다 더욱 소연에게 마음을 꼼짝못하게 휘어잡혀 버린 것 같았다. 마치 알코올에 중독된 사람이 금주에 실패하고 더욱 술에 얽매이게 되듯이.

마음에서는 허기와 갈증이 심했지만 입에서는 아무것도 당기는 것이 없었다. 이제 곧 그녀가 돌아오면……. 그때 복도를 울리며 다가온 발자국 소리가 방문 앞에서 멈춰섰다. 현 여사는 재빨리 장갑을 끼었다. 맥놓고 기다리고 있는 모습을 소연에게 보이기 싫었다.

방문이 열렸다. 검은 바지에 흰 와이셔츠 차림의 남자 종업원이었다. 손님들이 가버린 것으로 알고 상을 치우러 온 것이었다.

"아, 죄송합니다."

도로 닫히는 문 사이로 의아해하는 얼굴이 사라졌다. 현 여사는 아무도 보는 사람이 없는데도 무안하고 부끄러웠다. 내 꼴이 이게 뭐람. 남이 먹다 남긴 상 앞에서. 현 여사는 손목시계를 들여다보았다. 열 시에서 2분이 모자랐다. 소연이 국장을 배웅하러 나간 지 얼마나 되었는지는 확실치 않았으나, 느낌으로 돌아올 시간이 얼추 된 것으로 짐작되었다.

마음에서 불안한 그림자가 꿈틀거리기 시작한 것은 그때부터였다. 방 안에는 소연이 두고 간 검은 외투와 손가방이 있었다. "그것이 있는 한"이라고 되뇌어 보면서도 현 여사는 어쩐지 불길한 예감에 사로잡혔다. 시계를 또 들여다보았다. 열 시 십 분. 초침은 째깍거리며 불길한 생각 쪽으로 일 초 또 일 초 시간을 끌고 갔다.

국장이 미진한 듯 아쉽게 바라보던 눈길과 소연의 고혹적인 미소가 되살아나 괴로운 상상을 부추겼다. 담배라도 태웠으면 싶은데 바쁘게 나오느라고 챙기지 못했다. 내선 전화로 주문을 하려 해도 그들에게 자신이 초조해하는 모습을 보이기 싫었다. 현 여사는 소연의 가방을 열고 담배를 찾아보았다. 없었다. 프로방스라는 카페 이름이 새겨져 있는 선전용 성냥이 있었다. 현 여사는 재떨이에서 루즈가 묻어 있는 꽁초를 찾아냈다. 타액이 묻어 있는 축축한 꽁초를 입에 무는 순간, 입 안 가득히 소연의 꿈틀거리는 혀가 되살아났다.

몇 모금 만에 꽁초를 다 태우고 나서 그녀는 다시 시계를 들여다보았다. 겨우 이 분이 지났을 뿐이었다. 도대체 그녀는 왜 이렇게 늦는 것일까? 택시가 잘 잡히지 않는다 해도 지금쯤은…… 그때 방문 밖에서 발자국소리가 들려왔다. "손님, 전화 받으세요" 하는 남자의 목소리.

현 여사는 아래층까지 내려가야 했다. 그리고 계산대 위에 올려져 있는 수화기를 집어들었다.

"전데요. 제가 조금 늦을 것 같아요. 국장님이 딱 한 잔만 하자고 몹시 잡아 끄는 바람에……. 지금 여기는 근처에 있는 술집인데요, 조금만 더 기다리시겠어요, 아니면 화실로 돌아가시겠어요?"

"여기 가방이랑 옷도 있잖아."

"선생님이 좀 챙겨 주세요. 제가 화실로 갈게요."

"아니야, 여기서 좀더 기다리겠어."

"문 닫을 시간이 가깝잖아요."

소연은 은근히 현 여사가 화실로 돌아가도록 유도하고 있었다.

"그 전에 돌아와야지. 안 그러면 이 집 문 앞에서 새벽까지라도 기다리고 있을 거야."

먼저 전화를 끊었다. 계산대 앞에서 전표를 정리하고 있던 여인이 격앙된 현 여사의 표정을 힐끗 살폈다. 현 여사는 그녀의 얼굴에 알 듯 모를 듯한 비웃음이 스쳐 간다고 생각했다.

이층으로 오르는 층계를 반쯤 올랐을 때 전화벨이 울렸다. 그녀의 전화일까. 이제 곧 떠날 테니 조금만 기다려 달라는. 아니야, 아니야, 그녀가 아닐 거야,라고 체념하며 현 여사가 남은 계단을 마저 오르고 있을 때 여인의 목소리가 등뒤에서 날아왔다.

"손님, 전화 받으세요."

현 여사는 너무 바삐 계단을 내려가다 하마터면 넘어질 뻔했다.

"네, 전데요. 아무래도 제가 마음이 안 놓이는데, 그냥 들어가 계세요. 국장님이 너무 취하셔서 댁까지 모셔다 드려야 할 것 같아요. 그러고 나서 제가 곧장 화실로 갈게요."

저쪽에서 먼저 전화를 끊었다. 술집 여인이 이제는 무슨 일인가 싶어 현 여사를 계속 지켜보고 있었다. 이번에야말로 그녀가 어떻게 되는 사이냐고 물어 온다면, 현 여사는 소리 높여 외치고 싶었다. '사랑한단 말이요, 그애를, 미치도록. 왜 그렇게 되는지는 나 자신도 알 수 없어요.' 현 여사의 예사롭지 않은 눈길과 마주치자, 여인은 찔끔하는 듯이 얼른 얼굴을 돌렸다.

현 여사는 방으로 돌아가서 소연의 외투와 가방을 챙겼다. 이 밤의 씨름도 몹시나 힘들 것으로 짐작되었다. 동서남북 시도 때도 없이 출현하여 맘대로 희롱하다, 다시 맘대로 사라지는 보이지 않는 적, 그것이 소연의 종잡을 수 없는 마음이었다.

화실로 돌아오자마자 현 여사는 소연으로부터 또 한 차례 전화를 받았다. 감기 기운이 있어서 화실에 들르지 않고 집으로 곧장 가겠다고 했다.

고통 · 2

늦은 시간이었다. 지훈의 전화를 받고 집으로 가려는 참이었다. 촬영중에 언덕에서 미끄러져 다리를 다쳤다고 했다. 현 여사가 가방을 챙기고 있을 때 소연이 불쑥 문을 열고 들어섰다. 얼굴이 창백하고 초췌한 모습이었다. 두꺼운 파카에 머플러를 두르고 있음에도 입술이 파랬다.

"이 시간에 웬일이야. 감기라더니 조리하지 않구."

소연은 앉지도 않고 선 채로 말없이 발 밑만 내려다보았다.

"무슨 일이 있어?"

엊그제 일을 변명하거나 사과하고 싶은 거겠지. 현 여사는 가방의 지퍼를 잠갔다.

"없어요."

짐작과는 달리 쌀쌀하고 퉁명스런 어조.

"됐어, 그럼. 여기서 자고 갈 거면 먼저 들어가 누워. 난 집에 좀 갔다 와야겠어."

"선생님은 모든 게 됐어, 됐어로군요."

빈정거리는 투가 사뭇 야멸찼다.

"왜 그래? 하고 싶은 말이 있으면 말해 봐."

상심을 누르며 현 여사는 소연의 어깨 위에 손을 얹었다. 그러자 소연은 그 손을 신경질적으로 밀쳐내며 옆으로 비켜섰다.

"지훈이가 다쳤대. 집에 잠깐 다녀와야겠어."

"가세요. 전 집으로 갈 테니까."

소연은 획 돌아서서 출입문 쪽으로 갔다. 그래, 가거라. 아주 가버려,라고 소리친다면 그녀의 마음을 영원히 잃게 될까. 소연의 손이 출입문 손잡이에 닿기 전에 현 여사는 달려가서 문을 가로막았다.

"저기 가서 앉어."

소연을 노려보는 현 여사의 눈에 눈물이 핑 돌았다. 가슴 안쪽으로 피가 펑 솟는 것 같았다. 괴롭고 고통스런 표정으로 소연도 아랫입술을 지그시 깨물었다. 현 여사는 그녀가 소파에 앉는 것을 보고 수화기를 집어들었다. 아들과의 짧은 통화를 끝내고 나서 현 여사는 외투의 단추를 하나씩 풀었다. 단추가 자꾸만 손가락 끝에서 미끄러지는 것 같았다.

그러고 나서 침묵. 한쪽에서 먼저 한숨을 쉬자 다른 한쪽도 긴 한숨을 쉬었다. 한숨 끝에 현 여사는 몸을 튕기듯 일어나서 '정'으로 들어갔다. 잠시 후 백화점 이니셜이 찍혀 있는 종이 가방을 들고 나와서 소연의 앞에 무릎을 꿇고 앉았다. 소연의 다리를 끌어당겨 자신의 무릎 위에 얹고 양말을 벗긴 뒤 새로 산 양피부츠를 발에 신겼다. 맥을 놓은 듯이 발을 맡긴 채 소연이 낮게 중얼거렸다.

"선생님은 절 사랑하시는 게 아녜요. 누군가로부터 자신이 받고 싶은 사랑을 나한테 쏟아 놓는 거예요."

못 들은 체했다. 네가 갈피를 못 잡을 만큼 난폭해지는 것이 나 때문이라고 했지? 받아들일게. 너의 고통이 너를 그렇게 만든다면 받아들이지. 나의 고통이 너에게 위안이 된다면 맘대로 상처를 입혀. 피를 원한다면 피라도 먹여 주지. 현 여사는 잠자코 부츠 신긴 발을 내려놓고, 다른 발을 무릎 위에 올려놓았다. 엄지발가락에 입을 맞추자, 소연은 흠칫 몸을 떨면서도 태연한 척 또다시 중얼거렸다.

"자식이 필요한 거죠. 아이를 낳지 못한 선생님은 모성을 쏟을 상대가 필요한 거예요."

소연을 뚫어질 듯이 노려보고 있는 사이에 현 여사의 눈에 또 한 차례 눈물이 핑 돌았다. 그 눈을 마주 바라보고 있던 소연은 얼굴을 옆으로 꺾었다. 현 여사는 잠자코 남은 한쪽 신발을 소연의 발에 마저 신겼다. 그리고 그 발을 조용히 무릎 위에서 내려놓은 뒤, 빈 쇼핑백을 잘 접어 가지고 자리에서 일어났다.

그러자 소연은 입술을 앙다물고 현 여사가 신겨 준 부츠 한쪽을 벗어서 멀리 내던졌다. 관자놀이가 불끈 솟고 눈이 충혈되어 있었다. 다른 한쪽을 마저 벗으려 하는 소연의 손을 현 여사가 잡으려 하자 그 손을 뿌리치고 벌떡 일어나 발을 구르며 소리쳤다.

"선생님은 선생님 남편 외에는 누구도 사랑해 본 적이 없는 사람예요. 나는 선생님 공허감을 메꾸어 주는 도구가 아녜요. 나를, 내 감정을 희롱하지 마세요. 날 좀 내버려두세요."

소연은 그 한마디 한마디를 몇 발자국 가다가 소리치고, 또 몇 발자국 오다가 소리치고 했는데, 그때마다 한쪽만 신은 굽 높은 구두 때문에 몸이 기우뚱거렸다. 현 여사는 더 이상 억누를 길이 없었다. 몸이 부르르 떨렸다. 소연의 뺨을 한 번 또 한 번 때렸다. 때린 쪽도 맞은 쪽도 다음 순간엔 숨을 죽였다. 소연이 제 몸을 지푸라기처럼 현 여사에게 던졌다. 가슴 가득 소연을 끌어안은 현 여사도 지푸라기처럼 주저앉았다. 시간은 멈추고 밤은 아득히 깊어져 다시는 아침이 오지 않을 것 같았다.

자신의 무릎 가득 안기어 있는 소연의 등에 가슴을, 얼굴을 파묻고 있던 현 여사가 불쑥 말했다.

"이러고 있으니 내가 꼭 드라큘라가 된 것 같다."

"우리 같이 죽을까요?"

소연은 엎드린 채 손을 뻗어 현 여사의 가슴을 더듬었다. 현 여사가 갑자기 몸을 움찔했다. 몸을 일으킨 소연은 현 여사의 셔츠를 헤치고 가슴을 살폈다. 잉크빛 같은 푸른 멍이 오른쪽 유방을 검은 테처럼 두르고 있었다. 소연이 손가락에 침을 묻혀 그 멍을 문지르며 울음 섞인 음성으로 중얼거렸다.

"우리 같이 죽어요."

소연을 가만히 지켜보는 현 여사의 눈길은 죽음에 먼저 발이 닿아 있는 것처럼 어둡고 깊었다. 그녀는 대답하지 않았다.

"왜 대답하지 않아요?"

"그 이유는 너 자신에게 물어 봐."

소연의 손이 슬그머니 현 여사의 가슴에서 내려왔다.

"운전할 수 있겠어?"

"왜요?"

"드라이브를 했으면 하는데. 가슴이 답답해."

"옷 입으세요. 밖이 꽤 추워요."

오피스텔의 경비실 벽시계는 한 시 십 분을 가리키고 있었다. 지하주차장에서 빠져 나온 차는 골목을 지나 대로로 들어섰다. 텅 빈 거리에 간간이 낙엽이 뒹굴고 있었다. 멀리 빌딩 옥상에 설치되어 있는 전광판이 밤하늘 속에 거품이 흘러 넘치는 맥주잔을 치켜 올리고 있었다. 신사동 네거리를 지나 올림픽대로에 진입했을 즈음, 소연이 불쑥 말했다.

"아까는 제가 잘못했어요."

현 여사는 고개를 강변 쪽으로 돌렸을 뿐 아무 말도 하지 않았다. 반포대교에 촘촘히 세워진 가로등들이 검은 강물 속에 금빛 기둥처럼 잠겨 있었다.

밑도끝도없이 현 여사가 입을 열었다.

"그 병원의 나무계단에서는 삐걱거리는 소리가 몹시 크게 났어. 아주 작은 병원이었고 시설도 형편없었지."

현 여사는 차창을 내리고 쏟아져 들어오는 바람 속에 얼굴을 내맡기고 마냥 검은 강물을 응시했다.

"이제 그만 창문을 올릴까요?"

"그래. ……스물다섯 살 때의 일이었어. 썰렁한 흰 벽에는 남녀의 인체 해부도가 나란히 붙어 있었어. 낯 모르는 남자 앞에 다리를 벌리고 있는 수치스러움을 잊기 위해 그 해부도에 쓰인 명칭 하나하나를 눈으로 좇으며 입 속으로 따라 발음해 보았지. 마취 기운이 의식을 앗아 가기 전에 나는 '난소'를 발음해 보고 있었어. 다시 눈을 떴을 때는 더 이상 다리를 벌리고 있을 필요가 없었어. 하지만 의식이 잠들어 있는 동안 내 몸에서 없어져 버린 그것은 그냥 난소라는 이름의 살덩이가 아니었어. 여자로서 영원히 임신을 할 수 없게 되었다는 것, 그것이 내 인생에 어떤 결핍, 어떤 상실의 모습으로 나타나 있는지 나는 잘 몰랐어. 네가 말해 주기 전까지는. 아까 너의 말을 듣고 보니, 나는 남편에게도, 개에게도, 고양이에게도, 비둘기, 하다못해 거북이, 물고기에게도 어머니가 되고 싶어하지 않았나, 하는 생각을 해보게 돼."

소연이 왼손으로 핸들을 잡고, 오른손을 뻗어 현 여사의 손을 잡았다.

"죄송해요. 잘못했어요. 제가 왜 그랬는지 모르겠어요."

"미당의 시구에, 어찌하여 나는 사랑하는 자의 피가 먹고 싶습니까, 하는 구절이 있지."

"왜 그럴까요?"

"글쎄, 왜 그럴까?"

현 여사는 소연의 손가락을 입술로 살짝 물어 보고 나서 도로 놓아 주었다. 자신은 아직 소연에게 잔인해질 수도, 상처를 입힐 말을 함부로 할 수도 없다. 그녀가 그것을 참아 준다는 확증이 없기 때문이었다. 그러나 소연은…….

갑자기 자동차가 갓길 위에서 멈춰 섰다. 운전 자세로 핸들 위에 손을 얹은 채 얼굴만 돌리고 소연은 현 여사를 바라보았다. 바라보는 사이에 점점 숨이 안으로 잦아드는 듯했다.

"왜 그래?"

"아무것도 아녜요."

"여기 이렇게 있을 거야?"

"아뇨."

헤드라이트가 꺼졌다. 두 사람이 타고 있는 자동차는 막막하고 깊은 어둠 속에 소리없이 잠겼다.

"저한테 안기세요."

"싱겁기는."

그러면서도 현 여사는 머리를 소연의 어깨 위에 기대며 슬며시 눈을 감았다. 그때 소연의 몸 속 깊은 곳에서는 긴 휘파람 같은 한숨이 지나갔다.

한밤의 노래

차창 밖으로 가로등이, 강물이, 어둠 속에 잠든 도시가, 쌩쌩 미끄러지며 뒤로 사라졌다. 곧게 뻗어 있는 적막한 길이 밤 속으로 깊숙이 열리며 한 번도 가보지 않은 미지의 세계로 두 사람을 실어가는 듯했다.

"지금 우리가 어디로 가고 있지?"

"서해바다. 그러나 볼 수는 없을 거예요."

"아름답군."

"뭐가요?"

"이 시간에 바다로 가고 있는 우리가."

"음악 들으시겠어요?"

"아니, 됐어."

그러자 소연이 킥 하며 웃음을 터뜨렸다.

"왜 웃어?"

"저는 선생님이 됐어, 하실 때가 제일 무서워요."

"지금두?"

"지금이 더욱."

"왜?"

"제가 무디어서 선생님 기분을 망칠까 봐서요."

현 여사는 빙긋이 웃으며 손을 뻗어 소연의 귓밥을 만졌다.

"뉴욕 메트로폴리탄 뮤지엄에서 발걸음을 멈추고 오래 지켜본 그림이 있었어. 그림의 제목은 〈폭풍〉이었는데, 에로스와 프시케가 주인공이었지. 아름다운 두 연인은 그들의 사랑을 시기하고 방해하려는 제신들의 심술을 피해 쫓기는 중이었어. 두 사람이 피신처를 찾아가고 있는 숲속의 오솔길에는 비바람이 휘몰아치고 있는데, 두 몸을 가릴 것이라곤 프시케가 지닌 분홍빛 스카프뿐이었지. 스카프는 두 사람의 머리 위로 날개처럼 펼쳐져 더 이상 비를 막는 천이라기보다, 죽음조차 두려워하지 않는 사랑이 만들어 낸 마음의 무지개처럼 보였어. 또한 바람에 휩싸여 찢어질 듯 펄럭이는 두 사람의 옷자락도 머지않아 날개처럼 펼쳐져 사나운 폭풍으로부터 두 사람을 들어 올리려는 것처럼 보였어. 그 그림은 연인들이 찾아가고 있는 피신처가 오솔길의 저 끝에 있다고 암시하는 것이 아니라, 지금 이때 이 순간, 두 사람이 나누는 사랑 속에 있다고 말해 주는 것 같았어. 내 가슴속엔 아직도 그 그림 때문에 생긴 상처가 있어. 신적인 아름다움은 우리를 경멸하지."

현 여사는 말을 잠시 쉬었다가 다시 계속했다.

"화가로서 내가 입은 상처는, 두 인물의 육체성으로 묘사된 완벽한 아름다움이었어. 신들로부터 훔쳐낸 그런 아름다움은 그 화가가 그토록 완벽하게 사실주의적 기법을 구사할 수 있었기 때문이지. 그 후 나는 몇 년 동안 붓을 잡을 수 없었어. 누가 보더라도 상처를 입을 만큼의 아름다움을 사실 기법으로 그려낼 수 없다면, 붓을 잡지 말아야 한다고 생각했지. 후세 화가들은 아름다움을 보는 관점을 바꾸어 봤을 뿐, 18세기 화가들이 도달한 경지의 사실 기법으로 표현해낸 것과 같은 아름다움은 더 이상 그려낼 수 없었어."

"저도 그 그림을 보고 싶어요."

"우리 내일 뉴욕에 갈까?"

"선생님 그러시다 파산하시겠어요."

"그래, 제발 의미 있는 파산을 할 수 있게 되기를."

소연이 그 말에 환호를 보내듯, 클랙슨을 빵빵 눌러댔다. 깊이 잠든 시가지에 클랙슨을 폭죽처럼 터뜨려대며 차는 바다를 향해 달려가고 있었다.

잠시 후 차는 거대한 어둠 앞에서 멈춰 섰다. 현 여사가 잠에서 깨어나듯 몽롱한 목소리로 물었다.

"여기가 어디야?"

"뉴욕. 아니, 리마, 아니 월미도. 폭풍 속을 달려온 에로스와 프시케는 이제 차에서 내려서 바닷가를 산책하겠습니다."

소연은 현 여사의 코트 깃을 올려 주고 자기도 머플러를 단단하게 묶었다. 자동차 문을 열자마자 물안개와 어둠을 실은 바람이 축축하게 밀려들었다. 해변에는 밤의 정적만 감돌았다.

"우리뿐이지요?"

"그래, 아주 흡족해."

주위를 천천히 둘러보고 나서 현 여사는 크게 심호흡을 했다. 열지어 늘어선 상가들은 깊은 잠에 빠져 있었고, 그중 편의점과 오락실 몇 군데만 불을 밝히고 있었다. 희뿌연 물안개 속에 잠겨 있는 해변은 꿈속의 풍경 같았다.

두 사람은 팔짱을 끼고 난간 쪽으로 가서 짙은 어둠을 굽어보았다.

"저기 저 반짝거리는 불빛 좀 봐."

"무슨 소리가 들리지요?"

두 사람은 천지를 삼킨 어둠을 굽어보며 적요 속으로 빠져들었다. 잠시 후 해변길을 따라 걷기 시작했다. 콘크리트를 울리는 발자국소리가 뒤를 따르는 것 같았다.

"제가 왜 선생님을 좋아하는지 아세요?"

소연의 느닷없는 물음에 현 여사는 웃으며 고개를 가로저었다.

"선생님하고 함께 있으면 사는 일이 새로워져요. 그리고 깊어져요. 고뇌와 고통까지도 포함해서."

"너는 나를 아직 잘 몰라. 나와 함께하는 시간은 너에게 재앙일 수도 있어."

소연은 그 말을 음미해 보려는 듯 걸음을 멈추었다. 현 여사는 그녀를 남겨 두고 혼자서 계속 걸었다. 갑자기 날카로운 아픔이 예감처럼 가슴 한가운데로 지나갔다. 아직은 아니야. 저릿한 아픔을 떨쳐 내며 현 여사는 저만큼 안개 속에 파묻혀 있는 소연의 흐릿한 형체를 향해 손을 흔들었다.

빠르고 경쾌한 음악소리에 이끌려 두 사람은 편의점 안으로 들어갔다. 고깔 모양의 털모자를 쓴 청년이 혼자 계산대 앞에서 몸을 흔들어대고 있었다. 헤이즐넛 커피 냄새가 먼 여행길에서 집으로 돌아온 두 사람을 반기듯 구수하게 맞이해 주었다. 소연은 커피 두 잔을 사서 손에 들었고, 현 여사는 계산대 위에 놓인 항아리에서 종이에 싸여 있는 스틱 사탕을 두 개 집어들었다.

"뭘 그렇게 보세요?"

소연이 현 여사 옆으로 와서 커피잔을 내밀었다.

"이것 봐, 물건들이 왜 이렇게 예쁘지? 이 과자, 껌, 라면, 휴지, 이쑤시개, 계란, 오이, 우유, 모두 살아 있는 것처럼 예쁘지?"

"잠깐요, 제가 사드릴게요."

소연은 현 여사가 가리킨 것들을 진열대에서 하나씩 뽑아 들었다. 가슴에 끌어안은 물건들이 너무 많아 떨어질 것 같았기 때문에, 계산대로 가서 우선 내려놓고 또다시 진열대로 갔다. 현 여사는 소연을 만류하지 않고 웃는 얼굴로 지켜보았다.

"돈이 있어?"

"어제 월급을 탔어요."

제법 묵직해진 비닐봉지를 들고 두 사람은 편의점을 나왔다. 현 여사는 아이처럼 뒷걸음질을 치면서, 스틱 사탕을 한 번 빨고 나서 커피 한 모금을 마시고, 다시 커피 한 모금을 마시고 나서 스틱 사탕을 빨았다. 해변에는 닻 모양의 조형물이 있었다. 가까이 가서 보니 조형물은 낙서로 뒤덮여 있었다. 소연이 어둠 속에서 낚아 올린 낙서 말을 소리 내어 읽었다. "나는 왜 죽은 뒤에도 너를 이다지도 사랑하는가." "그 말을 만나기 위해 우리가 여기까지 온 건가?" 현 여사가 입 속으로 중얼거렸다.

다음에 두 사람의 걸음이 빨려 들어간 곳은 오락실이었다. 한쪽에는 오락 기계들과 의자들이 벽을 따라 늘어놓였고, 다른 쪽에는 갖가지 인형들이 진열되어 있는 몇 줄의 선반과, 그 선반에서 두세 발짝 떨어진 곳에 장총이 놓여 있는 발사대가 있었다. 텅 빈 홀 안쪽에서 꾸벅꾸벅 졸고 있던 키 작은 청년이 졸음에서 깨어나 음악의 볼륨을 높였다. 빠른 록음악이 때아닌 흥을 부추겼다.

"이게 뭐야?"

현 여사는 소연이 건네주는 조그만 플라스틱 바구니를 받아 들었다.

"총알이에요. 쏘아 보세요. 사냥을 잘하시면 공짜로 인형을 얻을 수 있어요."

총알은 종잇장처럼 가벼운 플라스틱 알갱이였다. 커다란 곰은 맞추기는 쉬워도 총알이 작아서 좀체 쓰러지지 않았고, 작은 원숭이나 오리는 쓰러질 법하지만 맞힐 수가 없었다. 한 바구니의 총알들이 이내 허비되었다.

"또 해보세요."

"네가 해봐. 내 사냥 솜씨로는 안 되겠어."

또 한 바구니의 총알들이 거의 없어질 무렵, 소연이 쏜 총에 오리가 쓰러졌다.

"우와!"

두 사람은 환호하며 서로를 끌어안았다. 서로의 몸에서 확인된 체온이 기쁨을 더욱 배가시켜 주었다. 청년이 바닥에 떨어진 오리를 집어서 소연에게 주었다.

"거기 물 속에서 놀게 놔두세요."

고개를 갸우뚱하는 청년을 뒤에 남기고 두 사람은 밖으로 나왔다. 안개를 실은 바람이 옷깃을 파고들었다. 한밤의 카니발이 끝났음을 알려 주는 것 같았다. 자동차로 돌아온 두 사람은 갑자기 말을 잊은 듯 멍하니 앞만 바라보았다. 가로등 불빛이 자욱한 안개에 삼켜져 희미해진 길을 비추었다.

모르는 사이에 두 사람의 등뒤, 황량한 해변 어디쯤에서 밤을 살고 있는 날쌘 고양이 한 마리가 길을 가로질러 어디론가 몸을 숨겼다.

소연이 깊은 한숨을 내쉬며 천천히 시동을 걸었다.

돌아다보는 시간, 저만큼에

새벽에 시작된 비는 그쳤으나 바람의 뒤끝이 매웠고, 웅덩이에 고인 물에는 살얼음이 끼어 있었다. 길 위에서 밤을 밝힌 두 사람이 해장국을 함께 먹고 나니 각각의 자리로 돌아가야 할 시간이 되었다. 소연은 출근해야 했고, 현 여사는 다친 지훈이를 보러 집으로 가야 했다.

"그럼 내릴게."

집 앞이었다. 함께 했던 시간이 충만했으므로, 헤어져 있게 되더라도 그 여운은 생활 구석구석으로 스며들어 안정감과 활력을 주게 되리라. 소연은 차 안에서 손을 흔들었다. 현 여사가 지켜보고 있는 사이에 차는 골목을 미끄러져 모퉁이로 사라졌다. 소연이 사라진 쪽에서 신문을 한 뭉치 실은 자전거가 나타났다.

현 여사는 집을 향해 돌아섰다. 이제 집과 생활과 일과 가족에게로 되돌아가 평범하지만 푸근한 의미 속으로 침잠하는 시간을 가질 수 있을 것이다. 그러나 벨을 누르는 순간, 현 여사는, 집으로 돌아온 것은 아무것도 없으며, 모퉁이로 사라지기 직전 소연의 뒷모습에 대롱대롱 매달려 있는 자신을 발견했다. 고독했다. 자신의 현실인 집의 모든 것에 아무런 의미도 느낄 수 없었고, 텅 빈 듯한 마음의 공허를 메꾸어 줄 것은 주위의 어디에도 없었다.

벨을 오래 눌러야 했다. 한참 후에, 잠에서 덜 깨어난 아주머니의 텁텁한 목소리가 인터폰으로 흘러나왔고, 문이 열렸다. 기척을 듣고 달려 나온 봉순이와 귀남이가 계단을 달려 내려와서 옷자락에 매달렸다. 외출에서 돌아오면 신발을 벗기도 전에 한동안 같이 놀아 주는 것을 알고 있었던 것이다. 손바닥을 내밀어 개들의 입맞춤만 받고 나서 이내 현관으로 들어섰다.

현관 옆이 지훈의 방이었다. 방문을 열자 안에서 쿡 쏘는 듯한 기묘한 냄새가 났다. 침대 머리맡의 갓전등이 켜져 있었지만 지훈은 잠들어 있었다. 지난밤 내내 그가 고통에 시달리며 잠을 못 이룬 증거였다. 이불 밖으로 나온 한쪽 다리는 무릎 위까지 붕대에 감겨 베개 위에 얹혀 있었다. 생각했던 것보다 많이 다친 것 같았다. 책상 위에는 봉지약과 바르는 약들, 간단한 기구들이 널려 있었다. 방 안을 둘러보아도 변한 것은 없는데 남의 집처럼 낯설었다.

잠들어 있는 아들의 얼굴을 잠깐 들여다보고 나서 현 여사는 갓전등을 끄고 돌아섰다. 블라인드 때문에 방 안은 이내 한밤중처럼 어두워졌다. 방문을 향해 두어 걸음 옮겼을 때 어둠 속에서 지훈의 음성이 날아왔다.

"어머니, 잠깐요."

방 안이 다시 밝아졌다.

"가지 마세요."

"내가 잠을 깨웠지? 미안하다, 더 자거라."

현 여사는 아들 쪽으로 몸을 돌렸으나 눈을 마주치지는 않았다. 눈자위가 움푹 패이고 턱 밑이 검츠레한 얼굴로 지훈은 물끄러미 현 여사를 지켜보았다.

"뼈는 안 다쳤니?"

"그냥 정강이 살이 좀 찢어졌어요. 열댓 바늘 꿰맸다나 봐요."

"고통이 심했겠는데. 지금은 어떠니?"

"어제보다는 나아요. 어머닌 얼굴이 왜 그렇게 상하셨어요?"

"작업 때문이겠지. 내가 뭐 도와 줄 거 없니?"

"잠시 앉았다 가세요."

넘치는 활력에 늘 바쁜 시늉만 해온 그가 이상하리만큼 가라앉아 있었다. 그 때문에 더구나 내키지 않았다. 지훈이 자기 안으로 들어올 틈도 없으려니와, 들어오게 하고 싶지 않았다. 현 여사는 의자에 앉았다. 불편한 침묵이 흘렀다. 상체를 일으켜 침대 등받이에 몸을 기댄 지훈이 팔짱을 끼며 무겁게 입을 열었다.

"어머닌 요즘 딴사람 같으세요."

"……."

현 여사는 긴장했다.

"그 동안 몇 차례 화실 근처까지 갔다가 되돌아왔어요."

"무슨 일로?"

"상의드릴 일이 있기도 했지만, 그저 어머니가 보고 싶어서요."

"화실에 올 때는 반드시 전화부터 하고 와야 한다."

"전 어머니가 요즘 무엇엔가 열렬히 사로잡혀 있는 것을 알아요. 그 때문에 제가 무슨 말을 해도 귀에 담기지 않으실 거예요. 그렇죠?"

화살처럼 깊숙이 날아오는 아들의 눈길을 피해 현 여사는 고개를 뒤로 젖혔다. 잠시 후 고개를 끄덕였다. 결연했다.

"누구를 사랑하세요?"

"그래."

"아버지를 그렇게 쉽게 잊어버리시구요?"

이건 그런 사랑이 아니야. 잊혀지고 덮이고 사라지는, 그런 문제가 아니야. 어쩌면 그가 남긴, 인생이 남긴, 공허와 외로움의 문제일지도 몰라.

"그 말에는 대답하고 싶지 않다."

"그리고 저도 그렇게 쉽게 저버리시구요?"

"그 말에도 대답하고 싶지 않아. 이건 그냥 마음이 여기에서 저기로 옮겨 가는 것하고는 달라. 그 이상은 더 알려고 하지 마라."

엄하게 못을 박고 자리에서 일어났다.

"올라갈 테니 너도 좀더 자렴."

"잊으셨어요? 제가 열다섯 살 때 어머니는 저한테도 그렇게 미친 듯이 사랑을 쏟으셨어요. 저는 그 사실을 아버지한테는 비밀로 했어요."

현 여사는 지훈이 격분해서 되살려 주는 오랜 기억 속으로 끌려가지 않을 수 없었다. 눈이 오든 비가 오든, 학교가 파할 무렵이면 학교 교문 앞에서 지훈을 기다렸다. 초조하게 시계를 들여다보다가 이윽고 운동장으로 쏟아져 나오는 아이들의 모습이 보이면 교문의 쇠창살에 아예 매달려 뉘 속에서 입쌀을 골라내듯 지훈의 모습을 찾아보곤 했다. 교복이 같고 가방이 같고 모자가 같아서 멀리서 보면 구분하기 어려운데도, 현 여사는 지훈의 걸음걸이만으로도 그를 이내 알아보았다. 바라보고 있는 사이에도 아이의 걸음이 혹시나 곁으로 샐까 봐 조바심치다 보면, 겨울엔 쇠창살을 붙잡고 매달렸던 손이 꽁꽁 얼어 있곤 했다.

"아세요? 저는 친구들이 없었어요. 어머니 사랑을 잃을까 봐 마음을 다른 누구에게도 열어 본 일이 없었어요. 때로는 지겨워져서 뒷문으로 도망칠까 했을 때도 있었어요. 그러다 어느 날 저는 혼자인 것을 깨달았어요. 교문 밖에서 아이들이 뿔뿔이 흩어지고 저 혼자 남아 어머니를 기다렸죠. 갑자기 걱정이 돼서 저는 집까지 뛰기 시작했어요. 여섯 정거장을 뛰어서 집까지 왔을 때 어머니는 현관문만 열어 주고 한마디 말도 없이 그냥 안으로 들어가셨어요. 어머니는 무엇이든지 가슴에 끌어안는 것을 폭약으로 만들어 버리세요. 그리고 그것이 자기 가슴에서 터지지 않으면 스스로를 자해하세요."

지훈의 얘기는 기억 속으로 접혀진 옛 시간을 되살아나게 했지만, 이상하게도 현 여사는 아무런 느낌도 없었다. 그때의 서러움과 아픔이 되살아난 듯 지훈은 열 손가락을 머리칼 속에 깊숙이 찔러 넣고 몸을 뒤흔들었다. 그러한 지훈을 현 여사는 팔짱을 낀 채 덤덤하게 지켜보았다.

지훈, 그는 자신이 사로잡혔던 시간의 옛 얼굴이었다. 그것은 다 타버린 재였다. 현 여사는 침대로 가서 아들의 어깨에 손을 얹으려다 말고 그냥 돌아섰다. 방문을 열고 나가기 전에 뒤를 한번 돌아다보고 싶었으나 그만두었다.

제2부

살아 있음의 끝

음악회에서 만난 사람

무대 위에서는 놀랄 만큼 웅장한 선율의 향연이 펼쳐지고 있었다. 미명 속에 파묻혀 있는 객석의 청중들은 선율의 포로가 되어 숨조차 크게 쉬지 못했다. 그녀가 보기에 나 또한 그렇게 보일 것이다. 하지만 언제부터였을까, 나는 더 이상 연주를 듣고 있지 않았다.

세계적인 오케스트라와 지휘자의 명성에 걸맞게 연주는 현란했다. 우리가 앉아 있는 좌석은 정중앙, 앞에서부터 다섯 번째 줄이었고, 내 곁에는 그녀가 있었다. 굳이 기분을 말해 보라면, 나는 행복했다. 어느 순간 이런 날들이 언제까지 이어질까, 하는 상념이 한숨처럼 엄습했고, 그 한숨은 이내 나를 암울한 기분에 휩싸이게 했다.

그녀와의 만남이 거듭되는 동안, 나는 맹목적으로 "가볼 데까지 가보자"고 한 그녀의 말에 매달렸다. 마치 도박에 빠진 사람이 가진 돈을 몽땅 날려 버림으로써, 도박을 그만둘 수밖에 없는 이유를 자신에게 납득시키려는 것처럼. '가볼 데까지 가면' 저절로 어떤 결말이 나타나 스스로는 도저히 뽑지 못하는 발을 뽑을 수밖에 없는 날이 오려니 생각했다.

아직은 우리가 공공연히 붙어다녀도 동성끼리인 우리 관계를 수상쩍게 바라보는 사람은 아무도 없다. 몇몇 친구들조차도 확신하는 것은 아니어서 대놓고 나를 경원하거나 쑤군덕거리는 일은 없다. 그러나 어느 날 그 동성이라는 우산이 벗겨지고 그 안의 비밀이 적나라하게 드러나면, 그래서 사람들의 따가운 시선이 쏟아진다면 나는 아마 견디지 못할 것이다. 파국이 그런 식으로 내 인생의 덜미를 잡기 전에 어떻게든 결말을 짓고 싶다. 아니면 우리에게서 정염이 걸러지고 건실한 우애의 관계로 승화될 수도 있을까. 어찌 됐든, 이즈음의 나는 그녀와 함께하는 농밀한 시간에도, 나만의 상념에 빠져 있을 때가 많다.

세 번의 커튼콜로 앵콜곡이 연주되고 나서 음악회는 끝이 났다. 장내에 불이 켜지고 자리에서 일어난 청중들이 통로를 따라 로비로 밀려나갔다.

열 지은 청중들 속에 섞이어 우리가 로비로 나왔을 때였다. 어디선가 이름을 부르는 소리에 나는 고개를 돌렸다. 와글거리는 사람들 틈바구니에 서서 이쪽을 바라보고 있는 그는, 칠 년 전보다 훨씬 안온한 인상이었다. 바바리 주머니에 손을 넣은 채 그가 내게로 다가왔다. 칠 년 전의 기억이 내 앞에 웃으며 당도했다.

"오랜만이군."

"언제 오셨어요?"

"금년 봄에."

그의 눈길이 곁에 있는 현 여사에게로 넌지시 옮겨 갔다. 한순간 그를 현 여사에게 소개시키는 것이 망설여졌다. 그러나 그가 먼저 현 여사에게 눈인사를 했다.

"김민서 씨세요. 그리고 현석화 선생님."

"아, 은사님이시군요."

그가 명함을 꺼내어 현 여사에게, 그리고 또 나에게 주었다. 어쩐지 나는 허둥거림을 느꼈다. 이 만남에서 가능하면 빨리 풀려나고 싶었다.

"전화해."

그가 돌아서서 몇 발자국 가다 말고 다시 돌아섰다.

"명함 있어?"

"없어요."

"그럼 전화번호라도."

수첩을 찢어서 전화번호를 적고 있는데, 곁에 선 그에게서 쉐이브로션 냄새가 났다. 은은한 향기로 기억이 더욱 가까이 다가왔다. 그리고 낮은 목소리로 속삭였다.

"가끔 네 생각을 했어."

밖에는 눈발이 날리고 있었다. 계단을 내려오면서 나는 생각했다. 그는 나를 잊고 있었어. 어리고 유치한 여동생의 친구로 기억 속에 깊숙이 묻어 두고 있었어. 그렇지 않다면 돌아오자마자 내게 전화를 했겠지. 오늘 그가 만난 여자는 기억 속의 여자가 아닌 게 분명해. 그는 매료된 눈빛으로 그 여자를 바라보았어.

"그 남자하고 어떤 사이였어?"

현 여사의 음성이 상념으로부터 나를 깨어나게 했다. 아래로 내려가는 긴 지하도 계단이 우리를 기다리고 있었다. 복잡한 꿈을 꾸고 난 뒤처럼 마음이 산란했다. 나는 그녀의 팔에 매달렸다.

"제가 많이 좋아했었어요. 저 혼자."

"상대는 아니었단 말이지."

"그 사람은 졸업하고 유학을 준비하고 있었거든요. 게다가 저는 동생의 친구였구요. 안중에도 없었어요."

지금까지 한 번도 입 밖에 내어 보지 않은 말을 나는 그녀에게 술술 털어놓고 있었다. 좀체 허둥거림이 가라앉지 않았다. 말라 죽은 줄 알고 아무렇게나 거두어 내려던 넝쿨에서 뜻밖에도 실하고 탐스런 열매를 건진 기분이랄까.

우리는 프라자호텔 22층에 있는 칵테일 라운지로 갔다. 어느새 눈발이 끊기고 밤의 야경이 그 어느 때보다 눈부시도록 아름다운 빛을 뿜고 있었다. 그녀는 데킬라를 스트레이트로 주문했고, 나는 블랙러시안을 시켰다. 실내엔 〈인도의 향불〉이 나직하게 흐르고 있었다. 생각에 잠겨 시청 앞 광장을 내려다보고 있던 그녀가 얼굴을 바로했다. 무언지 묻고 싶은 얼굴. 그에 대한 것이라면 오히려 기다려졌다. 친구에게처럼, 어머니에게처럼 그에 대한 얘기를 털어놓고 싶은데 그녀는 내 얘기를 들어 줄 기분이 아닌 듯했다. 하지만 그와의 만남은 그녀에게도 꺼림칙한 여운으로 남아 있는 게 분명했다.

"아까 너에 대한 그 남자의 태도는 호감 이상의 느낌을 주던데?"

"왜 그렇게 생각하세요?"

"글쎄, 전화번호를 달라고 하는 걸 보면……."

"그거야, 의례적인 거죠."

그녀의 기분을 엿보아야 했기 때문에 나는 정직해질 수가 없었다. 여자 종업원이 우리가 주문한 것을 가져왔다. 칵테일 두 잔을 연거푸 마시고 나니, 대담하고 거침없는 용기 같은 것이 솟구쳤다. 나는 더 이상 말을 참고 싶지 않았다.

"제가 언젠가 남자하고 자본 일이 있다고 했잖아요. 그게 아까 그 사람이었어요."

"몇 살 때의 일이었지?"

"대학 일학년 때였어요."

"그 사람은 너를 좋아하지도 않았다면서?"

"바로 그 때문에 제가 열이 올랐던 거죠."

짧은 한숨. 그녀는 고개를 숙였다.

"저를 무시하는 사람은 그 사람뿐이었어요. 어렸을 때부터 저는 사람들로부터 사랑을 받는 것이 습관처럼 몸에 배어 있었어요. 그래서 그 사람이 저를 무시하는 것이 견딜 수 없었어요. 아마도 저는 그 사람의 얼굴을 억지로라도 돌려놓고 저를 바라보게 하고 싶었나 봐요."

그녀는 손등에 레몬즙을 짜고 그 위에 소금을 뿌렸다. 그리고 나서 데킬라를 한 모금 마시고, 혀끝으로 손등의 소금을 찍어 먹었다. 그 몸짓이 슬로비디오 영상처럼 조용하고 침울했다. 그녀의 이마에 주름이 패이는 것을 보면서도 나는 말을 계속했다.

"어느 날 친구의 집에 갔더니 집에 아무도 없고 그 사람만 있었어요. 마당에는 나팔꽃이 붉은 입술처럼 넝쿨을 따라 울타리로 기어오르고 있었는데……."

그녀가 남은 데킬라를 홀짝 삼키고 고개를 창 밖으로 돌리는데도 나는 얘기를 멈출 수 없었다. 어찌 된 셈인가.

그녀에게 비밀을 털어놓는 척하며 그의 기억에 매달려 있고 싶어 하는 이유는?

"내가 보기엔 그는 결코 순수한 사람이 아니야."

그녀의 어조는 나직했으나 말 속에는 가시가 박혀 있었다.

"어머, 어째서요?"

"그 사람은 너의 심리를 자로 잰 듯 재고 있었던 거야. 아까도 그런 점이 엿보였어. 그런 유형은 이미 네 주변에 많이 있지 않아?"

"그 사람은 완벽주의자 같은 데는 있어도, 계산적인 사람은 아니에요."

"물론 결혼은 했겠지?"

"글쎄요, 손에 반지 같은 것은 없었는데."

"만약 그가 만나자면 만날 거야?"

"저를 왜 만나자고 하겠어요."

"전화가 온다면 어떻게 할 거냐구."

"안 만날 거야 없죠. 지금은 그에 대해 아무 감정도 없으니까."

그녀의 질투심을 자극해서 괴로움에 빠뜨릴 의도는 전혀 없었다. 그보다는 나 자신이 그를 만난 충격을 떨쳐내고 싶었다. 화제를 바꾸었다. 내 쪽에서 말이 많아지고 웃음이 헤퍼지는 동안, 그녀는 점점 말이 없어지고 침울해졌다. 현 여사가 잠시 자리를 비운 사이에 나는 그에게서 받은 명함을 꺼내 보았다. 대덕연구소 연구위원. 마음이 덜뜬 철부지 같은 여자의 풋정열을 외면하고 그는 자기 길을 성실히 닦아 돌아온 것이었다. 갑자기 나는 헛된 환영의 포로가 되어 청춘을 낭비하고 있지 않나, 하는 의구심에 빠졌다. 그녀와 함께 하면서 불살라지는 나의 시간은 연기처럼 허공에 흩어져 자취가 없어진다…….

그녀가 돌아오는 기척에 나는 명함을 도로 주머니에 집어넣었다.

"일어나, 가자."

벌써, 하는 말을 삼키고 나는 그녀를 쳐다보았다.

"여기에 방을 얻어 놨어. 그리로 옮기자."

"오늘은 집에……."

머뭇거리는 내 팔을 그녀의 손이 잡아 일으켰다. 그 완강한 힘이 어쩐지 슬프게 느껴졌다. 그녀를 무안하게 하고 싶지 않아서 잠자코 따라 일어났다.

흐트러진 침대

침대에서 빠져 나가 벗은 몸에 옷을 걸치고 있는 소연은 이제 다시 낯선 사람으로 돌아가고 있었다. 몸을 섞고 마음을 섞으며 다시는 놓지 않을 것처럼 몸부림친 흔적을 침대 가득 구겨진 주름으로 남겨 놓고, 그녀는 떠나려 하고 있었다. 자기가 속한 세계로, 세상의 미궁 속으로. 현 여사는 그녀를 잡지 못하는, 또는 잡아도 잡히지 않으리라는 체념으로 마음이 미어지고 있었다. 음악회에서 만난 남자 때문에 한정신 흘리고 있는 그녀를 보면서, 현 여사는 불안하고 또 불안해서 그녀를 당장 안아 보지 않으면 미쳐 버릴 것 같았다. 그러나 삼십 분 남짓 그녀의 육체를 자기 안으로 깊숙이 품었다가 떼어놓은 지금, 마음은 이전보다 더욱 불안하고 고통스러웠다.

자신의 벌거벗은 몸을 담요로 감싸고 현 여사는 그래도 한 가닥 희망에 매달리듯, 소연의 움직임 하나하나를 눈 속에 아프게 담고 있었다. 여느 때 같으면 '가지 마' 한 마디로 그녀를 돌려 세울 수 있었는데, 오늘은 왠지 그 말이 끼여들 틈이 없어 보였다. 트윈 베드의 다른 쪽 침대에 걸터앉아 손을 등뒤로 한껏 뻗쳐 브래지어의 훅을 채우는 그녀의 손놀림엔 미진함도 망설임도 없어 보였다. 마치 바람둥이 남자가 거리의 여자로부터 욕망을 채운 뒤에 갈 길을 재촉하는 듯한 서두름마저 엿보였다.

그녀가 가려고 하는 곳에서 잡아 끄는 것이 뭘까? 내일을 위한 휴식? 그런 것이라면, 저 깨끗하고 반듯한 또 하나의 베드에서도 충분히 가능하지 않겠는가. 오히려 지척에 신문사가 있으므로 출근하는데 걸리는 시간도 절약할 수 있을 테고. 어머니가 긴히 상의할 문제를 가지고 기다리고 있는 걸까. 하지만 지금은 시간이 너무 늦어 주무시고 있을 시간이다. 어차피 지금은 잠자는 것 외에 아무것도 할 수 없는 시간이다. 그런데 굳이 집으로 돌아가려고 하는 이유는? 결혼도 안 한 처녀가 외박이 잦다고 부모로부터 심한 꾸중을 들었던 것일까.

그 이유가 무엇이든, 지금 자기의 마음만큼 절박한 것은 아닐 것이다. 그와 같은 절박함으로도 소연을 붙잡을 수 없다는 것이 무엇보다 괴로운 것이다.

이제 소연은 욕실에서 양치를 하고 있었다. 자신은 그녀가 자기 몸에 묻혀 놓은 땀 한 방울까지도 가지고 있으려는 데 반해, 그녀는 씻어내고 닦아내고 있는 것이었다. 현 여사는 모욕당하고 유린당한 기분이었다. 그럼에도 자기를 방어할 힘이 전혀 없었다. 최소한도의 체면이나 자존심을 지켜낼 인내마저 없었다.

욕실에서 나오는 소연의 입술엔 립스틱이 붉게 칠해져 있었다.

"지금 집에 가는 거 아니야?"

"이 시간에 집으로 가지 어디로 가겠어요."

줄무늬 반코트를 입으며 현 여사의 시비조 물음에 소연은 침착한 어조로 어른스럽게 대답했다.

"그런데 립스틱은 왜 바르는 거야?"

"습관이죠."

소연의 침착함이 현 여사의 분노를 자아냈다.

"너는 잠자면서도 립스틱 바르고 자니?"

"선생님은 저희 부모님을 굉장히 무시하는 것 같아요. 제가 무시당하는 것은 참을 수 있지만 부모님을 무시하시면 참지 않겠어요."

소연이 매섭게 대들었다. 현 여사는 싸움을 걸어서라도 그녀의 발길을 주저앉힐 수만 있다면, 하는 기분이었다.

"립스틱 얘기에 왜 부모님을 들추지?"

"선생님은 그럼 자기 딸이 한밤에 납빛 얼굴을 해가지고, 몸에서는 이상한 비린내를 풍기며 들어서면 좋겠어요?"

"그러니까 내가 너에게 원룸을 하나 얻어 주겠다고 했잖아."

소연은 현 여사의 말을 무시하듯 가방을 어깨에 둘러멨다. 조급해진 현 여사는 벗은 몸으로 침대에서 뛰어 내려와 소연을 침대에 끌어 앉혔다. 침대가 놀란 듯 출렁 튀어올랐다.

"말이 나온 김에 매듭을 짓고 가야지."

"생각해 보겠어요."

"내가 너에게 무엇을 바라서 이런다고 생각해? 그런 거 아니잖아."

새침하게 고개를 떨어뜨리고 침대 가장자리를 손끝으로 매만지고 있는 소연의 안으로 다시 침투해, 사무침을, 간절함을 확인해 보려 안간힘을 다하는 현 여사.

"네 마음대로 다 해. 남자를 만나든 여자친구를 만나든 네 생활을 간섭할 생각은 없어. 하지만 난 정말 네가 내 마음을 알아줬으면 해. 너와 함께 있는 시간 이외엔 모든 것이 나에겐 무가치해. 그러니 어떡하겠어, 너만 쳐다볼 밖에 없잖아? 집을 나와 독립을 하면 부모님 걱정을 덜어 드릴 수 있으니 좋잖아? 그렇다고 네가 방종할 사람은 아니니까 말이야. 네가 내 작업실 근처에 있기만 해도 마음이 놓이겠어. 한밤중에 너를 보내게 될 때면 얼마나 걱정이 되는 줄 알아?"

현 여사는 손톱을 세워 닫힌 문을 긁어대듯 횡설수설하면서도, 자기 말의 모순된 점을 의식하지 않을 수 없었다. 고개를 쳐든 소연의 시선이 화장대 거울로 옮겨 갔다. 거울에 비쳐 있는 나신의 자기 자신을 그녀의 눈으로 바라본 순간, 전율이, 두려움이 현 여사의 등줄기를 뻣뻣하게 했다. 거기엔 어떤 메스꺼운 것이 있었다. 소연이 그것을 봤다면 다시는 안 만나려고 할 것이 틀림없었다.

"데려다 줄게, 잠깐 기다려."

현 여사는 허둥거리며 옷을 입었다.

소연은 현 여사가 바래다주는 것을 완강하게 거절했다. 할 수 없이 현 여사는 승강기 앞에서 소연과 작별해야 했다. 닫히는 승강기 문 사이로 억지로 웃는 듯한 얼굴이 사라졌다.

좀체 다리가 떨어지지 않았다. 승강기 문 위의 전광판 숫자는 10, 9, 8, 7, 6…… 차례로 불이 켜지며 손닿지 않는 곳으로 소연을 실어가고 있었다. 마치 그것이 영원한 작별인 것처럼 느껴지자 무서운 절망감이 엄습해 왔다.

비틀거리며 방으로 돌아온 현 여사는 전화기 앞으로 달려가서 수화기를 집어들었다. 소연의 핸드폰 전화번호를 눌렀다. 신호가 세 번 울린 끝에 소연의 음성이 튀어나왔다.

"난데, 거기 어디야?"

"로비예요."

"내일 내가 원룸 보러 다녀도 되겠지?"

그러한 약속이라도 받아 놓지 않는다면 이 밤을 무사히 넘길 것 같지 않았다.

"생각해 볼게요. 어머니 허락도 받아야 되구요."

"내가 어머니를 만나 볼까?"

"왜 이러세요."

소연의 목소리에 찬바람이 돌았다.

내가 이러는 것도, 소연이 저러는 것도 모두 다 낮에 만난 그 남자가 남긴 파장이 아닐까. 아직은 그가 두 사람 사이에 개입된 뚜렷한 흔적은 없으나, 마음에 남아 있는 앙금만으로도 그는 이미 현 여사에게 크나큰 패배감을 안겨 주고 있었다.

"그래, 오늘밤 잘 생각해 보고 내일 전화해 줘."

"그럴게요."

설사 진심이 얹히지 않은 대답이라 하더라도, 내일 다시 말해 볼 여지를 얻은 것만으로도 다행이라 여겨졌다.

갑자기 주변이 사막처럼 적막해졌다. 여기는 어디일까. 나는 왜, 어쩌다 여기에 와 있을까. 화장대 의자 앞에 앉아 현 여사는 멍하니 흐트러진 침대를 바라보고 있었다. 구겨진 시트의 주름 하나하나가 아무도 짐작 못할 정염의 어두운 골짜기처럼 보였다. 나름대로 인생을 열심히 살아왔다고 왔는데, 왜 자기는 자신이 쌓아 올린 소유 곁에, 의미 속에 있지 못하고 이토록 낯설고 기묘한 분위기의 방에서 갈가리 찢긴 가슴을 손으로 누르며 혼자 밤을 맞이하고 있는가. 자기 안의 그 무엇이 집 밖으로 멀리멀리 마음을 내몰아 이곳까지 이르러, 화산 속으로 뛰어들듯 스스로 세상을 비통하게 등지도록 만들었을까. 단정한 대낮의 세계가 위장하고 있는 그 무엇, 안전하다고 내딛는 걸음걸음 밑에 놓인 마룻장이 어느 날 문득 아래로 쑥 빠지며 어두운 심연 속으로 한없이 추락할 수도 있다는 것, 인생으로부터의 배반, 그 달랠 길 없는 쓰디쓴 비애. 더 이상 갈 곳 없는 막다른 곳, 밤의 끝에서 발버둥쳐 보는 허무한 정염의 불꽃. 모두 다 어디로 갔나, 어디로 갔나 돌아보아도 네 벽의 모서리엔 거미줄뿐.

바로 이 순간 무엇이 지나가고 있다

그렇다, 자신은 이미 죽음 안에 있었다. 삶의 겉모습은 여전히 이전이나 다름없었으나, 손에 만져지는 것은 무엇이든 타고 남은 재뿐이었다. 관계가 그러했고, 예술이 그러했고, 소유가 그러했고, 명성이 그러했다. 다만 그것을 인정하려 하지 않았을 뿐이었다.

소연은 인생과의 마지막 도박이다. 그녀에게 무얼 주어도 아깝지 않은 것은 그 때문이다. 아직은 그녀로부터 영구한 약속 같은 것을 받아낸 것은 없다. 내가 눈감을 때까지만이라도 잡혀 있어 다오. 내가 지닌 소유가 보상이 된다면 모두 너에게 주겠다, 라고 담판을 지어야 할까.

자기도 모르게 부비고 있던 손을 내리고, 현 여사는 펜과 종이를 앞에 놓고 마음을 가다듬었다.

소연에게.

편지의 첫머리를 시작하자마자 어쩐 일인지 마음이 쩍 갈라지며 해묵은 신음이 되살아났다. 억지로 삼킨 그날 밤의 눈물이…… 차마 마주하지 못해 치마를 둘러쓰고 몸을 날려 버린 허무의 벼랑. 납덩이 같은 회한이 치밀어오르며 숨이 막히는 듯했다. 현 여사는 자리에서 일어났다. 커튼을 젖혔다. 창 밖 가득 도심의 야경이 펼쳐졌다. 소음과 소란스러움이 말끔히 거두어진 깊은 밤이었다. 멀리 북한산과 인왕산이 어두운 하늘과 섞이어 능선만 희미하게 보였고, 광화문에서 시청 앞으로 이어지는 도로와 시청 앞 광장에는 차량들의 행렬이 끊기어 적막했다. 시청 청사의 디지털 시계가 2시 18분을 가리키고 있었다.

도로에 그려진 하얀 기하학적인 차선을 내려다보는 사이에, 현 여사는 어느새 자기 안의 죽음 같은 절망 앞에 조용히 마주서 있었다. 자기를 여기까지 이끌고 와서 이토록 황량한 밤 앞에 무참히 세워 놓은 공허의 심연이 보이고 있었다.

그날 남편은 모임에 맞추어 저녁 여섯 시쯤 집을 나갔다. 열 명 안팎의 남자들이 한 달에 한 번씩 같은 장소에서 만나 친목을 다진다는 취지의 그 모임에, 남편은 술당번이었고, 그래서 집에서 양주 두 병을 싸가지고 나갔다.

한 시간 반 뒤에 기사가 차를 가지고 돌아왔다. 여느 때는 그곳에서 기다리다 함께 돌아오곤 했다. 기사의 말로는 회장님이 그냥 들어가라고 했다는 것이었다.

아홉 시쯤 남편으로부터 전화가 왔다. 몹시 취한 음성이었고, 자신이 왜 전화를 했는지 모르겠다고 하면서 그냥 끊었다. 현 여사는 남편의 취한 음성에서 별다른 점을 느끼지는 못했다. 그러나 차를 가지고 나가서 남편을 태워 와야겠다는 생각이 들었다.

모임은 열 시 반쯤 끝이 났다. 현 여사는 비틀거리는 남편을 부축해서 차에 태웠다. 팔을 끼고 차에 태우노라니 번쩍 들리우는 듯 몸이 가벼웠다. 몸을 가누지 못하면서도 남편이 어떤 서늘한 의식을 붙잡고 있는 것 같은 느낌이었다.

차가 중앙극장 앞을 지나 남산 고갯길을 넘어 힐튼호텔 앞의 회전도로로 접어들 즈음, 남편은 차를 세우고 걸어 보고 싶다고 했다.

밤이 이슥했고, 바람이 쌀쌀했다. 도로변의 은행나무들이 바람의 손짓에 노란 잎을 화르륵 쏟아 내고 있었다. 비틀거리는 남편의 팔을 끼고 걷는 동안, 걸음의 보조가 맞지 않아 두 사람의 걸음은 엉켰다 풀리고 엉켰다 풀리기를 반복했다. 그러는 사이에도 현 여사는 남편의 몸에 서늘하게 흐르고 있는 이 느낌이 뭘까를 골똘히 생각했다.

힐튼호텔 근처에 이르러 비틀거리는 걸음으로 남편은 무단횡단을 시도했고, 그를 부축한 현 여사도 이끌려 가지 않을 수 없었다. 다행히 달려오는 차가 없었다. 건너편 보도로 올라선 두 사람은 모퉁이를 돌아 또 얼마 동안 걸었다. 그럴 즈음이었다. 얼크러지며 간신히 보조를 맞춰 온 현 여사가 힘이 빠진 탓인지, 아니면 남편이 부축을 밀어낸 것인지 확실치 않았다.

두 사람 사이엔 삼사 미터 간격이 생겼고 그때 두 사람은 남산도서관 근처의 건널목에 이르렀다. 신호등엔 파란 불이 켜져 있었고, 남편은 횡단보도로 들어서 있었다. 잠깐 사이에 신호등은 빨간 불로 바뀌었지만 남편은 걸음을 멈추지 않았다. 다행히 달려오는 차는 없었다. 현 여사는 남편을 따라가면서 멈추라고 소리쳤다. 그것은 비단 신호등에 빨간 불이 들어와 있었기 때문이 아니었다. 이제 그의 뒷모습에 전모가 온통 드러나 있는 그 서늘한 느낌은 홀로 된 존재의 너무도 휘황한 광휘였다.

그리고 거기엔 이미 건널 수 없는 강이 가로놓여 있었다. 남편은 마치 백수광부처럼 흐르는 물의 심연을 향해 뛰어들고 있었던 것이다. 멈춰요, 안 돼요,라고 현 여사는 맘속으로 외치며 횡단보도로 뛰어들었다. 갑자기 차량 한 대가 쌩하며 달려왔고, 그때는 이미 무엇인가 산산조각이 나는 듯한 파열음이 터진 뒤였다.

님이여, 그 물을 건너지 마오.

님은 그여 물 속으로 들어가셨네.

원통해라 물 속으로 빠져 죽은 님.

아아 저 님을 어찌 다시 만날꼬.

현 여사의 인생은 그때 남편을 붙잡으려던 마음에서 영원히 멈춰 버렸는지 모른다. 입 안이 피로 흥건하도록 서로가 서로의 목을 물고 놓지 못했던 인연에서 남편은 왜 먼저 손을 놓았을까. 인연이 저 스스로 매듭을 풀기 전에 왜 먼저……?

현 여사는 화장대 앞으로 돌아와 다시 펜을 집어들었다. 마음은 한없이 침통한데 글귀가 떠오르지 않았다. 그보다는 조금 우스꽝스럽고 치졸한 상념이 펜을 숨죽이게 했다. 장소는 상관없겠다. 그것이 화실이든, 집이든, 집 밖이든. 갑자기 심장 발작이 일어나 임종의 자리가 되어서 소연으로부터 그 마음을 영원히 몰수해 가는 것이다. 평소에 늘 애를 태우게만 했던 그녀에게 운명의 일격을 가하고 눈을 감는 것이다. 가지 마오, 가지 마오, 해도 다시는 붙잡을 수 없는 사람으로 그녀의 비통한 마음에 각인되며. 그리고 소연의 손엔 한 장의 유언장이 남겨진다.

돌연 맥놓고 있던 사람이 할 일을 만난 듯, 생기에 넘쳐 현 여사는 앞서 쓰려던 편지를 구겨서 버리고, 대신 유언장을 꾸미기 시작했다.

자신이 가진 모든 것을 소연에게 남기는 유언장을 만들고 났을 때, 갑자기 살아 있다는 것이 오히려 거짓처럼 느껴졌다. 유언장은 있는데, 임종과 소연이 달아나서 기다리고 있는 것처럼 생각되기도 했다. 병을 불러라. 가능하면 단숨에 임종을 불러올 수 있는 심장쇼크 같은 것이 좋겠다. 그리고 그 쇼크는 소연과 함께 있을 때 일어나야 한다.

유언장을 잘 접어서 갓전등 옆에 놓고, 안정제를 먹으려다 그것 없이도 잠이 잘 올 것 같아 그냥 자리에 들었다.

눈을 떴을 때는 아침 아홉 시로 접어들고 있었다. 현 여사는 기지개를 켤 사이도 없이 전화기를 가슴에 올려놓고 친구의 전화번호를 눌렀다.

"난데, 정 변호사 나가셨니?"

"어제 지방에 갔어. 내일 올 거야."

"내일?"

"왜?"

"급히 좀 만날 일이 있어서."

"네 일은 잘되어 가는 모양이더라."

"아 참, 그 문제도 있구나. 난 결심했어. 상대방이 하는 대로 그냥 놔둘 거야."

"이제 와서 그게 무슨 소리야? 그럼 무고죄를 그대로 쓰겠다는 거야?"

"어젯밤 곰곰이 생각해 보았는데, 그건 남편이 불러들인 사고였어. 책임은 그 자신에게 있는 것이 확실해. 다만 그가 왜 그랬을까 하는 의문이 내 가슴속의 화두였지. 그 당시엔 남편이 날 저버렸다는 사실을 인정할 수 없었어. 그 때문에 난 남편이 사고를 당한 것으로 믿고 있었던 거야. 결과적으로 내가 운전사를 무고한 것이 사실이니까 법대로 처벌을 받겠어. 구류를 살게 되어도 상관없어."

"갑자기 웬 변덕이니?"

"그 동안은 내가 나 자신에게 정직하지 못했던 거지."

"너 마치 죽을 날짜 받아놓은 것처럼 말한다. 무슨 일이 있니?"

"앞으로는 오늘이 죽는 날이 될 수도 있다는 각오로 하루하루를 살아야겠어. 아이 참, 왜 정 변호사는 이런 중요한 때에 출장을 갔을까."

"네 말대로라면 우리 남편이 할 일은 더 이상 없을 것 같구나."

"유언장을 공증해 놓으려고."

"누가 너보고 내일 죽는다고 하던?"

"내가 죽는 건 문제가 아니고 그걸 당장 쥐어 주고 싶은 사람이 있으니 그렇지."

"도대체 난 뭐가 뭔지 모르겠다."

"너 지금 나 좀 만날래?"

"화실로 가면 되지?"

"아니, 여기 프라자호텔이야."

중대한 결심을 실행에 옮기려 하는 만큼 침착하고 신중해야 했다. 그런데 가슴이 뛰고 마음이 뒤숭숭했다. 소연과의 마지막 담판을 각오하고, 자신이 살아온 생의 무게를 모두 실어서 그 종잡을 수 없는 마음의 바닥을 향해 큰 바위를 밀어 넣으려 하는 바로 지금 이 순간에도 '그것'은 끝모를 탐욕의 입을 더 크게 벌리고 있었다.

'그것'에 대하여

친구는 아연실색했다.

"지훈의 여자친구라구?"

"지훈인 걔한테 청혼까지 했어."

"그런데, 네가 그 여자애를 좋아한단 말이야?"

충격 때문인지, 흥분 때문인지 친구의 얼굴은 벌겋게 상기되어 있었다.

"좋아하는 정도라면 무슨 문제가 되겠니."

담배를 입에 물고도 손이 떨려 몇 번씩 성냥불을 꺼트리는 현 여사를 지켜보던 친구는 한숨을 꺼지게 쉬며 성냥을 빼앗아 갔다.

"내 입 무거운 줄 잘 알잖아. 하고 싶은 말이 있으면 속시원히 다 털어놔라."

"홀린다는 말이 있지? 눈을 떠도, 눈을 감아도, 깨어 있을 때도, 잠을 잘 때도 그애 생각을 한시도 놓을 수가 없어. 마치 내 머릿속을 박 속처럼 긁어내고 그애의 모든 것으로 대신 채워 버린 것 같아."

"난 도무지 이해가 되지 않는다."

머리를 설레설레 저으면서도 친구는 차츰 표정이 심각해졌다.

"아무 일도 손에 잡히지 않아. 세금고지서를 들고 있다가도 어느새 까맣게 잊어버리고 그애 생각에 매달려 있곤 해."

"도대체 그애가 너한테 뭘 주길래 그러니? 너 혹시……?"

"물론 그것도 있지. 하지만 정염 때문만도 아니야. 어찌 된 셈인지 그애의 한마디 한마디에 따라 숨이 쥐였다 놓였다 하는 거야. 전화벨 소리 이외엔 아무것도 관심을 끄는 것이 없어."

"지금 네 얼굴이 어떤지 아니? 까맣게 타서 해골이 드러날 지경이다."

"집에서 혼자 서성일 때면 전화기로 장전된 총구 마냥 관자놀이에 대고 언제 방아쇠를 당길지 그것만 생각해. 그 아이 생각에서 놓여나는 길은 그것밖에 없는 것 같아."

"그러지 말고 여행이나 가보지 그래? 네팔이나 티벳 같은 곳에 가서 한 달쯤 있어 보면 어떨까?"

"생각해 봤어. 그런데 마음이 전화통 앞에서 한 발짝도 떨어지지 않아."

"넌 그게 사랑이라고 생각하니?"

"제기랄, 사랑이면 어떻고, 아니면 어떻다는 거야. 사람이 죽을 지경인데."

"그러다 큰 망신 당하고 싶어서 그러니? 아직도 우리 사회에선 금기시하는 문제잖아. 너는 그래도 사람으로 태어나 해볼 것은 어느 정도 해본 사람이잖아. 하지만 그애는 뭐니? 젊음의 호기심으로 겁없이 뛰어들었다 해도, 나이 먹은 네가 젊은 아이의 장래를 생각해 줘야지."

물론 그래야 할 것이다. 세상이 알면 일제히 떠들어대며 비웃을 것이다. 하지만 그녀를 단념해 버린 뒤엔, 그녀의 전화를 기다리지 않게 된 뒤엔, 무엇이 남게 될까. 피를 말리는 초조와 불안이 멈춘 뒤엔 무엇이 찾아올까. 무미건조한 일상의 권태, 일 관계로 만나는 사람들과의 맛없는 식사, 의욕도 열정도 없이 타성적으로 그리는 그림, TV에서 흘러나오는 공허한 말들, 너무나 더디게 흐르는 시간, 파리한 고독…….

"그 아이가 내 가슴에 칼을 꽂는다면 나는 더 깊이 찔려 가면서도 기어이 그 아이를 가슴에 끌어안을 거야."

"신문에 날 일이다. 넌 부정하고 싶겠지만 네가 사로잡혀 있는 것이 정말 그 여자아이일까?"

"그럼 그애가 아니고 뭐라는 거야? 그애의 표정, 몸짓, 말들, 육체의 부분부분, 말 하나하나, 관계된 일들, 주변 친구들, 하다못해 만난 일도 없는 그애 기억 속의 인물들까지 달려들어 나를 뜯어먹는데, 그게 그애가 아니면 뭐라는 거야?"

"곰곰이 생각해 봐라. 지금은 씌어 있으니 아무 생각도 못하겠지만."

"너는 나를 정신병자 취급하니?"

"정신병자라도 너처럼 그렇게 온통 혼을 다 내어 주지는 않는다."

친구는 현 여사가 피우던 담배를 재떨이에 걸쳐 놓고, 다시 새 담배에 불을 붙이는 것을 보고 현 여사의 손에 피우던 담배를 쥐어 주었다.

"네 남편한테 이것 좀 잘 공증해 달라고 해 줘."

가방에서 꺼낸 접은 종이를 친구에게 건네 주면서도 현 여사는 연신 담배를 성마르게 피워댔다. 유언장의 내용을 대강 훑어보고 나서 친구는 또다시 한숨을 쉬었다.

"너, 지훈이 생각은 조금도 안 하는구나. 걔가 나중에 알고 나면 얼마나 상처가 크겠니?"

"난, 소연이한테 연필 한 자루라도 더 남겨 주고 싶어서 내 속옷

하나 사는 것도 아까워."

"이걸 주면 걔가 너하고 결혼이라도 한다든?"

드디어 참다못해 친구는 목소리를 높여 비아냥거렸다.

"너 이제 보니 형편없는 겁쟁이구나. 어렸을 때 한 친구가 즈네 집 물건 뭐든지 들고 나와서, 나하고 놀아 줘, 내 친구가 되어 줘, 하고 매달렸는데, 넌 지금 그 아이보다 더 두려움에 떨고 있어. 정신차려라. 쯧쯧."

"정 변호사가 언제 온다구?"

"아이, 몰라!"

"모르면 어쩌니? 하여간 화살은 이미 날아간 거야. 난 이제 가진 게 아무것도 없는 사람이야."

마치 적 앞에 모든 것을 내어놓고도 그 내심을 몰라 쩔쩔매는 형국의 현 여사. 친구는 자신이 모욕을 당한 듯 얼굴이 달아올랐다.

"이 종잇장이 하등에 뭐라고 그러니?"

거침없이 현 여사가 밤새 공들여 꾸민 유언장을 쫙쫙 찢어 버렸다.

"안 돼, 그러지 말어."

찢어진 종이조각들을 허둥지둥 쓸어모으던 현 여사는 갑자기 고개를 툭 떨어뜨렸다. 눈물이 테이블 위로 방울방울 떨어졌다.

남의 시선이 꺼려진 친구는 커피숍 안을 둘러보았다. 이른 시간이어서 손님들이 많지 않은 것이 다행이었다. 제복 차림의 여자 종업원이 손님들이 떠난 테이블 위에서 찻잔을 거두고, 남은 자국을 행주로 꼼꼼히 닦아 내고 있었다. 말없이 그 광경을 지켜보고 나서 친구는 목소리를 가다듬었다.

"네 마음을 아프게 할 생각은 아니었다……."

"그게 아니야. 갑자기 그애가…… 찌르는 것같이 아파, 가슴이."

"저기 저 아가씨 봐라. 남 보기엔 대수롭지 않은 일을 하면서도 얼굴이 얼마나 진지하고 평온해 보이니. 걱정이 있는 곳에만 인생이 있는 게 아니야."

친구는 현 여사의 옆자리로 자리를 옮겨 앉았다. 그리고 손가방에서 노트 크기의 스케치북과 목탄 연필을 꺼내 놓았다.

"어제 나 혼자서 스케치하러 양평에 갔었어. 강가에 있는 느티나무 한 그루가 어찌나 아름다워 보였는지 차를 세우고 반 시간 넘게 지켜보았어. 내가 그 나무를 너한테 보여 줄게. 자, 이 연필 쥐어 봐."

친구는 현 여사에게 강제로 연필을 쥐게 했다.

"너는 눈을 감고 가만히 있기만 하면 돼."

마지못해 친구가 하는 대로 눈을 감고 손을 맡기긴 했어도, 현 여사는 마음 밑바닥을 긁어대는 성마름을 간신히 억누르기에 힘이 들어 한숨이 절로 터졌다.

"편안하게 너를 나한테 맡겨."

스케치북 위에는 잎을 모두 벗은, 고색창연한 성당 같은 모습의, 늙은 느티나무 한 그루가 모습을 드러내고 있었다. 갑자기 짜증을 벌컥 내며 현 여사가 친구의 손을 밀쳐내는 바람에, 나무는 낙뢰를 맞아 한쪽 가지를 잃어버린 듯한 모습이 되고 말았다.

"난 정신차리고 싶지 않아. 정신차리고 살 만한 일이 더 이상 없어. 그나마 그애의 입모습, 눈웃음을 생각하고 있을 때 외에는 다른 아무것도 사는 의미를 느끼게 해주는 것이 없어. 고뇌와 질투에 뜬어먹히며 지옥 같은 시간을 보내더라도 그게 낫단 말이야. 날 돕고 싶거든, 내 그림을 사주든가, 어디다 좀 팔아 줘. 몽땅 팔아 버릴 거야. 그리고 그 찢어진 유언장은 반드시 원상복구해 놔야 해. 내가 직접 정 변호사를 만나겠어."

현 여사는 옷자락이 부풀어 오르도록 단호한 몸짓으로 자리에서 일어났다. 친구가 말릴 것을 예상했는지 옷자락을 낚아채듯 여미고 통로를 성큼성큼 걸어 나갔다. 친구는 멍하니, 어이없는 표정으로 현 여사의 뒷모습을 눈으로 좇았\다.

다시 '그것'에 대하여

오랜만에 아들과 함께하는 저녁 식사였다. 아늑한 불빛 아래 정갈하게 차려진 식탁이었음에도, 훈훈하기보다는 썰렁하고 침울한 분위기였다.

영하의 기온으로 떨어진 맵고 거친 바람이 끊임없이 창문을 뒤흔들어대는 소리가 띄엄띄엄 오가는 대화 속으로 점점 선연하게 파고들 즈음이었다.

배춧국에 밥을 말며 지훈이 지나가는 소리처럼 말을 흘렸다.

"저, 과천에 있는 아파트 전세를 내보낼까 해요."

"왜?"

"이제는 제가 쓸까 하구요."

"그거야 네 명의로 되어 있는 집인데, 내가 이래라 저래라 할 게 있겠니?"

아들이 생각에 잠겨 고개를 떨어뜨리자, 현 여사는 자신이 붙잡고 있는 상념 속으로 되돌아왔다. 며칠 전 작업실 근처에 있는 새로 지은 원룸 하나를 발견했다. 전세값이 조금 부담이 되지만 모자라는 액수만큼 월세로 돌릴 수 있다면 일주일 뒤엔 계약을 할 수 있을 것 같았다. 소연의 대답을 듣고 함께 방을 보러 다닐까 했지만, 그럴 필요가 없었다. 최근 이혼을 한 소연의 언니가 아이 둘을 데리고 친정에 잠시 와 있겠다는 소식을 접하고, 부모님의 걱정이 크다는 얘기를 얼핏 들었던 것이다. 그렇게 되면 언니에게 자기 방을 내어 줄 수밖에 없다고 소연이 말하기도 했다. 사정이 그런 만큼, 방을 얻어 열쇠를 손에 쥐어 주는 것이 그녀의 자존심을 덜 다치게 한다고 판단되는 것이다.

지훈은 속내 망설임을 정리한 듯 다시 고개를 들고 현 여사를 주시했다.

"그 집이 그냥 필요한 게 아니거든요."

"응, 뭐라구?"

"결혼하겠습니다."

까닭 없이 불안한 마음과는 달리, 그는 부드러운 미소를 띠고 있었다. 그러나 그 미소는 이내 입가에서 사라졌다. 핏기가 가신 듯 얼굴이 창백해진 현 여사는 수저를 든 채 움직일 줄 몰랐다. 마침내 조용히 수저를 내려놓으며 아들을 쳐다보았다. 눈시울이 가늘게 떨리고 있었다.

"상대는?"

"소연이요."

아들은 머뭇거리다 말을 이었다.

"어머니 곁에 제가 머문다는 것이 더 이상 아무 의미가 없어진 지금…… 제가 거추장스러우실 테죠."

지훈을 바라보는 현 여사의 눈에 시커먼 공포가 어리고 있었다. 그것은 거역할 수 없는 힘처럼 내면으로부터 서서히 그녀를 사로잡고 있었다.

"사실 어머니가 아버지를 잃고 너무 슬퍼하셨기 때문에 말씀드리는 것을 늦추고 있었어요. 하지만 지금은 어머니도 좋아하는 분이 생겼으니 제가 곁에 없어도……."

"그만 해라."

생각해 보면 올 것이 온 것이었다.

그 동안 지훈에게 충격적인 장면을 들키지 않은 것만으로도 다행이었다. 그렇게 해서 진실이 벗겨지기보다는, 스스로 가슴을 헤쳐 저주를, 재앙을 고백하는 것이 그를 위해 덜 잔인한 일인지도 모른다.

"다 먹었으면 네 방에 가 있거라."

이젠 스스로 가슴을 헤쳐 보일 일만 남은 것이다. 회피하기보다는 진실 속으로 똑바로 걸어 들어감으로써 형벌을 감수해야 하는 것이다. 사회가 인정하지 않는다 하더라도, 그 진실에 대해서는 한 점 부끄러움이 없다. 진실 그 자체가 더 이상 꺼릴 것도 두려워할 것도 없는 존재의 막다름인 것이다.

"다 드셨어요?"

식탁의 한 점을 뚫어질 듯이 바라보고 있는 현 여사의 눈치를 보며 아주머니가 조심스럽게 물었다.

"치우세요. 그리고 지훈이 방으로 술 두 잔만 갖다 주세요."

현 여사는 자리에서 일어나 거실 쪽으로 갔다. 문득 남편의 사진 앞에서 걸음을 멈추고 사진을 들여다보았다. 사진은, 오직 혼자라는, 더욱 혼자라는 사실을 깨우쳐 줄 뿐이었다.

창가로 가서 커튼을 젖혔다. 어둠 속에서 바람에 부대끼고 있는 나무들의 신음소리가 음산했다. 두려움이 가슴을 얼어붙게 했다. 떨리는 몸을 자신의 두 팔로 꽉 끼고 입술을 깨물었다. 바로 다음 순간이, 바로 한치 앞이 너무도 캄캄했다.

이윽고 창으로부터 돌아섰을 때 현 여사는 비장했다. 노크 소리도 비장했다. 지훈이 흠칫 놀라 일어섰다. 그는 태우고 있던 담배를 재떨이에 눌러 끄고 침대에 걸터앉았다. 현 여사는 책상 위에 놓여 있는 두 잔의 위스키 중 하나를 지훈에게 건넸다.

"이게 너와 내가 마지막으로 함께하는 자리가 되지 않기를 바란다."

지훈은 침착하게 의아한 얼굴로 현 여사를 쳐다보았다.

"소연인 이미 너와 결혼할 수 없게 되었어."

"무슨 말씀이세요?"

지훈의 짙은 눈썹이 꿈틀했다.

"우린 잡혔어, 서로에게."

"잡히다뇨?"

"사랑이란 꼭 남자와 여자 사이에만 일어나는 감정이 아니야."

지훈은 여전히 믿기지 않는 듯, 그러나 충격 때문에 말을 더듬었다.

"그야, 뭐, 얼마든지……."

"깊은 관계야, 이제 알아듣겠니?"

말과 함께 현 여사는 자신의 앞가슴을 왈칵 열어 보였다. 유방에 검은 멍자국이 있다 해서 그것이 지훈에게 더 큰 충격을 주지는 않았다. 그는 이제 모든 것을 알아차린 것이다. 지난번 소연에게 청혼을 했을 때 왜 대화가 헛돌았는지 그 이유도……. 그가 들고 있던 술잔을 떨어뜨리고 자신의 머리를 감싸쥐었다.

"어떻게…… 그럴 수가…… 어머니도…… 소연이도…… 다 미쳤군요."

지훈의 탄식은 마디마디 끊어졌다.

머리를 감싸쥔 채 그는 비틀거리며 방에서 뛰쳐나갔다.

바깥이 무섭도록 고요했다. 모든 소리들이 일시에 멈춘 듯했다. 현 여사는 천천히 술잔을 집어들었다. 그래, 언제 어디서든지 가슴의 이 멍을 내보일 각오가 되어 있었지. 오기나 집념이 아니야. 다만 진실이기 때문에. 내 진실의 십자가는 나 혼자 짊어질 것이다. 그때였다. 얼어붙은 듯한 고요가 일시에 쩡 하고 갈라지는 무시무시한 소리가 들려왔다.

현 여사는 보이지 않는 칼을 스스로 심장 깊숙이 박아 넣는 기분으로, 들고 있던 잔을 천천히 휴지통 속에 거꾸로 쏟아 부었다. 그리고 거실로 나갔다.

"아니, 이게 무슨 변고예요."

손에서 피를 철철 흘리고 있는 지훈을 보며 아주머니가 겁에 질려 소리치고 있었다. 거실 벽에 걸려 있는 현 여사의 500호 크기의 그림 유리가 산산조각 나 있었다.

"내가 할 수 있는 건 네 고통 옆에 서 있는 것뿐이다."

오히려 공포와 떨림이 진정되어 현 여사의 음성은 한결 차분했다. 더 이상 아들을 속일 필요가 없는 지금, 죄책감으로부터 해방된 것이 시원하기도 했다. 반대로 지훈은 고통과 격정에 기름을 끼얹은 듯 몸부림치기를 계속했다.

"어머닌 악마예요. 주위 사람들에게 고통만 안겨 주고 있어요. 그 뻔뻔스러움이 구역질나요."

깨어진 유리조각으로 다시 자신의 몸에 자해를 하려는 지훈에게 달려들어 유리조각을 빼앗았다. 지훈은 현 여사의 품에서 빠져 나가 밖으로 뛰쳐나갔다. 개들이 놀라서 걱정스러운 듯 짖어댔다. 잠시 후 차고에서 차를 빼내는 소리가 들려왔다.

아, 아 이렇게 해서 너도 내 곁에서 떠나가는구나. 온몸에서 맥이 빠져 나갔다. 서 있는 것이 힘겨웠다. 현 여사는 소파에 주저앉아 손바닥으로 얼굴을 감싸쥐었다.

야수 : 이것이 네 운명이야. 네가 지닌 극단은 세상적인 것과 결코 화해할 수 없는 것이야. 너의 강함은, 열렬함은 제물을 필요로 하지, 더불어 사귀고 나누는 평범한 관계를 원하는 게 아니야. 너는 주변을 파괴하고, 너 자신도 파괴할 때만 살아 있음을 느끼지. 상처는 너의 전리품이야.

제물 : 나는 너의 제물일 뿐이야. 본래의 나는 고통도 상처도 두려워하는 평범한 사람이야. 이제는 그만 날 놓아 줘.

야수: 너는 스스로 파먹히고 있는 거지, 내가 널 붙잡고 있는 게 아니야, 아마도 네 힘의 마지막 한 방울까지 다 소진되도록 멈추지 못할걸.

제물 : 놓아 줘. 날 놓아 줘.

지훈의 차는 비탄에 잠긴 현 여사의 가슴에 피 묻은 바퀴 자국을 남기며 떠나갔다.

부 인(否認)

말없이 그냥 끊는 전화가 며칠째 계속되고 있다. 이 사람 저 사람 얼굴을 떠올려 보지만 좀체 그 정체를 잡을 길이 없다. 현 여사가 아닌 것은 분명하지만, 그렇다고 전혀 짐작 밖에 있는 것도 아니다. 김민서를 만난 이후 현 여사는 내가 그를 만나고 있지 않나 궁금해할 것이 틀림없다. 드러내놓고 물어 보지 못하는 대신, 전화를 걸어 책상을 지키고 있는지 탐색해 볼 수도 있다. 김민서일 가능성은? 그가 전화를 하는 것이라면 당당하게 자기를 밝히고 용건을 말하지 않을까? 아니면, 그에게도 명쾌할 수만은 없는 옛 기억의 앙금이 있어, 나를 만나기를 꺼리는 것일까. 최 국장이 혹시나? 그날 이후, 그가 날 바라보는 시선은 예전 같지 않다. 며칠 전 승강기에서 단 둘이 마주쳤을 때 그의 어색한 태도는 무얼 말하는 것일까. 지훈에게 무슨 일이? 결혼 제의를 거절한 이후, 두 달이 가깝도록 그는 내게 전화 한 번 하지 않았다. 쉽사리 포기하지 못하리라는 내 짐작과는 달리, 그가 관망하고 있는 이유는? 아니면, 촬영중에 다친 것도 내 대답이 남긴 후유증일까.

해가 짧아진 탓으로 여섯 시가 조금 지났을 뿐인데, 주위는 캄캄했다. 노천 주차장의 하나뿐인 외등만으로는 어둠을 밝히기에 충분치 않았다. 영화인협회에서 주관하는 모임에 잠시 얼굴만 비치고 나서 현 여사에게로 갈 참이었다.

차를 세워 둔 곳에 이르러 나는 흠칫 놀랐다. 오리털 파카 속에 깊숙이 얼굴을 파묻고 한 남자가 내 차 트렁크에 기대어 서 있었다. 다음 순간 그가 지훈임을 알아보고 나는 다시 한 번 놀랐다.

“왜 여기 서 있어요? 전화를 하지 않고?”

이유는 알 수 없었다. 며칠 전부터 내게 온 괴전화의 주인공이 그일지도 모른다는 생각이 스쳐 갔다.

"얘기 좀 하려구."

"지금 모임에 가는 길인데요."

"실랑이하기 싫지만 할 수 없군."

지훈은 내 팔을 덥석 잡아끌었다.

그가 내게 이처럼 거친 말투와 행동을 하기는 처음이었다. 자세히 보니 수척한 얼굴이 덥수룩한 수염에 파묻혀 있었고, 입에서 술냄새가 났다. 그는 한동안 자기를 놓고 지낸 듯했다.

"알았어요. 일단 차를 타세요."

"내 차로 와요."

나는 생각을 바꾸고 순순히 그의 뒤를 따랐다. 그를 다치게 한 어떤 고통이 금방 과격한 행동으로 변할 것 같은 기미가 다소 두렵기도 했다.

"무슨 일이 있었어요?"

운전대를 잡고 있는 그의 오른손엔 때묻은 붕대가 감겨 있었다. 지훈은 잠자코 담배에 불을 붙여 물고, 천천히 차를 후진시켜 주차장을 빠져 나갔다. 아주 낯선 침묵이 우리 사이의 소원함의 골을 한층 깊게 했다.

그가 나를 낯설어할수록 내 마음은 안으로 움츠러들었다. 한때 그에게 품었던 나의 아련한 감정도 아득한 옛일처럼 여겨졌다.

차는 광화문과 자하터널을 지나 평창동 쪽으로 접어들었다. 그가 나를 이토록 낯설어하는 이유가 뭘까. 소식 없이 지낸 두 달이 그렇게 긴 시간이었을까. 혹시 현 여사와의 관계를 눈치챈 것은 아닐까? 그럴 리가……?

동성이란 안전한 우산이 우리를 가려 주고 있는데, 그가 어떻게 우산 속의 일을 눈치챌 수 있을까. 어쨌든 내 가슴을 겨냥하고 있는 그의 무거운 침묵 속엔 심상치 않은 것이 감춰져 있는 게 분명했다. 어느새 나는 오른손으로 귓밥을 만지작거리고 있었다.

지훈이 갑자기 차를 세운 것은 지난번 그가 나를 데리고 갔던 레스토랑 근처의 한적한 길 위에서였다. 높다란 담장 곁에 세워져 있는 가로등 불빛이 호젓한 길을 덮고 있는 두터운 어둠을 희미하게 밝혀 주고 있었다. 나는 넌지시 코트 깃을 올렸다.

"추워요?"

지훈이 손을 위로 뻗어 불을 켜고 나를 유심히 지켜보았다. 그때 불현듯 그에게서 날아올 침묵 뒤의 말이 무엇인지 짐작되었다. 나는 코트 깃을 말아 쥔 채 고개를 가로저었다. 나는 이미 방어하고 있었다. 자기 자신을 깊숙이 감춤으로써.

그는 담뱃갑에서 담배를 뽑아 입에 물고 불을 붙인 뒤, 자기 옆의 차창을 아래로 조금 내렸다. 그렇게 해서, 그의 내부에서 말이 나를 향해 날아올 준비를 하고 있었다.

차창을 조금 내렸다고 하지만, 담배연기는 이내 좁은 차 안을 매캐하게 채웠다. 참을 수도 있었지만 나는 기침을 터뜨렸다. 내가 기침을 그치자, 그가 말문을 열었다.

"언제부터 그렇게 되었어요?"

"뭐가요?"

나는 짐짓 어리둥절한 표정을 지었다.

"우리 어머니를 정말로 좋아해요?"

"무슨 뜻이에요?"

그가 무안하리만큼 나는 그를 빤히 쳐다보았다. 그것은 힘겨운 일이었다.

"여자끼리도 사랑의 감정을 주고받는다면서요?"

그의 어색한 미소가 내게는 비웃음으로 느껴졌다. 점점 많은 수로 불어나는 그가 나를 비웃고 있었다. 얼굴이 화끈거렸다.

"그걸 왜 나한테 물어요?"

"소연 씨 마음을 정직하게 밝혀 주는 것이 나에 대한 예의가 아니겠어요?"

"지훈 씨가 알고 싶은 것이 정확하게 뭔데요? 결혼 얘기라면 지난 번 대답으로 이미 끝나지 않았어요?"

나는 이제 더 이상 귓밥을 주무르고 있지 않았다.

"이제 보니 소연 씨는 우리 어머니의 감정까지도 희롱하고 있군요."

"글쎄, 그게 무슨 뜻이냐구요? 지훈 씨 어머니의 감정이 뭔데요?"

"깊은 사이가 아녜요? 서로가."

"천만에요."

고개를 단호하게 가로저으며 나는 다시 한 번 되풀이했다.

"잘못 아신 거예요. 나는 아녜요."

그의 얼굴에 떠오른 쓰디쓴 환멸이 내 입을 다물게 했다. 그는 다만 진실을 알고 싶어했을 뿐인데, 나는 과잉방어를 하고 말았다.

그럼에도 두려움이 나를 잡고 놓아주지 않았다. 그녀와의 관계를 인정할 경우, 내게 찍힐 낙인이 두려웠다. 특히 남성에 의해서 매우 모멸스럽게……. 생각만 해도 싫다. 그리고 더욱 중요한 것은 그 모멸을 감수할 만큼 그 진실의 의미가 내 삶의 의미 전부가 될 수 없다는 것이다.

나는 불쾌감을 드러내며 자동차 문을 열려다 덧붙였다.

"지훈 씨 어머니가 무슨 말씀을 하셨는지 모르지만 그건 그분의 일이에요. 나를 끌어들이지 마세요."

자동차 문을 소리나게 닫은 뒤, 나는 발길 닿는 대로 걷기 시작했다. 걸음이 휘청거렸다. 높은 담 안에서 개 짖는 소리가 들려왔다. 차가운 바람이 머리칼을 뒤엎고 옷깃으로 파고들어도 뺨의 열기는 좀체 식을 줄 몰랐다. 수치심이 새록새록 얼굴을 화끈거리게 했다. '하지만 나는 안전해. 나 자신을 철저하게 보호했어'라고 나는 입속으로 중얼거려 보았다.

자동차 한 대가 내 곁을 스쳐 지나갔다.

저만큼 달려가고 있는 자동차의 번호판이 눈에 익은 것이었다. 커브길에서 지훈의 차가 모습을 감춰 버리자, 나는 길 위에 혼자 남겨졌다. 자동차 소리가 더 이상 들리지 않게 되어서야 나는 비로소 긴장을 놓았다.

터벅터벅 걸음을 옮기면 옮길수록 주위는 점점 낯설어졌다. 길 가는 사람을 까닭 없이 멸시하는 듯한, 거드름 섞인 높고 도도한 담장들 사이의 삭막한 길. 모든 것이 나로부터 철저하게 무관했다. 그런데 나는 방금 이런 세상을 두려워하여 거짓된 말의 방패 뒤에 비열하게 몸을 숨겼던 것이다. 구차스럽고 씁쓸했다. 자신을 보호하기 위해 방패 뒤에 숨은 나는 자기 말에 갇히어 깊은 상처를 입었고, 현 여사나 지훈은 뜨거운 감자를 삼켜 고통스러울 테지만 마음은 홀가분할 것이다.

나를 기다리며 방 안을 서성이고 있을 현 여사의 모습이 그려진다. 그녀의 판판하고 시원한 이마에서 스며나오는 서늘한 기운, 시리도록 가슴을 깊이 파고드는 하얀 미소, 가만히 놓여 있어도 몸을 저리게 하는 억센 손의 열렬한 정염…….

그로부터 한 시간 반 뒤에 나는 아무런 일도 없었던 듯이, 태연하게 현 여사의 작업실 문을 두드렸다. 언덕을 내려와 보니 자기를 합리화하는 그럴싸한 변명이 부끄러운 자의식을 말끔히 씻어 주었던 까닭에.

말다툼

문만 열어 주고, 현 여사는 이내 돌아서 무선전화기로 통화를 계속했다. 나는 실내를 가로질러 그네로 가서 앉았다. 좀전까지도 현 여사가 앉아 있었던 자리에 체온이 남아 있었고, 그네는 내가 앉자마자 또다시 앞뒤로 흔들거렸다.

"지훈이한테서 무슨 연락 온 거 없어요?"

가정부 아주머니에게 잘 들리라고 큰 소리로 말했기 때문에, 나는 이내 현 여사가 무슨 통화를 하고 있었는지 짐작할 수 있었다. 잠시 후 수화기를 내려놓으며 그녀가 한숨을 크게 쉬었다.

"지훈이가 집을 나갔어."

나는 못 들은 체했다. 그녀가 말을 계속했다.

"너하고 결혼하고 싶다고 해서, 내가 사실대로 모두 말해 주었지."

"……저라면 그러지 않았을 거예요."

짜증스런 내 마음을 대신해 주듯, 그네가 삐걱거리는 소리를 냈다.

"너라면 어떻게 하지?"

"사실을 비켜가야죠."

"어째서? 그건 너 자신에 대한 모독일 뿐만 아니라, 나에 대한 모독이기도 한데."

"선생님은 자신의 진실만 생각했지, 그 때문에 남이 고통 받고 상처 입는 것은 생각하지 않으세요."

"그건 지훈이를 위한 거야, 아니면 너 자신을 위한 거야?"

"저는 선생님이 남 앞에서 저와의 관계를 사실대로 말하는 걸 원치 않아요."

내 말에 충격을 받은 듯, 현 여사는 나무토막처럼 소파에 주저앉았다. 그녀가 무참한 표정으로 중얼거렸다.

"내가 너에게 부끄러운 존재라니……."

"그런 뜻이 아녜요."

나는 화가 났다. 늘상 감정의 절박함 속에서만 머물러 있으려는 그녀의 병적인 편집증이 지겨워지기 시작했다.

"선생님은 비켜갈 수 있음에도 고통을 만들어 내고 있잖아요. 거기에 저를 끼워 넣지 마시라는 거예요."

“너는 남의 입을 통해 내가 너를 대수롭지 않게 생각한다는 말을 들어도 괜찮다는 거지?”

“괜찮지는 않지만 이해는 할 수 있을 것 같아요.”

“뭘 이해해? 사람은 자기만큼밖에 타인을 이해하지 못하는 거야. 나는 내 식으로밖에 너를 이해하지 못하겠어.”

자리에서 벌떡 일어난 현 여사는 ‘정’으로 들어가서 뭔가를 가지고 나왔다. 그녀가 그것을 다탁(茶卓) 위에 놓았다.

“만약 남의 입을 통해 네가 나를 모욕하는 소리가 들려오면, 그땐 용서하지 않겠어.”

그녀는 창가로 가서 버티컬을 잡아당겼다. 차르륵 하는 소리와 함께 어두운 밤하늘을 입은 유리창 위에 실내의 풍경이 남김없이 비치었다. 그네가 나를 태우고 여전히 삐걱거리는 소리를 내고 있었다.

“거기 봉투 안에 계약서와 열쇠가 들어 있어. 이제 그 방은 네 것이야. 다달이 월세를 조금 내야 하는데, 그건 네가 알아서 해.”

도대체 저에게 이러시는 이유가 뭐예요? 나는 지금까지 이 말을 그녀의 가슴 깊숙이 찔러 넣기를 망설여 왔다. 그 대답이 두려웠기 때문이다. 지금도 그러했다. 사람들은 운명적 사랑을 만나고 싶어하지만, 막상 그것이 속얼굴을 보이면 무서워서 달아나게 된다. 목숨을 담보로 하는 질주. 처음 만나던 날, 그녀는 이미 그 타협 없는 속얼굴을 나에게 보여 주었었다. 무언가 광폭한 바람의 자락 같은 것이 덮쳤고, 엄청난 무게가 내 위로 실리며…….

나는 그네에서 일어났다. 오디오를 켜고 〈브룩클린으로 가는 마지막 비상구〉에 나오는 테마뮤직 테이프를 집어넣었다. 행진곡 풍의 긴박한 리듬이 실내에 퍼져 나갔다. 다음엔 가스불을 켜고 커피물을 올렸다. 물이 끓기를 기다리는 동안, 나는 가스 테이블 앞에서 춤을 추기 시작했다. 춤을 추는 동안 내 안에서 혼란스럽게 뒤엉켜 있던 생각들이 해답의 실마리를 찾아내고 있는 듯했다.

그녀가 완강한 침묵을 이끌고 내 등뒤로 지나갔다. '정'의 문이 열렸다 닫히는 소리를 냈다.

주전자 물이 끓기 시작했다. 나는 춤을 멈추고 보라색 아이리스꽃이 그려져 있는 머그잔에 커피를 탔다. 식탁에 앉아 커피를 천천히 음미하는 동안, 음악은 감미롭고 서정적인 〈사랑의 이데아〉로 바뀌었다.

음악이 끝나기 전에 나는 메모지 위에 짤막한 글을 적었다.

'선생님의 단호함이 이제는 무섭고 지겨워요. 원룸의 열쇠는 그냥 두고 갑니다.'

나는 머그잔을 씻어서 엎어 놓고 오디오를 껐다. 내가 방을 나서는 기척에도 그녀는 내다보지 않았다. 문이 열린 승강기로 들어가기 직전 나는 뒤를 돌아다보았다. 텅 빈 복도의 끝이 아득해 보였다.

불길한 고요

현 여사는 기다렸다. 음악소리가 멈추었으니 조만간 소연의 모습이 '정'의 문턱을 넘어서 안으로 들어설 것이다. 자기가 뱉은 말이 부끄럽고 후회스러워서. 그런데 문 밖의 기척은 그게 아니었다. 소연이 옷걸이에서 외투를 벗기다 떨어뜨렸고, 그 바람에 주머니에 들어 있던 동전이 쩔렁 소리를 냈다. 그것으로 현 여사는 소연이 '정'으로 들어오지 않고 그냥 돌아가려는 속셈임을 알아차렸다. 나가서 그녀를 붙잡아 세울까. 아니다. 가기 전에 인사라도 하고 갈 테니까 그때에 붙잡아도 늦지는 않을 것이다. 하지만 열리는 문소리는 '정'의 문이 아니라, 현관문이었다. 아니, 어찌 된 거야. 인사도 하지 않고 그냥 간단 말인가. 상처 입어 괴로운 것은 이쪽인데 자기가 오히려 화를 내다니. 나를, 또는 내가 자기에게 쏟는 정성을 대수롭지 않게 생각하는 것이 확실하군.

노여움이 끓어올랐다. 현관문 쪽으로 달려나가고픈 마음을 그 노여움이 가로막았다. 문이 닫히는 소리와 함께 가슴이 뛰고 숨이 막히는 듯했다. 그래도 희망이 없지는 않았다. 무참히 저버림을 당한 듯한 쓰디쓴 마음에 한 가닥 위안이 되는 것은 소연이 그래도 자기의 도움을 받고 있다는 것이다.

그 도움의 끈마저 없다면, 그녀가 세상의 미궁 속으로 사라져 버릴 때마다 무엇으로 그녀와의 관계를 확인할 수 있겠는가. 저 종잡을 수 없는 마음의 변덕에 희망을 걸기보다는, 그녀가 쓰고 있는 만년필, 그녀가 들고 다니는 가방, 부츠, 스카프가 보다 확실한 징표가 되고 있지 않는가. 그녀가 가끔씩 신경질적으로 토라져 보는 것도 자신이 입은 경제적 도움에 대한 부담감 때문일지도 모른다. 현여사로선 소연에게 도움을 줄 수 있다는, 그 도움이 그녀의 생활의 일부분과 맞물려 요동치는 마음의 흔들림에 상관없이 관계를 이어가는 힘으로 변하고 있다는, 그 믿음조차 없다면 참으로 막막할 것이다. 그 때문에 적지 않은 액수임에도 원룸을 얻게 된 것이고, 자신이 지닌 모든 소유를 소연에게 남기는 유언장을 만들게 된 것이다. 그녀의 종잡을 수 없는 마음의 심연을 향해 던지는 마지막 구명대. 그러고도 여전히 그녀 마음의 변덕을, 요동침을 멈추게 할 수 없다면? 기가 막힐 노릇이다. 남은 것은 목숨뿐이니까.

어찌 됐든, 현 여사는 소연이 원룸 계약서와 열쇠를 가지고 갔으리라는 것을 의심치 않았다. 그래도 확인해 보고 싶어 '정'에서 나왔다. 열쇠와 계약서는 다탁 위에 그대로 있었다. 인사도 없이 그냥 가는 마당에, 아무리 자기에게 준 것이라고 하더라도 말없이 챙겨 넣고 가는 것이 쑥스러웠던 것일까. 당돌하지만 결코 뻔뻔스럽지 않은 순결한 마음씨의 일면이었다. 반면에 그만큼의 격의를 품고 있다는 증거이기도 했다.

현 여사는 어리둥절하기만 했다. 그녀가 왜 그냥 돌아갔는지 이해할 수 없었다. 남 앞에서 두 사람의 관계를 사실대로 말하는 것을 원치 않는다는 말에 충격을 받은 것은 현 여사 자신이었다. 핏덩이 때부터 길러온 자식을 잃어버릴 각오까지 하며 진실을 털어놓은 자기에게 소연이 드러내 보인 야멸찬 이기심. 그 이기심을 정면으로 가혹하게 공격하지는 않았어도, '남의 입을 통해 네가 나를 모욕하는 소리가 들려오면 용서하지 않겠다'는 말로 더 이상 물러설 수 없는 선을 그어 놓았던 것이다. 그 선은 소연을 위한 것이라기보다 자기 자신을 위한 것이다. 진정 그것만은 용서할 수 없는 일이다. 이 말이 그녀를 두렵게 한 것일까.

소연이 가스 테이블 앞에서 춤을 추던 모습이 되살아났다. 자기 안의 한 점을 깊숙이 노려보며, 어르기도 하고 밀어내기도 하며, 포근히 안기는 시늉이 돌연 뿌리치고 달아나는 몸짓으로 바뀌었다가, 다시 돌아와서 애소하며 매달리는 것 같은, 춤이라기보다 오히려 마임에 가까운……. 그때 현 여사는 식탁 위에 놓여 있는 쪽지를 발견했다. 쪽지를 펴는 손이 떨렸다. 마냥 부풀어오르는 기대. 하지만 내용은 뜻밖이었고, 무릎이 꺾일 만큼 가슴이 내려앉았다. 도대체 무슨 내용이 쓰여 있기를 기대했단 말인가. 이 건방지고 도도한 계집의 콧대를 어떻게 꺾어 놓는단 말인가. 선생님의 단호함이 이제는 무섭고 지겹다구? 원룸의 열쇠는 그냥 두고 간다구? 쪽지에 쓰인 글귀에 비웃음을 한껏 담아 자신에게 들려준다, 되풀이해서. 봐라, 이것이 너의 눈먼 사랑에 대한 그녀의 냉랭한 보답이다. 여기서 네 마음을 돌리지 못한다면 그녀로부터 더욱 험한 대접을 받게 될 거야. 아, 그러나 어쩌면 좋단 말인가. 낙담과 분노로 가슴이 지글거리는데도 현 여사는 기다림을 놓을 수가 없었다.

엘리베이터 속에서 소연은 결국 자신이 너무 지나쳤다는 것을 뉘우치고 돌아올지도 모른다. 현 여사는 짐짓 현관문에 몸을 바짝 기대고 바깥의 소리에 귀를 기울였다. 그녀를 싣고 내려가던 승강기는 문이 채 열리기도 전에 올라오기 시작한다. 2, 3, 4, 5에서 불이 꺼지며 문이 열린다. 복도를 되짚어 오는 발자국소리. 그러나 사실은 아무 소리도 나지 않는다. 현 여사는 현관문을 열고 복도를 살펴보았다. 까마득하게 깊어 보이는 빈 복도.

짐작이 잘못된 것이다. 소연은 자동차에 시동을 걸고 있었던 것이다. 키를 통해 손끝에 전달되는 차체의 떨림. 그 순간 독하게 돌이키려던 마음이 허물어지며 두려움이, 쓸쓸함이 엄습한다. 도대체 내가 그녀에게 무슨 잔인한 짓을 하고 있단 말인가. 나를 사랑해서 자기의 모든 것을 아낌없이 주려는 그녀에게. 후회 또 후회. 그렇지만 지금 다시 되돌아간다면 부끄럽지 않을까. 망설임은 잠시, 소연의 손은 이미 시동을 끄고 자동차 키를 핸들에서 뽑는다. 자동차 밖으로 나와서 문을 닫는다. 지하주차장의 싸늘한 공기가 조금도 춥게 느껴지지 않는다. 건물의 지하 계단을 오르는 그녀의 발걸음이 두 계단씩 뛰어오르고 있다. 몇 분 뒤엔 그녀의 모습이 복도에 나타날 것이다.

현 여사는 재빨리 현관문을 닫고 소파로 와서 책을 펴들었다. 평온하고 무심하게 앉아 책을 뒤적거리고 있었던 듯이 보이기 위해. 하지만 맘속에선 밭은 기다림이 방울방울 피를 태우고 있었다.

이번에도 잘못 짚은 걸까. 그녀는 벌써 거리를 달리고 있는지 모른다. 어수선하고 심란한 기분. FM 방송을 틀어 본다. 또록또록한 여자의 음성이 서울 시내에서 벌어지고 있는 각종 문화행사에 대한 소식을 전하고 있다. 채널을 바꿔 본다. 기타 반주에 맞추어 존 덴버가 노래하고 있다. 왈칵 짜증이 끓어 오른다. 방송을 꺼버린다. 어쩐지 자기는 오래 버티지 못할 것처럼 느껴진다. 언니가 아이 둘을 데리고 와서 북적거리게 되면 절로 비어 있는 원룸의 문을 열어젖히고 말 것이다. 그때 가서 속보이는 짓을 하기보다는 차라리 지금 순순히 그녀의 호의를 받아들이는 것이……. 마침 신호등이 바꿔어 좌회전 신호를 받게 된 김에, 그녀는 차머리를 돌려 오피스텔로 되돌아온다. 다시 FM을 틀어 본다. 이번엔 플루트를 주축으로 한 클래식 음악이 흘러나온다. 갑자기 음악이 귀를 즐겁게 한다.

현 여사는 소파에서 일어나 오디오 앞으로 걸어갔다. 리모콘을 누르자 자동으로 테이프가 풀리며 음악이 흘러나왔다. 음악은 소연이 멈춰 놓은 상태에서 다시 시작되고 있었다. 제목은 알 수 없으나 청아하고 맑은 선율이 살도 뼈도 녹일 듯 파고들었다. 소연이 들어서면 아무 말도 하지 말고 그저 으스러지게 껴안아 줘야지. 혼이 섞이고 살이 섞여서 하나의 숨결로 다시 태어날 때까지. 어느덧 테이프가 모두 풀리어 음악이 멈추었다. 현 여사는 시계를 보았다. 그녀가 집에 도착하고도 남을 만한 시각이었다.

집까지는 내친김에 그대로 갈 수도 있다. 그러나 등뒤로 방문을 닫고 나면 알 수 없는 고달픔이 엄습할 것이다. 결국 감정의 줄다리기일 뿐이다. 내가 그녀 안으로, 그녀가 내 안으로 얼마만큼 더 걸어 들어오게 하느냐 하는 싸움. 내가 그녀 안으로, 그녀가 내 안으로 좀더 들어온다 한들 무엇이 달라지겠는가. 이 모두가 허무한 감정의 낭비일 뿐이다. 그녀를 애타게 하고, 기다림에 지치게 해서 무얼 어쩌자는 건가. 소연은 가방에서 핸드폰을 꺼낸다.

탁자 위에 놓여 있는 전화기는 잠든 듯 조용했다. 현 여사는 불현듯 기계가 의심스러워졌다. 혹시 코드가 빠져 있지 않나 해서 살펴보았고, 수화기를 들어 윙 소리가 나는지도 확인해 보았다. 그 순간 현 여사는 더 이상 참을 수 없어지고 말았다. 체면, 인격, 자존심, 자기와의 약속을 일순간에 뒤엎으며 마음속 깊은 곳으로부터 비명이 터졌다. 숨을 쉬어야 해, 숨을. 현 여사는 허겁지겁 소연의 전화번호를 눌렀다.

자정의 유령

뛰는 가슴에서 후드득거리는 빗방울 소리가 나는 것 같았다. 애태움으로 바싹 마른 입술을 축이며 기다렸다. 발신음이 떨어지는가 했을 때, 낯선 음성이 입력된 메시지를 전해 주었다. "지금은 수신자가 전원을 꺼놓고 있습니다."

전화를 끊으면서 현 여사는 생각했다. 핸드폰을 꺼놓고 있는 것을 보면 집에 도착한 것이 분명해. 집으로 전화를 할 경우, 다른 사람이 받을 수도 있겠지만, 어찌 됐든 현 여사는 숨을 쉬어야 했다. 예상대로 쇳소리나는 음성의 남자가 전화를 받았다. 소연의 아버지일 것으로 짐작되었다.

"방소연 씨 있으면 좀 바꿔 주십시오."

"아직 안 들어왔는데요."

"……!"

집안 식구들한테 바꾸지 말라고 부탁해 놓은 걸까.

"여보세요, 아직 안 들어왔다구요."

"그럼 언제 들어올까요?"

"글쎄요, 요즘 매일 늦어 놔서. 거기 어디세요?"

매일 늦는다고? 현 여사는 혀가 굳는 것 같았다. 저쪽에서 무례하게 여길 거라는 생각이 들지만, 전화를 그냥 끊었다.

그러니까 오늘도 다른 곳에 볼일이 있었던 거야. 일찍 돌아갈 핑계를 만들려고 나한테 화를 내본 거야. 입술 사이로 새어나오는 신음을 깨물며 두 손으로 받쳐든 무선전화기를 골똘히 노려보았다. 분노의 화염이 쉽사리 자기를 삼키지 못하도록 나름대로 냉정함을 잃지 않으려 애쓰고 있었다. 최근 들어 소연이 함께 있다가 늦게 귀가한 날이 언제 언제였는지 꼼꼼히 따져 보기 시작했다. 월수금의 약속이 비교적 성실하게 지켜져 온 셈이었다. 하지만 소연의 아버지는 분명히 매일 늦는다고 말했다. 두 사람이 함께 있지 않은 날에도 소연은 집에 늦게 들어왔던 것이다.

거의 반사적으로 음악회에서 만난 남자의 얼굴이 떠올랐다. 그날 남자의 태도로 봐선 소연을 불러낼 것이 분명해 보였다. 옛 인연이 있는 만큼 두 사람은 만나는 즉시 깊은 친밀감을 확인했을 것이다. 만남이 거듭되어 왔다면 지금쯤 소연의 마음은 그에게 깊이 빠져 들고 있을지도 모른다. 마음뿐이 아닐지도 모른다. 현 여사는 자리에서 벌떡 일어났다. 가슴이 터질 듯 답답했다.

그러고 보니 소연의 태도에도 의심스러운 구석이 없지 않았다. 며칠 전 소연은 넓적다리에 생긴 질푸른 멍을 이상스럽게 생각하는 현 여사에게 이렇게 설명했다.

"수영을 하는 중에 옆줄의 누군가가 발로 찼어요."

그것뿐만이 아니었다. 소연의 속옷이 최근 들어 화려한 레이스 장식이 붙은 색깔 있는 것으로 바뀐 점도 이상했다. 은근히 우회적으로 물어 보았다.

"내가 사준 속옷들은 왜 안 입지?"

"요즘 제 마음이 칸나처럼 야해졌나 봐요."

그때의 짓궂은 미소도 꺼림칙했다.

또 어느 날은 자기 친구의 얘기라면서 음탕한 말도 서슴지 않았다.

"걔는요, 외모는 뚱뚱하고 둔해 보이는데, 동시에 세 남자를 번갈아 만나고 있대요. 그런데 두 남자는 서로 친구 사이래요. 어느 날 그 중 한 남자와 야외에 놀러 가기로 하고 약속장소에 나가 봤더니, 글쎄 자기의 또 다른 연인인 친구를 데리고 왔더래요. 세 사람은 시외버스를 탔는데, 두 사람씩 앉는 좌석에 여자를 가운데 두고 나란히 끼여 앉았대요. 얼마쯤 가다가 여자는 숄을 벗어서 무릎을 덮었대요. 숄이 커서 세 사람의 무릎을 동시에 덮을 수 있었대요. 그러자 여자는 오른쪽 연인과 풍경 얘기를 하면서, 왼손으로는 왼쪽 연인의 바지 지퍼를 내렸대요. 또 얼마쯤 가다가 왼쪽 연인과 영화 얘기를 하면서 오른손으로 오른쪽 연인의 바지 지퍼를 내렸대요."

"포르노 같군."

소연을 당혹스럽게 바라보며 현 여사는 씁쓸하게 중얼거렸다.

"포르노가 재미있지 않아요?"

소연은 현 여사의 반응이 공연윤리위원회 심의위원 같다고 놀리면서 웃었다.

"나는 너라는 사람을 갈수록 잘 모르겠어."

언짢은 마음을 숨길 수 없었다. 소연의 성정에 대해 의구심이 생겼다기보다, 외부에서 그녀를 자극하고 들뜨게 해서 돌발적인 행동을 하게 하는, 보이지 않는 바람의 정체가 무엇인지 궁금했다.

또다시 소연의 핸드폰 번호라도 눌러 보지 않을 수 없었다. 여전히 같은 메시지가 흘러나왔다. 일단 전화를 끊었다가 마음을 집중해서 다시 신중하게 번호를 눌렀다. 그러고 나서 똑같은 음성 녹음이 흘러나오자, 그것이 무슨 암호나 되는 듯이, 그 암호만 풀면 소연이 있는 곳을 알아낼 것 같은 헛된 기대에 더욱 절박하게 매달렸다.

어디선가 소연이 그런 자기를 의기양양하게 지켜보고 있을 것 같았다. 그것 보세요. 선생님은 내가 잠시만 눈앞에 안 보여도 숨을 쉴 수가 없게 되죠. 아마 지금 선생님의 심정은 내가 딴 남자와 같이 있어도 좋으니, 있는 곳만 알려다오, 하고 있을 거예요.

그때 혹시나 하는 생각이 스쳐 갔다. 집으로 전화를 걸어 보고 싶어졌다.

"아주머니 저예요. 누가 날 찾는 전화 없었어요?"

"글쎄 말예요, 오죽 답답하시겠어요. 무슨 일인지 모르지만 자식된 도리가 그게 아닐 텐데……."

충직하긴 해도 이 가정부가 무얼 알겠는가. 그녀는 지훈이 얘기를 하고 있었다. 현 여사는 개의치 않았다. 전화선 저 끝에 누군가 사람이, 대화를 나눌 사람이 있다는 것만으로도 위안이 되고 있었다.

"누구에게 정을 준다는 것이 이렇게 어려운 일인 줄 몰랐어요."

"시간이 흐르면 지훈이도 알게 될 거예요."

"저러다 안 돌아오면 어떡하죠?"

"그런 말씀 마세요."

"아줌마, 난 그 아이 없으면……."

갑자기 울음이 북받쳤다. 수화기를 귀에 꽉 댄 채 흐느껴 울었다.

"진정하세요. 제가 뭐 도울 일이 있으면 말해 주세요."

"미안해요, 아줌마. 나도 이러고 싶지 않은데 내 마음을 내가 어쩌지 못하겠어……."

눈물로 젖은 수화기를 치마에 닦고 나서 목소리를 가다듬었다.

"부탁이 하나 있어요. 거기 메모지 있지요? 내가 부르는 전화번호 받아 쓰세요."

"여기가 어딘데요?"

"지훈이 친구, 소연이란 아가씨 집이에요."

"아아, 지난번에 집에 왔던 여기자 아가씨 말이군요. 참 거기다 알아 보면 지훈이 소식을 알 수 있을지 모르겠군요."

"다른 말은 일체 하지 말고, 소연이가 전화를 받으면 내가 몹시 아프니, 전화 좀 꼭 해달라고 말해 주세요. 그리고 빨리 나한테 전화해 주세요."

갑자기 어디선가 희망의 빛이 흘러든 것 같았다. 설사 아주머니로부터 기대할 만한 소식을 얻어 듣지 못하더라도 이 밤을 견디기가 조금은 쉬워진 것 같았다. 잠시 후 전화벨이 울렸다.

"집에 아직 안 들어왔다는데요. 좀 있다가 다시 전화해 볼까요?"

"됐어요. 문단속 잘 하고 주무세요."

일말의 기력을 되찾은 것이다. 그러나 시간은 아직 열한 시 이십 분밖에 되지 않았다. 긴 긴 밤이, 집요하게 날뛰며 달려드는 온갖 유령들과의 싸움이 고스란히 남아 있는 것이다.

현 여사는 바쁘게 움직이기 시작했다. 잠시 후 비디오테이프 다섯 개, 독한 위스키 한 병, 뜯지 않은 담배 두 갑과 재떨이, 성냥, 신경안정제가 들어 있는 약병, 생수 한 병과 글라스 한 개가 전열을 가다듬은 병사들처럼 탁자 위에 늘어놓여졌다.

그러고도 현 여사는 전화기를 손에 들고 화실 안을 서성거렸다. 이윽고 조리대로 가서 과도를 가지고 와서 탁자 위에 놓고 나서야, 비로소 한숨을 푸 쉬며 소파에 주저앉았다.

그렇다, 한 손이 소연에게 전화를 걸기 위해 수화기를 집어들면 그 손을 내려치리라.

혼 란

시간은 더디 흘렀다. 독한 위스키와 함께 삼킨 두 알의 진정제가 가슴의 날카로운 통증을 조금쯤 무디게 해주고, 이제는 자정을 넘긴 시각이므로 전화에 매달려 있던 기대가 허탈한 체념으로 바뀌었음에도 불구하고, 그 자정의 자물쇠에 꽉 채워져 잠의 품속에 안겨 버린 소연과의 단절감이 오히려 단념되지 않는 불길을 더욱 부채질하고 있었다. 무엇이 이토록 절박한 것일까. 왜 매 순간순간이 마지막처럼 절절한 것일까.

두 손으로 머리를 감싸쥔 채 창문과 그네 사이의 빈 공간을 오락가락하며 자문을 계속했다. 어째서 이 밤이 아니면, 지금 당장이 아니면 안 된다는 것일까.

어느 날 두 사람이 영화를 함께 보고 나서 차를 마시고 있을 때였다. "왜 그러세요?" 뚫어질 듯이 바라보는 현 여사의 눈길을 피하며 소연이 물었다. 현 여사는 대답할 수가 없었다. 그녀를 앞에 두고도 그녀가 잡히지 않는 느낌. 다가가면 갈수록 더욱 절박해지는 느낌. 아니, 그 절박함은 그녀 때문이 아닐지도 모른다. 내일이면, 다음 순간이면 그 마법의 신비가 걷혀 버릴지도 모르는 것은, 지금 이때 이 순간 현 여사 자신의 감정인 것이다. 손이 떨리고 팔이 떨리고 마음이 떨렸다. 커피가 엎질러졌다. "왜 그러세요?" 소연이 당혹스러워하며 다시 물었으나, 대답할 수 없었다.

유령의 유린이 계속되었다. 마지막 자존심을 지키려는 현 여사의 손에서 맥없이 과도를 내려놓게 하고, 다시 전화를 집어들게 했다. 지금 너를 사로잡은 감정은 신기루 같은 거야. 언젠가는 사라질 마법이야. 두 번 다시 네게 찾아들지 않을 거야. 너를 통해 그녀 역시 신기루를 체험하는 행운을 얻은 거야. 잡어, 물어뜯어, 원통히!

그리하여 걷잡을 수 없는 불의 범람이 시작되었다. 소연의 집 전화번호를 누르는 손이 부들부들 떨렸다.

"여보세요."

편안하고 느린 말투의 여자 음성, 다행히 잠을 깨운 것 같지는 않았다. 소연을 바꿔 달라고 말하자, 누구냐고 물었다. 한순간의 망설임 끝에 친구라고 대답했다. "잠깐 기다리세요" 하고 여자는 소연을 불렀다. 조금 떨어진 곳에서 소연의 음성이 날아왔다.

"누구래요?"

"친구란다."

그 사이 조마조마한 마음으로 기다렸다. 드디어—.

"어떻게 된 거야?"

막혔던 호흡이 뚫리는 것 같았다. 그런데도 말투가 편안하고 부드러워지지 않았다. 그에 반해 소연의 목소리는 한 점의 흐트러짐도 없었다.

"뭐가요?"

"지금까지 어디서 뭘 했어?"

"시사회 때 놓친 영화 봤어요. 내일 기사를 써야 하거든요."

그런 줄도 모르고, 자기는 피를 말리며 기다렸던 것이다.

"쪽지는 뭐야?"

"뭐긴요. 거기 쓰인 대로 제 마음이 그렇다는 거죠."

"그 쪽지 보고 내 마음이 어땠을 것 같아? 왜 핸드폰을 꺼놓고 있었지?"

"영화관 안이니까 꺼놓고 있었죠."

그녀의 말은 무엇 하나 잘못된 것이 없었다. 오히려 이쪽에서 트집을 잡고 있는 형국이었다. 아, 이게 아닌데. 속으로 부르짖으면서도 여전히 생각지도 않은 말만 튀어나왔다.

"너 날 시험하고 있는 거지."

"……."

그녀의 침묵이 더욱 어긋나 버린 감정의 방향을 말해 주고 있었다.

"한 시간 뒤에 집 앞으로 나와."

"너무 늦었어요. 주무세요."

"좋아, 그럼 너는 자렴. 나는 지금 떠날 테니까."

"맘대로 하세요."

전화는 딸깍 끊어졌다. 무참함으로 얼굴이 화끈거렸다. 견딜 수 없는 아픔. 위스키를 병째로 꿀꺽꿀꺽 삼켰다. 그녀를 자게 놔두자. 내일의 태양이 다시 떠오를 테니까. 자신을 타이르며 간신히 텔레비전 앞에 몸을 주저앉혀 보았다. 숨을 헐떡거리면서도 그나마 화면을 쳐다볼 수 있는 것은 소연의 말이 떠오른 까닭이었다. "남자주인공의 성격이 아주 흥미로워요"라고 말하던 하찮은 그 한 마디 말에 매달리며, 현 여사는 영화에 몰입해 보려 애썼다.

숲속이었다. 초록빛 그늘이 드리워져 있는 풀숲에 누워 잠이 든 남자. 그의 얼굴을 덮고 있는 하얀 중절모자 위로 바람에 살랑거리는 풀잎이 풀벌레를 손짓하고 있다. 어딘선가 흰 옷 차림의 여인이 나타나 잠든 남자를 깨운다.

여 : 일리야 일리치, 오 분도 깨어 있지 못하는군요.

남 : 용서해 줘요. 나도 모르게 잠이 들어서.

남자는 토라진 여자의 뒤를 쫓으며 자신에 대해 설명한다.

남 : 주치의 말로는 내가 가끔 정신이 나간다고 하는데……(꿈에 대해 말하고 싶지만 갑자기 하품이 나온다) 구멍에 빠져 들어가는 느낌이 들 땐 나뭇잎처럼 편안하고 수액이 내려가는 소리가 들리는 듯하죠. 나뭇잎이 살랑거리고 흔들리면 나도 같이 흔들리는데 겁나진 않아요. 뿌리가 깊이 박혀 있으니까요.

두 사람은 걸음을 멈추고 서로를 바라본다.

남 : 만일 당신이 날아가면 어디에 떨어지게 될까요?

여자는 말없이 남자를 뚫어질 듯이 바라본다.

남 : 왜 그래요?

여 : 가끔 당신은 날 유모처럼 쳐다봐요.

자기 감정에 겨워진 여자는 돌아서서 언덕을 달려 내려간다.

남 : 올가, 기다려요.

뒤쫓아온 남자에게 여자는 느닷없는 질문을 던진다.

여 : 내가 죽으면 어떡하죠?

남 : 그런 말 말아요.

여 : 만일 내가 병이 나게 되면 날 못 찾게 될걸요. 집에도 없을 거예요. 당신은 어떡할 거죠?

남 : 미치거나 자살해 버릴 거예요. 하지만 당신은 안 죽어요.

간신히 달래고 있던 감정이 연인들의 대화로 인해 날카롭게 자극되었다. 가슴에서 피가 펑펑 솟는 것 같았다. 피를 펑펑 쏟음으로써 사랑에게 온전히 자기를 파먹힌다는 희열에 몸을 떨면서 현 여사는 다시 소연의 전화번호를 눌렀다. 바로 이 순간의 자기를, 그것도 지금 당장, 고스란히 소연에게 보여 주고 싶었다. 나의 이 고통이 너를 사랑하는 내 마음의 징표이다. 앞으로 나는 지금보다 더 아름답고 순수할 자신이 없다. 이 고통이 나를 죽음에 이르게 한다 해도 후회하지 않을 거다.

신호는 떨어졌으나 상대는 잠자코 있었다. 소연이 전화를 받고도 잠자코 있는 것이리라. 전화기를 들고 있는 손에 쥐가 났으므로 현 여사는 다른 손으로 팔목을 주물러 가며 더듬더듬 말했다.

"너에게 꼭 하고 싶은 말이…… 있었는데, 지금은…… 듣고 싶지 않은 거지? 그래 알았어. 난 그저…… 얼굴만 보고 오려 했는데 …… 그래 알았어. 자거라."

전화는 또다시 매정하게 딸깍 끊어졌다. 하지만 이번엔 어쩐지 단념의 여운이 후련했다.

거짓 용기 · 1

아침이었다. 잠에서 깨어난 현 여사는 항시 가슴을 옥죄고 있던 답답함이 사라진 것을 느꼈다. 호흡이 뻥 뚫린 듯 편안했고 자유로웠다. 자신이 딴사람으로 바뀌어 있는 것 같았다. 마음을 태우던 화염이 진정되고 자기가 본래의 자기로 돌아와 있는 것 같은…….

대담하게도 일부러 소연에 대한 것을 떠올려 보았다. 특히 어젯밤의 일을. 기가 꺾이리만큼 차분했던 그녀의 어조를. 그러나 아프지도 괴롭지도 않았다. 집요하게 달라붙어 흡혈귀처럼 마음을 파먹던 유령을 진지에서 쫓아낸 걸까. 그녀를 마음에서 놓아주기로 결심하고 고투한 일도 없는데?

자신감이 되살아났다. 거리낄 것이 없었다. 이제는 그녀로부터 전화가 오든 오지 않든 구애됨이 없이 마음대로 볼일을 보러 다닐 수 있을 것 같았고, 훌쩍 떠나고 싶을 때 언제든지 여행도 자유롭게 떠날 수 있을 것 같았다. 생각해 보니, 이 세상에서 자기의 마음에 반짝불을 켜주는 그녀가 거기 있다는 것만으로도 감사할 일이었다. 거기에다 그녀가 자기의 꿈에 눈부신 날개를 달고 비상할 수 있다면 기꺼이 도울 수 있겠다는 넉넉한 기분이었다. 어떤 점에서 소연으로 하여금 모르고 지나칠 수도 있는 세계에 눈을 뜨게 했고, 번뇌에 시달리게 한 것은 자기 책임이지 않은가. 거리낄 것 없는 그녀의 싱싱한 젊음에다 족쇄를 채운 것은 오히려 자기가 아닌가. 사랑이란 이름으로 그녀의 영혼을 감금하고 있다는 자책감이 투명한 물처럼 가슴에 차올랐고, 소연이 때없이 매몰차게 자기를 대하는 것도 마음의 고통이 크기 때문이라고 짐작되었다. 그녀를 자유롭게 놓아준다고 해서 그녀를 잃는 것이 아니라는 생각도 들었다.

샤워를 하고 옷을 갈아입을 때쯤엔 생각은 완전히 가닥이 잡혀 있었다. 이것은 혼자 마음에 품고 있을 것이 아니라, 소연에게 밝힘으로써 선물이 되게 해야 할 것이다. 시간이 빠르면 빠를수록 좋을 것이다. 그녀가 편안하고 즐거운 맘으로 하루를 시작할 수 있도록. 게다가 어젯밤 그런 투로 말없이 전화를 끊어 버렸으니 자고 일어나도 마음이 개운하지 않을 것이다.

쫓기는 기분 없이 느긋하게 스타킹의 색깔을 이것저것 골라 보고, 손가방에 들어갈 물건도 꼼꼼히 챙기는 것 중에는 소연이 두고 간 원룸의 열쇠도 있었다. 가방에 집어넣기 전에 현 여사는 열쇠를 한 번 꽉 쥐어 보다가 갑자기 소리내어 웃음을 터뜨렸다. 이제는 이것이 너를 놓아주는 내 마음의 징표가 되는 거다. 기나긴 고통의 밤이 이렇게도 밝고 찬란한 아침으로 반전될 수 있다니. 인생은 참으로 살아 볼 만한 가치가 있는 것이다.

입술에 되돌아온 십팔번을 오랜만에 흥얼거리며 현 여사는 오피스텔을 나섰다. 경비실의 벽시계가 여덟 시를 가리키고 있었다. 이른 아침의 차디찬 냉기에 두 빰을 흠씬 내맡기는 기분이 상쾌했다. 택시를 잡기 전에 현 여사는 신문사로 갈 것인지, 소연의 집으로 갈 것인지를 생각해야 했다. 어느 쪽으로 방향을 잡든, 오늘의 이 만남 속에는, 불의 수레바퀴를 달고 미친 듯이 내달린 질주, 사무침과 안타까움을 넘나들며 서로를 탐한 살의 정념, 질투, 고뇌에 종지부를 찍는 뜻이 담겨 있는 것이다.

소연의 집 앞에 도착했을 때는 여덟 시 삼십 분이었다. 출근 시간이 늦기 때문에 그녀가 아직 잠자리에 있을지도 모르지만, 잠을 깨운다 해도 그만한 이유가 충분히 있는 것이다.

두꺼운 구름을 뚫고 얼굴을 내민 아침 해가 집 그늘에 잠겨 있는 음산한 골목을 비추고 있었다. 가방을 든 삼십대의 젊은 직장인이 현 여사의 곁을 스쳐 지나갔고, 털목도리 속에 얼굴을 파묻은 교복 차림의 여학생이 뒤따라왔다. 소연이 살고 있는 금정빌라 앞에서는 검은 점퍼를 입은 머리 희끗한 경비가 비질을 하고 있었다.

너무나 일상적으로 이 아침을 맞고 있는 그들이 현 여사에겐 이상해 보였다. 자신이 품고 있는 위대한 결심으로 보자면, 당당히 소연의 집 현관문 벨을 누르고 그녀의 잠을 깨울 만하지만, 현 여사는 스스로 자중하는 맘에서 공중전화를 이용할 참이었다.

골목 안쪽 길모퉁이의 구멍가게 앞에 공중전화 부스가 있었다. 카드를 집어넣고 번호를 누르고 있을 때였다. 그녀가 가까이에 있다, 신호가 떨어지면 그녀의 목소리가 들려온다는 생각과 함께, 지금까지 평온하고 느긋하던 마음에 저릿한 떨림이 스쳐 갔다. 마지막 미련이다. 현 여사는 자신에게 중얼거렸다.

예상대로 소연은 자고 있었고, 누군가 그녀를 깨우는 것이 민망하기는 했지만, 그 때문에 순정한 용기가 위축되지는 않았다.

"여기 집 앞이야. 할 얘기가 있어."

현 여사는 자신의 어조가 의젓하고 당당하다고 느꼈다.

"네."

오랜만에 들어 보는 그녀의 '네' 소리. 현 여사로 하여금 맹목으로 빠져들게 했던 저 미혹의 메아리. 그러나 이제는 너끈해진 마음을 두 번 다시 뒤흔들지 못하리라.

잠시 후 소연의 모습이 경비실 앞에 나타났다. 짧은 사이였지만 세수를 했는지 앞머리카락이 젖어 있었다. 짙은 회색 폴라셔츠에 청바지를 입고 있는 것도 가볍게 옷차림을 돌본 것으로 보였다.

"이 근처에 찻집이 있어?"

"아직 문을 안 열었을 거예요. 제 차로 가시겠어요?"

소연의 차는 뒤뜰에 세워져 있었다. 자동차 앞자리에 둘이 나란히 앉고 보니, 밤 사이에 멀리 갈라져 있던 호흡이 물처럼 섞이어 친밀감이 일순간에 회복되는 것 같았다. 소연이 이렇다 하게 간밤의 일을 뉘우치는 기색을 드러내 보이지는 않지만, 현 여사에게 고통을 안겨 주었던 어기찬 감정이 풀어진 것은 분명해 보였다.

그녀가 다시 곁에 있고, 그것이 주는 안도감과 기쁨이 너무 커서 현 여사는 그녀에게 하려던 말을 자신만의 비밀로 유보해 두고 싶었다. 스스로에 대해 의구심마저 생겼다. 결국 쥐어짜는 듯한 마음의 고통이 지어낸 극단적 속임수가 아닐까. 미친 듯이 화실을 나와 이른 아침 소연의 아침잠을 깨울 만큼 강렬한 구실을 만들어 낸 것은, 아직도 여전히 마음을 장악하고 있는 유령의 교활한 둔갑술이 아닐까. 해방감도 자신감도 그 유령이 지어내는 환상이 아닐까.

"말씀하세요."

소연이 먼저 침묵을 깼다.

"몇 시까지 출근하지?"

"한 시간 정도는 여유가 있어요."

"커피를 마시고 싶군."

"제가 가서 사올게요."

"아냐, 괜찮아."

잡았던 소연의 옷자락을 얼른 놓았다. 하찮은 몸짓이었으나, 소연이 현 여사의 속마음을 엿보기엔 충분했다. 열었던 자동차 문을 닫고 나서 소연은 착잡한 표정으로 귓밥을 만졌다. 더 이상 망설일 수가 없었다.

"너를 놓아줄게."

그 말을 풀어 놓자마자, 현 여사는 걷잡을 수 없이 비통한 기분에 빠져들었다. 항시 가슴에 꽂혀 있던 칼이 이제까지보다 더 살 속으로 깊이 파고들었다. 가슴에서 작열하는 고통, 그것은 운명이며, 어떤 방법으로도 벗어날 길이 없으리라는 깨달음이 공포를 불러일으켰다. 그리하여 이제야말로 두려움을 품고 힘센 적 앞에 선처를 애걸하듯 말했다.

"너도 날 놓아줘."

다음 말을 하기 위해 한동안 호흡을 가다듬어야 했다.

"있는 그대로 말하자면, 내 힘으론 도저히 널 빠져 나올 수가 없어. 그러니 네가 날 놓아줘. 내 생각을 낱낱이 끊어 줘. 단 한 낱이라도 쥐고 있으면 난 네 감옥을 벗어날 수 없어. 너는 젊으니까 잔혹해질 수가 있을 거야."

소연이 핸들 위로 고개를 푹 떨어뜨렸다. 현 여사는 파멸이 자기에게 한 걸음 더 가까워진 것을 느꼈다. 그녀에게 자기를 놓아 달라고 말하는 순간, 마음은 더 깊이 그녀에게 묶여 있는 사실이 확인될 뿐이었다. 그리하여 소연이 자기를 더욱 꽉 잡아 주기를 애타게 기다려 보는 것이었다.

잠시 후 소연이 고개를 쳐들었다. 눈에 눈물을 가득 담고서.

"이제, 가보세요."

현 여사는 일어날 수가 없었다.

"너의 대답을 듣고 싶어."

어리석은 말이었다. 시간을 끌기 위한 술수. 현 여사는 손가방에서 원룸 열쇠를 꺼내 가지고 한동안 만지작거리기만 했다. 손에 땀이 끈적거렸다.

"이건 내 마지막 선물이야."

마지막이란 어휘, 그것은 소연의 동요를 끌어내기 위한 투망이었다. 소연은 눈물을 훔치고 나서 말없이 열쇠를 받아들었다. 마지막이란 어휘까지 삼켜 버린 그녀의 두 입술은 이제는 거의 조가비처럼 앙다물려 있었다. 마침내 현 여사는 또다시 해서는 안 되는 말을 덧붙이고 말았다.

"나한테 전화도 하지 말아 줘."

거짓 용기 · 2

택시는 방송국 앞에서 현 여사를 내려 주었다. 모든 사람들이 입에서 뿌연 입김을 뿜으며 일터로 가고 있는데, 현 여사는 아직 밤의 행보를 계속하고 있었다. 어디서 끝날지 모르는…….

아들은 현 여사의 전화를 받고 방송국 로비로 내려왔다. 이틀이나 밤을 새운 그의 얼굴은 꺼칠하고 수염이 더부룩했으나, 표정은 안정되고 침착해 보였다. 두 사람은 천장이 높다란, 로비의 홀로 가서 둥근 테이블을 마주하고 앉았다.

현 여사는 앉자마자 손가방에서 담배를 꺼내었고, 성냥을 잘못 켜서 아들의 손등에까지 불똥이 날아갔다. 아들은 어머니의 입에서 심한 조바심과 함께 뿜어져 나오는 연기를 간혹 얼굴을 돌려 피하면서 기다렸다.

"집으로 들어오너라."

현 여사는 바싹 마른 입술을 축였고, 지훈은 두 손을 깍지끼고 고개를 숙인 채 대답했다.

"시간이 좀더 지난 다음에요."

"요즘 어디에서 묵고 있니?"

"이 근처에 있는 장급 호텔에 있어요."

"나를 용서할 수 없는 거니? 이해할 수 없는 거니?"

현 여사의 불안해 보이는 눈길이 지훈의 이마를 초조하게 긁어댔다.

"생각하고 싶지 않아요."

"생각해야 돼."

"흘려 보낼 것은 흘려 보내야죠."

"네 상처가 깊다면 흘려 보낸다고 흘려지겠니? 소연이와 결혼해라. 난 잃고 싶지 않다. 너희 두 사람 다."

현 여사를 쳐다보는 지훈의 얼굴이 어이없는 표정에서 연민으로 바뀌었다. 그는 이제 눈치챈 것일까. 초췌한 이 중년여자의 골수를 파먹고 있는 지긋지긋한 망념을.

"너희만 좋다면 방배동 집에서 세 사람이 같이 살아도 좋겠지. 도배도 새로 하고 거실의 분위기를 너희 취향으로 젊게 바꾸어 보렴."

"어머니!"

말을 제지당한 현 여사는 몹시 불만스러운 듯이 아들을 쏘아보았다.

"제가 집에 모셔다 드리겠어요."

"그래 주겠니? 나 자신이 무서워 죽겠어. 혼자 있으면 무슨 일을 저지를 것만 같아."

머리칼이 흐트러지고 벌겋게 충혈된 눈동자는 이미 그녀의 내면의 광란이 심상치 않음을 말해 주고 있었다.

지훈은 자리에서 일어나 현 여사의 곁으로 와서 팔을 부축했다. 일어나려다 휘청하며 도로 주저앉아 버린 현 여사는 갑자기 소리 높여 목놓아 울기 시작했다.

마음의 미로 · 1

택시를 잡아 주려고 큰길까지 따라가려 했지만, 그녀가 혼자 내버려두라고 소리치는 바람에 나는 걸음을 멈추고 그녀의 뒷모습을 지켜볼 밖에 없었다. 택시를 잡아 차에 오르려던 그녀는 발을 헛짚었는지 보도에 철버덕 주저앉았고, 손에서 놓친 가방 안의 소지품들이 길바닥에 쏟아졌다. 길 가던 행인 한 사람이 걸음을 멈추고 흩어진 소지품을 물끄러미, 하염없이 바라만 보고 있는 현 여사를 구경 삼아 지켜보고 있었다. 나는 그녀에게 달려가려다 차라리 모른 척하고 싶어져 그냥 집으로 들어오고 말았다. 계단을 오르는 내 발걸음도 가눌 길 없는 수렁 속으로 한없이 무너져 내리는 것 같았다. 그녀는 나를 놓아 버렸다기보다 자기 자신을 포기해 버린 듯했다. 그러한 그녀를 이대로 놓아 버린다면 폐인이 될 것이 분명했다. 내가 차마 못 본 척하고 싶었던 진실이 바로 이것이었다.

얼마 전까지만 해도 나는 나에게 사로잡힌 그녀의 열정이 얼마만큼 절대적인지 확인해 보고 싶어 조바심쳤다. 아마도 어린 시절 내가 김인애 선생으로부터 받은 상처의 보상 심리에서였는지도 모르겠다.

출근한 후에도 나는 마음을 놓을 수 없었다. 간신히 기사를 써서 넘겼다. 열두 시 십 분이었다. 영화협회 간부와 점심 약속이 있으나 좀체 내키지 않는다. 그녀가 무사히 집으로 돌아갔는지 확인해 보기 전에는 물 한 모금도 제대로 삼킬 수 없을 것 같다.

그녀가 전화를 받지 않는다. 집에도 오지 않았다고 한다. 어디로 갔을까. 넋을 놓고 길을 건너다 차 사고라도 만난 건 아닌지? 아니면 집에 들어서자마자 다량의 수면제를 삼킨 건 아닐까. 내가 터무니없는 상상을 하고 있는 걸까. 독한 마음으로 나를 놓아 버리고 보란 듯이 친구를 만나 여유 있는 점심 한때를 보내고 있을지도 모르는데. 그건 아니다. 중심을 잃고 허둥거리는 그녀의 모습은 뭔가 막 다른 느낌을 주었다. 그렇다고 그녀처럼 나이 들고 사회적으로 안정된 기반을 가진 어른이, 나같이 미숙하고 이기적인, 그것도 아무런 보답 없는 동성의 여자에게서 헤어나지 못해 정신적 육체적 파탄에 이른다는 것이 정말 가능한 일인가.

내가 왜 이럴까. 마치 그녀의 파멸을 바라는 것처럼 불길한 상상만 하고 있으니. 편집국 안은 썰렁했다. 모두 점심식사를 하러 나가고, 몇몇 사람들만 잔무에 묶여 책상을 지키고 있었다. 열두 시 오십 분. 갑자기 책상 위의 전화벨이 요란하게 울렸다. 최 기자를 찾는 전화였다.

현 여사는 이제 더 이상 나에게 전화하는 일이 없을 것이다. 전화를 하는 대신 차라리 자기 혀를 깨물 것이다. 그런데 어쩐지 그녀를 영영 다시 볼 수 없다는 생각은 들지 않는다. 하지만 내가 알지 못할, 또는 손 닿지 못할 곳으로 자취를 감춰 버린다면 그녀를 어떻게 찾을 수 있을까. 크나큰 상실감이 기억의 깊은 수면으로까지 파문을 그렸다. 어느 날 갑자기 김인애 선생도 내 앞에서 그렇게 모습을 감춰 버렸다. 해묵은 유년의 상처가 이렇게 끈질기게도 나를 잡고 있는 걸까.

초조한 마음으로 또다시 화실의 전화번호를 누르는데, 옆 책상의 전화벨이 먼저 울렸다. 나는 한쪽 수화기를 내려놓고 다른 쪽 수화기를 집어들었다. 나를 찾는 전화.

"아, 웬일이세요?"

"웬일이긴? 전화할 때마다 자리에 없더군."

"메모를 남기지 그러셨어요."

"몹시 사무적인 말투로군."

"그럼, 용건이 뭐냐고 물어 볼까요?"

"용건?"

김민서는 당혹스러움을 웃음으로 눌렀다. "내일 서울에 볼일이 있어서 올라가는데, 저녁이나 같이 할까?"

"대답하기 전에 한 가지 물어 볼 말이 있어요."

"좋아, 뭐든지."

"귀국한 뒤에 도영이한테 제 소식 물어 보셨어요?"

"아니."

"왜요?"

"이미 결혼한 줄 알았지."

"이상하군요. 민서 씨한텐 제가 늘 동생의 친구였잖아요."

"예전엔 그랬지. 지금은……."

"됐어요."

야릇한 쾌감. "몇 시에 만날까요?"

나는 메모지에 시간과 장소를 받아 적었다.

갑자기 식욕이 솟았다. 점심을 끝내고 돌아온 사람들이 자리로 돌아오고 있어 편집국 안은 다시 활기를 되찾고 있었다. 김민서가 마침 기묘한 시기에 등장한 것이 내게는 마음을 수습할 계기가 될지 모르겠다. 현 여사에게 나쁜 일이 일어나더라도 그녀의 문제로 돌리자. 그것이 바로 그녀가 원하는 바였다. "너는 젊으니까 잔혹해질 수 있을 거야." 그녀의 말대로 이제는 연민, 미련, 죄책감 같은 감정을 여지없이 접어 버리는 것이 그녀를 돕는 길이다.

나는 신문사 근처에 있는 단골 레스토랑으로 갔다. 점심시간의 마지막 몇 분을 아끼고 있는 직장인들이 듬성듬성 흩어져 있을 뿐, 손님들이 많지 않았다. 한겨울에 빨간 꽃을 탐스럽게 피우고 있는 시클라멘 화분 하나가 창가에서 내 시선을 잡아끌었다. 스파게티를 시키고 나서 나는 실내에 흐르는 노랫소리에 귀를 기울였다. 설움이 그득한 가수의 음성이 가슴을 파고들었다.

무엇으로 너의 쓸쓸함을 채워 주랴
아득한 광야를 너는 꿈꾸고 있으나
흐르는 물 우리 앞에 지금도 죽지 않고
그 소리 아직 멀리멀리 이르지 않았나니.

이승에서 잠시 앉는 이 나무 그늘에
우리가 무엇을 더 달라고 하랴
어두운 구름 떼 하늘에서 푸르게 푸르게 스러지고
하나 남았던 길이 작은 바람에 지워지네.

무엇으로 너의 쓸쓸함을 채워 주랴
머나먼 바다를 너는 꿈꾸고 있으나
남은 모닥불 우리 앞에 지금도 죽지 않고
저 빛 아직 멀리멀리 이르지 않았나니.

여종업원이 음식을 가져왔다. 나는 울먹한 기분에 잠겨 그녀에게 물었다.

"저 노래 누가 부르는 거예요?"

"아, 우리 아주머니 친구분이신데 글 쓰는 분이래요. 작사 작곡 노래 모두 그분이 하는 거래요. 이름이 이제하라고 하던가?"

스파게티는 맛이 훌륭했으나, 접시를 비울 때까지 나는 줄곧 노래가 내 안에 불러일으킨 아득하고 쓸쓸한 여운에 대해 생각하고 있었다. 그리고 그 여운의 동심원 안에는 현 여사가 있었다. 아니, 어쩌면 그것은 누구라고 딱히 지목할 수 없는, 나의 모든 만남이 거두어야 하는 아픔이었다. 그것은 모퉁이를 돌아 다른 길로 접어든다고 지워지거나 잊혀지는 것이 아니었다. 아무래도 나는 현 여사의 곁을 끝까지 지켜야겠다. 그러나 이제는 격정을 자제하지 않으면 안 된다.

나는 가방에서 핸드폰을 꺼냈다. 그녀가 전화를 받으면 아무런 일도 없었던 것처럼 다시 시작해 보리라. 갑자기 지훈의 음성이 수화기로 들려왔다. 전화를 그냥 끊어 버릴까 하다가 나는 평정을 되찾았다.

"지훈 씨세요? 저예요."

"오, 오랜만이군요."

"별일 없으세요?"

"네, 아주 잘 지내고 있습니다."

그러나 그의 목소리는 자기 안의 감정을 위장하고 있어 어색하게 들렸다.

"어머니 계시면 좀 바꿔 주세요."

"지금 주무시고 계세요."

갑자기 지훈의 음성이 무뚝뚝하게 바뀌었다. 직장에 있어야 할 시간에 그가 화실에 있는 것도 이상했고, 더욱이 자고 있는 현 여사 곁을 지키고 있다는 것도 이상했다.

"그럼 나중에 전화해 주세요."

"아뇨, 무슨 일이 있으신 거죠?"

"……네, 내가 안정제를 드렸어요. 소연 씨는 뭔가 나보다 더 잘 알고 있을 것 같은데요."

"알았어요. 제가 지금 그리로 갈게요."

마음의 미로 · 2

아틀리에 문 앞에 당도할 때까지만 해도 나는 지훈이 가버리고 없기를 은근히 바랐다. 그가 진실을 알고 있다는 사실이 내게는 여전히 부담스럽고, 어떤 태도로 그를 대해야 할지 망설여졌다. 더욱이 지난번 그가 나를 찾아온 일로 해서 떳떳치 못한 기억까지 있었다. 하지만 한편으론 민망하고 거북하더라도 그를 다시 만나 진실 앞에 정직한 내 모습을 보임으로써 꺼림칙한 마음의 굴레를 벗어날 기회라는 생각도 들었다.

벨을 누를까 하다가 평소대로 내가 가진 열쇠로 문을 열었다. 그 문을 열 때는 언제나 세상 끝에 이르러 다른 자기로 변신한다는 느낌이었으나, 오늘은 지훈의 존재를 의식하지 않을 수 없었다. 방금 피운 듯한 담배 연기가 그 냄새로 실내에 희미한 자국을 남기고 있었으나, 지훈의 모습은 보이지 않았다. 그도 나를 만나기가 거북해서 가버린 걸까. 직선적이고 거침없는 성격의 그로서도 쉽게 풀 수 없는 힘든 문제일까.

화실 안은 몹시 어수선했다. 잠을 못 이룬 사람이 흐르지 않는 시간과 전투를 치른 듯한 흔적이 곳곳에 널려 있어 내 마음을 아프게 했다. 가방을 내려놓고 코트를 벗고 있는데, 지훈이 '정'에서 불쑥 모습을 드러냈다. 어쩐지 그에게 가장 내밀한 부분을 들켜 버린 기분이었다. 그는 항시 중요한 문제에 있어서 내 맘을 앞질러 왔다. 준비되지 않은 상태에서 당황하고 있다 보면 그 문제들은 어느새 나를 비켜나 있곤 했다. 하지만 지금은 그도 나도 맞닥뜨릴 수밖에 없는 상황이었다. 어떤 점에서 그가 불시에 내 감정의 가장 깊은 속살을 찢고 한 발 다가섬으로써 내게는 더 이상 회피할 길이 없어졌다는 것이 다행스럽기도 했다.

나는 어질러진 것들을 치우기 시작했다. 그도 나도 인사치레 말은 하지 않았다. 한동안 나는 말없이 정리하고 치우는 일만 했고, 지훈은 생각에 잠겨 창 밖만 내다보고 있었다.

"전시회 날짜가 한 달도 채 남지 않았는데, 그림을 한 장도 그리지 않았군요."

지훈의 첫마디였다. 이것은 그가 자기 어머니를 염려하는 말인가,

아니면 나를 향해 쏘는 비난의 화살인가. 그의 속맘을 가늠하기 어려웠다. 다탁 위에 어질러져 있는 재떨이, 술병과 술잔, 과도 따위를 쟁반에 옮겨 담으며 나는 지훈의 계속되는 말을 잠자코 듣고 있었다.

"아마도 지금까지 어머니 캔버스에 먼지가 뿌옇게 쌓인 일은 한 번도 없었을 거예요. 오늘 아침 내가 화실에 와서 느낀 것은 누군가 저 양반을 지독히도 유린했구나, 하는 것이었어요."

나는 쟁반을 바닥에 내려놓고 지훈의 맞은편에 앉아 조용히 깊은 숨을 삼켰다.

"그래서 소연 씨를 비난하자는 게 아녜요. 어떤 점에서 부러웠다는 거죠. 우리 어머니 안엔 순수의 블랙홀 같은 것이 있는데, 아버지는 그 맹목을 찬양하면서도 두려워하셨죠. 두 분이 종종 원수처럼 싸우신 것은 상대를 통한 자기 확인이었죠. 아버지는 교통사고로 돌아가셨지만, 실제로 그 진실은 어머니의 블랙홀로 빨려들어간 것일지도 몰라요. 언젠가 소연 씨가 우리 어머니를 처음 만나 보고 섬뜩한 무기(巫氣)가 느껴진다고 했던 말 기억나요. 어린 시절 내가 읽은 동화에는 어느 동굴 속에 사는 괴물 이야기가 있었어요. 그 괴물은 해마다 처녀를 한 명씩 바치지 않으면 동네에 재앙을 끼치기 때문에, 마을 사람들은 속수무책으로 그 괴물에게 제물을 바치지 않을 수 없었죠. 어른이 된 뒤에 나는 그 괴물이 실물로서의 괴물이 아니라, 어떤 부류의 특별한 인간이 지닌 순수의 소실점 같은 것이 아닐까 하는 생각을 해보게 됐어요. 어떤 것을 삼켜도 그 갈망을 끌 수가 없는 끝모를 굶주림."

나는 지훈에게 커피를 마시겠느냐고 물어 보았다. 잠시 후 커피 두 잔을 만들어 가지고 다탁 앞으로 돌아와 보니 지훈은 손에 쪽지를 들고 들여다보고 있었다. 내가 현 여사에게 남긴 것이었다.

"내가 부럽다는 것은 무슨 뜻이에요?"

그는 내가 건네준 찻잔을 마시지는 않고 들여다보기만 했다. 이윽고 그는 잔을 도로 내려놓았다.

"우리 어머니의 갈망 속으로 그만큼 깊이 내려가 보고서도 소연 씨는 끄떡없잖아요. 오히려 우리 어머니가 망가지고……."

"나를 다 내어던지지 못했어요. 그 때문에 선생님의 상처가 더 크실 거예요."

나는 그에게 더 이상 나 자신을 숨기지 않을 것이다.

"지난번에 지훈 씨의 질문에 정직하지 못했던 것 참 부끄러웠어요. 어쩌면 그것은 지훈 씨가 내게 품고 있는 감정으로부터 자유롭지 못했기 때문일 거예요. 사실 내가 선생님에게 이끌린 감정의 처음은 우리 어머니에 대해서 그 아픔과 슬픔 곁에 끝까지 같이 있어 주고 싶다는 보호의식과 같은 류의 것이었어요. 나는 어린 시절부터 어머니가 고생하는 것을 유난히 가슴 아파하는 자식이었어요. 자식으로서 어머니의 고생에 대해서만 가슴 아픈 것이 아니라, 아무런 관계도 없는 다른 여성들의 고생하는 모습 때문에도 잠을 못 이루곤 했어요. 중학교 일학년 때 어머니는 역 앞에서 구멍가게를 하고 있었어요. 학교에 다녀오면 나는 곧장 가게로 가서 어머니를 돕곤 했어요. 사람들은 항상 어딘가로 떠나기 위해, 또는 어딘가로 떠났다가 돌아오기 위해 역으로 모여들었는데, 떠나는 사람들 중에는 옷보퉁이 하나만 달랑 들고 기차를 기다리는 여자들이 제법 많았어요. 나는 그 여자들과 한 마디 말도 나눠 본 일이 없지만, 타지로 떠나는 그 여자들을 말없이 배웅하고 난 날이면 어머니의 고생이 한층 더 커 보이곤 했어요."

말을 잠시 쉬는 사이에 나는 커피를 한 모금 마셨고, 지훈은 담배에 불을 붙였다.

"이학년 때 타지에서 새로 부임해 온 여자 선생님이 있었는데, 어느 날 길에서 그 선생님이 의부라는 사람한테 머리채를 잡혀 끌려가는 것을 보고, 그날 밤 나는 잠을 한숨도 자지 못했어요. 처음엔 그 선생님이 가엾다는 마음 때문에 잠을 못 이뤘는데, 나중엔 그립고 보고 싶은 마음 때문에 불면의 밤이 계속되었어요. 나는 그녀를 통해 첫 성을 경험했어요. 그 성은 마침내 내가 나의 어머니에 대한, 그리고 그 동안 역을 빠져 나가 기차를 타고 이 세상 어딘가로 서럽게 떠난 이름 모를 여자들에 대한 연민과 사랑을 완성시키는 것이었어요. 그 때문에 김인애 선생이 어느 날 모습을 감춰 버렸을 때, 그것은 나만의 상처일 수가 없었어요. 내 안의 순수가 죽어 버림과 동시에 타인의 순수도 더 이상 믿지 않게 되었어요. 내가 선생님에게 이끌려든 감정 속에는, 우리 어머니를 포함해서 그 동안 나를 스쳐 간 많은 여성들의 슬픔이 포개어져 있었어요. 내 마음의 진실은 선생님에게 나를 다 내어던지지 못했다기보다, 그 마음을 확인해 보기 위해 끊임없이 아닌 척 자기 자신을 위장해 보인 것이라고 할 수 있어요."

지훈은 눈을 지그시 감고 있다가 갑자기 나를 쏘아보며 "저 안에 들어가 보세요" 하고 명령하듯 말했다. 나는 그의 말을 따르지 않을 수 없었다. 문을 여는 내 손이 가볍게 떨렸다.

현 여사는 이불 밖으로 얼굴만 내놓고 반듯이 누워 있었다. 그런데 머리가 어떻게 된 일인가. 함부로 잘리어 흉칙한 모습이 섬뜩한 두려움을 불러일으켰다. 아침에 길바닥에 주저앉아 있는 그녀의 모습에서 내가 얼핏 본 것이 이것이었나.

"어떻게 된 일이에요?"

나는 문 밖에 우뚝 선 채로 지훈에게 물었다.

"아침에 어머니가 난데없이 방송국으로 찾아오셨어요. 말씀은 태연히 하시는데 눈빛이 이상했어요. 그러다가 갑자기 넓은 홀이 떠나갈 듯 울음을 터뜨렸어요. 사람들이 모두 돌아다보고 쑤군거렸죠. 나는 어머니를 모시고 우선 여자화장실로 갔어요. 얼굴도 씻고 마음도 가라앉힌 뒤에 집으로 모시고 갈 작정이었죠. 그런데 밖에서 한참 동안 기다려도 나오시지 않길래 안으로 들어가 보았죠. 어머니가 변기 위에 앉아 작은 휴대용 손톱가위로 머리를 난자하듯 자르고 있었어요."

지훈이 들려준 말은 물론 충격적이었다. 그렇지만 나는 그 두려움 속으로 한 발 더 깊숙이 발을 들여놓고 싶은 야릇한 욕구를 눌러야 했다.

"당분간 어머니를 혼자 있게 하면 안 될 것 같은데……."

"내가 곁에 있겠어요."

"소연 씨가요?"

지훈이 이내 자기의 반문을 뒤집었다. "하기는 어머니가 원하시는 제물은 소연 씨밖에 없겠군요."

자리에서 일어난 지훈은 허리춤에서 슬며시 호출기를 끄집어냈다.

불안한 화해 · 1

아프고 쑤신 잠에서 눈을 떴다. 잠 속에서도 끈적하게 늘어붙어 있던 괴로운 상념이 밝아지는 의식과 함께 선명하게 떠올랐다. 현 여사는 시선을 천장의 갈라진 틈서리에 고정시킨 채 이내 그 상념의 자락에 매달렸다. "너도 날 놓아줘." "이건 내 마지막 선물이야." "나한테 전화도 하지 말아 줘." 자신이 소연에게 했던 말들 하나하나가 맴돌고 맴돌아서 자기 귀로 되돌아왔다. 그럴 때마다 고통이 새록새록 더 심해졌다. 이렇게까지 말해 놓고 전화를 한다면 나는 실없는 사람이니 침을 뱉으며 경멸해 다오, 하는 것이나 다름없다. 이제는 그녀 쪽에서 전화를 해주지 않는다면 이대로 헤어져 버리는 것이다. 하지만 소연이 끝내 입을 앙다물고 대답을 하지 않은 것은 무슨 뜻이었을까. 정말로 헤어져 버릴 결심이었다면 원룸의 열쇠를 거절하지 않았을까. 왜냐하면 소연도 그 원룸이 오피스텔에서 가깝다는 것을 알기 때문에 근처에 이사 오면서 결별하고 지낸다는 것이 불가능하다는 것쯤은 알지 않을까.

현 여사는 자기에게 조금쯤 위안이 되는 이 상념에 더욱 깊이 매달렸다. 마지막 선물이라고 못을 박는데도 소연이 원룸의 열쇠를 받아든 것은, 내심 그 말을 믿지 않았거나, 믿었다 하더라도 오래지 않아 그 말을 번복하지 않을 수 없는 것을 알고 있기 때문일까.

소연이 어떤 때는 자기보다 더 어른스러운 여유를 보이기는 하지만, 절교를 당할 때의 맘은 아프고 괴로울 것이다. 어린 그녀가 언제까지 자존심에 상처를 입으면서도 아픔을 넘어서 우연한 하나의 만남을 운명으로까지 만들어가 줄 수 있을까. 자신은 왜 하필 그녀에게 그와 같은 짐스런 숙제를 짊어지게 하려는 것일까.

그건 그렇고…… 현 여사는 긴 한숨을 토해내며 몸을 뒤척였다. 오늘 이 하루를 어떻게 또 견딘단 말인가. 갑자기 그녀는 돌부리에 걸린 듯 상념의 끈을 놓고 손으로 자기 머리를 만져 보았다. 머리카락이 없어진 머리가 휑했다. 더럭 겁이 났다. 나는 이미 미친 것이 아닐까. 손을 뻗어 거울을 들여다보고 싶지만 자신의 처참함이 거울 속에 고스란히 비칠 것만 같다. 그때 바깥에서 그릇 덜그럭거리는 소리가 났다. 지훈이 자기를 데리고 온 것이 기억났다.

"지훈이 거기 있니?"

발자국소리. 잠시 후 '정'의 문이 열렸다.

"이제 일어나셨어요?"

현 여사는 소연을 본 순간 숨이 멎는 것 같았다. 나락으로 추락하다 말고 구제되는 느낌. 현 여사는 이불자락을 들어올리고 소연을 옆에 눕게 했다. 두 사람은 따스한 체온이 섞이어 더욱 따스해지는 몸을 말없이 느끼고 있었다.

"이제 저를 그만 좀 놀래키세요."

손으로 현 여사의 까끌까끌한 두피를 어루만지며 소연이 부드럽게 나무랐다.

"그래, 너를 괴롭힌 벌이라고 생각하지."

"선생님이 저를 아무리 밀쳐내려고 하셔도 저는 절대로 선생님을 놓지 않을 거예요."

"내가 어떤 말을 하더라도 상처 입지 말고, 믿지도 말아 줘."

현 여사는 소연이 쪽으로 몸을 세우고 그 눈을 들여다보며 덧붙였다.

"알지? 네가 날 놓으면 난 살 수가 없어."

소연이 고개를 끄덕거렸다.

"그러려면 우리가 먼저 약속해 둘 일이 있어요."

"말해, 뭐든지."

"저는 맘속에서는 선생님을 사랑하는 데 대해서 아무런 부끄러움이 없어요. 그렇지만 세상 사람들 앞에서는 할 수 없이 그 사실을 숨길 수밖에 없어요. 그 말은 무슨 뜻이냐 하면, 다른 용기 있는 여성들처럼 생활을 함께하며 평생을 결혼하지 않고 살 수는 없다는 거죠. 선생님도 그것은 원하지 않으실 거예요. 어떤 점에서 그것은 저보다 선생님에게 더 큰 가십거리가 될 테니까요."

현 여사의 표정이 어두워지는 것을 눈치챈 소연은 잠시 말을 중단했다. 현 여사는 어깨로 한숨을 쉬었다.

"말해 봐, 계속."

"그렇다면 저는 남자하고 데이트도 해야 되겠고, 나아가서는 사랑하다가 결혼을 할 수밖에 없는데, 선생님이 이 점을 끌어안아 줄 수 있어야만 우리는 평생 좋은 관계로 남아 있게 돼요. 그렇지 않고 질투를 삭이지 못해 저를 괴롭히고 선생님 자신도 괴롭히는 일이 계속되면 놓고 싶지 않아도 제가 선생님을 놓아 버릴 수밖에 없잖아요."

소연의 논리정연한 말대로 현실은 그랬다. 그렇지만 소연을 가까운 아주머니나 이모나 나이 든 선배로서 아끼는 것으로 만족해야 한다면, 굳이 그녀여야 할 까닭이 무엇이란 말인가. 그런 맘으로 아끼고 사랑하는 후배들은 화단에도 주변에도 이미 넘치도록 많이 있는데. 그게 아니지 않은가. 죽은 목숨이나 다름없었던 자기에게 살고 싶다는 의욕을, 살아야겠다는 의욕을, 다시 사랑에 빠져들어 허우적거리는 그 놀라운 마법을 걸어 준 것이 바로 그녀이기 때문이 아닌가. 그런데 그 마법을 꺼버리라고? 가십에 오른들 그게 뭐 그리 대수란 말인가. 이 쓸쓸하고 헛된 세상살이에.

하지만 현 여사는 자기의 그런 속맘을 털어놓지 않았다. 차츰 기력이 쇠진하고 있는 걸까. 될 대로 되라는 자포자기의 심정, 피로와 고달픔이 엄습했다.

"약속해 주실 수 있죠?"

어리광을 피우며 소연의 손이 현 여사의 앞가슴을 파헤쳤다. "도대체, 너는……" 하고 그 손을 치우려다가 현 여사는 온몸이 녹아내리는 쾌감에 눈을 감으며 자기를 맡겨 버렸다.

불안한 화해 · 2

"좀 주무세요."

링거 주삿바늘이 꽂혀 있는 현 여사의 팔 밑에 쿠션을 받쳐 주며 소연이 말했다. 고개를 끄덕이며 스르르 눈을 감는 현 여사의 얼굴이 며칠 사이에 볼이 패일 정도로 야위었다. 과도한 신경 소모와 거식증, 계속되는 불면증 때문이었다.

소연은 요 며칠 사이에 태도가 변했다. 그 종잡을 수 없는 언행과, 멋대로 약속을 뒤집는 일방적인 변덕과 면전에서의 심술, 딴청, 돌아서 나갈 때마다 끝인 듯이 보이는 매몰찬 뒷모습으로 현 여사의 마음을 할퀴는 짓이 없어졌다. 오히려 마음씀이 살뜰해졌다고 할까.

아침마다 전화벨 소리와 함께 "일어나셨어요?" 하는 다정하고 상냥한 목소리에 잠이 깨고 나면, 마치 함께 밤을 보내고 난 뒤, 그녀가 방금 잠자리를 떠난 듯한 느낌마저 들었다. 오늘도 퇴근길에 영양제 주사액을 사가지고 주사를 놓아 줄 아주머니까지 데리고 화실로 왔다. 현 여사가 내가 무슨 환자냐고 멋쩍어하는데도 한사코 고집을 부렸다.

"불을 꺼드릴까요?"

"아냐, 괜찮아."

몇 분도 채 되지 않아서 감았던 눈을 뜨고 현 여사는 링거액이 얼마나 줄었는지 궁금해서 쳐다보았다.

"이 짓도 꽤 지루한 일이군."

"세 시간쯤 걸린댔어요. 편안히 푹 주무세요. 제가 지켜보고 있을게요."

"너는 다른 약속 없어?"

"없어요."

"아까 전화가 왔었잖아."

"집에서 온 거예요. 참, 저 집에다 말했어요. 이번 일요일엔 원룸으로 이사를 하게 될 거예요. 그렇게 되면 좀더 자주 들러서 선생님 돌봐 드릴 수 있을 거예요."

"나를 아주 환자 취급하는구나."

현 여사의 대꾸가 다소 퉁명스러웠다. 표면적으로는 자신의 바람대로 일이 잘 풀리고 있는 듯이 보였다. 소연이 원룸으로 이사를 온다면 만나는 것도 전화를 하는 것도 훨씬 자유로워질 것이다. 하지만 그것은 소연이 자기 말대로 '평생 좋은 관계로 남아 있기 위해' 격정을 누르고 편안한 마음자리를 회복하고 있다는 증거였다. 소연의 마음씀은 상냥하긴 해도 어딘지 속이 빈, 뜨거움이 가신 기색이

완연했다. 이즈음에 와선 현 여사가 포옹을 하려 할 때마다 넌지시 비켜나곤 했다.

"제가 보기에 선생님은 환자 이상으로 휴식이 필요하세요."

현 여사는 다시 눈을 감으며 잠을 청했다. 마음이 편치 않아 잠은 쉬이 오지 않고 눈꺼풀만 파르르 떨릴 뿐이었다. 소연은 생각할 것이다. 이제 자기가 그러하듯, 현 여사도 극단적인 방법으로 상처를 무릅쓰며 결별을 택하기보다는 오래 좋은 관계로 남아 있기 위해 마음의 방향을 돌리게 될 것이라고. 과연 그것이 가능할까. 또한 의미가 있을까. 지금으로선 이런 식으로라도 그녀를 곁에 붙잡아 둘 수밖에 없는 것이다. 그녀의 마음을 막다른 곳까지 몰고 가서 선택을 강요한다면 그나마도 마음이 완전히 떠나 버릴지도 모른다.

그때 전화벨이 울렸다. 현 여사는 눈을 떴고, 소연은 보던 책을 덮어두고 자리에서 일어났다.

"안 계시다고 할까요?"

"아니, 바꿔 줘."

보다 둔 책을 곁눈으로 슬쩍 넘겨보았다. 책이 제법 두툼했다. 내 옆에서 너는 태연히 책을 읽고 있단 말이지. 현 여사는 입술을 깨물며 소연이 건네주는 무선전화기를 받았다.

"여보세요."

"저 누군지 아시겠어요?"

취기에 젖은 남자의 음성. 몇 차례나 자동응답기에 음성을 남겨 놓았기 때문에 알 만했다.

"박 감독, 오랜만이에요."

"저를 알아보시는군요. 술이라는 게 좋아요, 그렇죠?"

"웬일이세요, 그런데?"

"뵙고 싶어서요. 지금 저한테 와인이 한 병 있는데, 이 술은 가장 보고 싶은 사람이랑 같이 마시라는 단서가 붙어 있습니다."

"와인보다는 단서가 더 흥미롭군요. 그러지 않아도 한번 만나 보고 싶었어요."

"지금 제가 댁으로 가겠습니다."

"지금요?"

넌지시 소연의 반응을 살펴보았다. 통화 내용을 엿듣고 있을까. 아니다. 그저 책 속에 눈길을 파묻고 있을 뿐이다. 네가 나를 길들이려 하는구나. 현 여사는 생각을 바꾸었다.

"그러세요, 그럼. 집으로 오지 말고 화실로 오세요."

전화를 끊자마자 현 여사는 자기 손으로 팔뚝에 꽂힌 바늘을 빼내 버렸다.

"거기 소독솜 좀 줘."

그제서야 소연은 깜짝 놀라는 표정을 지었다.

"아니, 왜 빼세요. 아직도 약이 많이 남아 있는데."

"누가 온다고 해서."

현 여사는 일부러 아리송한 미소를 흘렸다.

"내일 만나시지 그러세요."

"아냐, 그럴 수 없어. 너도 같이 만나 보렴. 아주 괜찮은 청년이야. 아, 그렇지, 네가 영화 담당이니 이미 알고 있을지도 모르겠네."

"누군데요?"

"〈방과 방 사이〉란 영화 만든 사람."

"그 사람을 선생님이 어떻게 아세요?"

착잡한 표정으로 보던 책을 가방에 밀어넣고 나서 소연은 주섬주섬 주변을 정리했다.

"머리가 이 모양이니 어쩌지? 아주 싹 밀어 버릴까?"

손거울을 들고 머리를 이리저리 비춰 보고는 있으나, 신경은 온통 소연의 거동에 모아져 있었다.

"그 사람을 왜 만나시려는 거예요?"

"오겠다니 만나는 거지."

"지금 이러실 때가 아니잖아요. 전시회는 어쩌시려고 이러세요."

사실 화랑으로부터 늦어도 이 달 안으로 작품을 끝마쳐 달라는 독촉전화를 받고 있으나, 이즈음엔 가벼운 일상적인 일조차도 하기 어려웠다. 조만간 그 깐깐한 화랑 주인과 맞대면하고 진실을 실토할 일이 끔찍할 뿐, 전시회 자체에 대한 아쉬움이나 미련은 더 이상 없었다. 그 때문에 경제적으로 쪼들릴 것은 분명했다. 돌발적인 지출은 더욱 늘어나는 데 반해, 그림을 그리지 않는다면, 또 화랑에 내다 건 몇 점의 그림들이 팔리지 않는다면 생활비마저 걱정해야 될 형편이었다. 거기다 고소인은 취하를 전제로 합의금을 요구하고 있었다.

"차라리 실형을 받는 쪽을 택할까 봐"라는 말에 친구는 펄쩍 뛰었지만, 현 여사는 고통이 극에 달할 때면 자기 힘으론 이 저주스런 매임에서 풀려날 수가 없으므로, 육신을 감금시키면 어쩔 수 없이 소연에 대한 생각을 놓게 되지 않을까, 하는 극단적인 방법까지 생각해 보는 것이었다. 그것만이 아니었다. 내일 당장 막아야 하는 카드 대금도 적지 않은 액수였다. 소연이 원룸으로 이사를 오면 침대나 소파라도 사주어야 할 것이다.

이런 상태가 얼마간 더 지속된다면 오피스텔도 방배동 집도 빚으로 넘어갈 사태에 이를지도 모를 일이었다. 나날이 이렇게 주변 사정은 현 여사가 소연에게 정신없이 빠져듦으로써 치르는 대가가 무엇인지를 보여 주고 있었다.

그런데 이제 와서 분명해진 것은 현 여사가 몸과 마음이 만신창이 되도록 부대끼면서 이끌려 들어가 보았음에도, 잡힌 듯이 믿음을 주던 소연의 마음은 이내 손을 흔들며, 상냥한 웃음과 홀리듯 빨려들게 하는 그 무조건적인 '네' 소리 뒤로 계속 달아나고만 있었다.

때때로 한밤중에 잠이 깰 때면 난데없는 의심의 눈이 현 여사의 맘속을 굴러다녔다. 소연에겐 애초부터 사랑이랄 만한 감정이 없었던 게 아닐까. 있다면 단순한 호기심에 지나지 않는 이끌림, 이름 있는 어엿한 화가를 매혹시켜 그 마음을 마음대로 조정하고 있다는 허영심, 계산속 없이 주어지는 경제적 도움에 대한 기대 같은 것이 아닐까. 그녀로서는 이 나이 들고 세상 물정 모르는 여인의 비위를 조금만 맞춰 주면 간까지도 훔쳐 낼 수 있다고 생각할지 모른다. 지금이라도 그 웃음 뒤의 깜찍한 계산속에 기만당하지 않으려면, 이쪽에서도 그녀를 멋지게 속여 넘기면 되지 않을까. 가령 자신을 사로잡은 마법이 감쪽같이 풀리어 이제는 덤덤해진 듯이 위장해 보는 것이다. 물론 전화도 하지 않는다. 만나려고 애쓰지도 않는다. 그녀가 말을 하고 있을 때 지루함을 참지 못하는 듯 하품을 터뜨린다…….

여전히 거울을 손에 든 채 현 여사는 자리에서 벌떡 일어나 서성이기 시작했다. 지금이 바로 소연을 시험해 볼 기회인지도 모른다.

"이 머리로 어떻게 그이를 만나지? 무슨 좋은 수가 없을까."

딱 한 번 만난 남자일 뿐인데 이 설렘과 흥분은 무슨 까닭일까. 소연이 곁에 없다면, 소연을 의식하는 일이 없다면 그의 방문이 무슨 대수로운 일이겠는가.

"지금이라도 그 사람을 못 오게 하세요. 그리고 주사를 마저 맞으세요."

"왜? 내가 그 사람 좋아하면 안 되겠어?"

"선생님은 그 사람 좋아하지 않으세요."

"너, 질투하는구나. 아니면 네가 그 사람 좋아하는 거니?"

소연은 대답하지 않았다. 동요하는 빛도 없었다. 현 여사의 내면에서 위태롭게 버티던 것이 무너져 걷잡을 수 없이 범람하고 있었다. 공허감 또는 불안, 초조, 환멸, 패배감이.

"그 사람 전화번호 몇 번이에요? 아니, 됐어요. 제가 찾아보지요."

천천히 수첩을 넘기는 동안 소연은 내내 입술을 앙다물고 있었다. 이제는 무슨 말을 해도 절대로 응수하지 않겠다고 결심한 듯이. 소연이 무선전화기를 집어들려는데 갑자기 현 여사가 덮치듯 거칠게 전화기를 낚아챘다.

"너, 날 이렇게 모욕할 거야? 왜 내게 오는 손님을 네가 가로막니? 날 환자 취급 하지 말아. 내버려두라구."

두 뺨이 상기된 채 소연은 말없이 가방을 집어들었다. '정'의 문턱을 넘기 직전 멈춰서서 뭔가를 말할 듯하다가 그냥 돌아섰다. 그 등을 향해 현 여사는 들고 있던 전화기를 냅다 던졌다. 마음 안에서 무언가 산산이 부서지는 기분.

독 백

원룸으로 이사를 왔다. 그녀의 오피스텔이 있는 곳에서 대각선 방향이다. 창가에 서면 오피스텔의 창문이 바라다보인다. 그녀가 이곳에 방을 얻어 놓은 까닭도 그 때문일 것이다. 그녀는 항시 창문을 통해 내가 집에 있는지 없는지를 확인할 수 있을 것이다. 뿐만 아니라 원하기만 하면 언제든지 내 방문을 두드릴 수 있을 것이다. 이제 나의 잠자리마저도 그녀의 가시권 안으로 들어오게 된 것이다.

사실 그 동안 그녀의 집요한 제의를 받고 망설였던 이유는 나에 대한 그녀의 사랑이 두려웠기 때문이다. 아니, 그 사랑을 확인하기 위해 끊임없이 그녀를 시험하려는 내 마음이 더 두려웠던 것인지도 모른다. 때때로 나는 그녀의 사랑을 확인해 보려는 끝간데 없는 내 마음속에서 흡혈에 대한 충동을 느끼곤 했다. 상대에게 자기 자신이 절대적인 존재가 되고 싶은 욕망, 죽임을 당하고 싶은 욕망. 나의 끊임없는 확인이 그녀로 하여금 파멸을 갈구하게 만든 것이다.

얼마 전 나는 이른 새벽의 길바닥에 무너지듯 주저앉는 그녀의 모습에서 이제 더 이상 확인할 것이 없음을 깨달았다. 어린 시절 나의 상처를 그녀가 치유해 준 것이다. 이제는 내가 그녀의 상처를 치유해 줄 차례다. 나는 변한 것이 아니라, 깨달은 것이다. 때문에 더 이상 그녀의 사랑이 두렵지 않다. 나는 자진해서 그녀에게 감금당한다. 내가 그랬듯이 어느 날 문득 자신의 상처가 치유되었음을 그녀가 깨닫게 될 때까지.

외 침

소연이 원룸으로 이사를 온 지 일주일째. 창문 밖으로 고개를 내밀어 그 원룸 건물의 3층 모서리방에 불이 밝혀져 있는 것을 바라보는 것은 확실히 크나큰 위안이 되긴 했다. 참을 수 없을 만큼 보고 싶을 때, 그것이 한밤중이라 할지라도 오 분이면 달려가서 만날 수 있고(하지만 현 여사는 아직 원룸에 가보지 않았다. 궁금할 여지조차 없을 만큼 소연이 먼저 찾아와서 곁을 지켜 주며, 자질구레한 시중을 들어 주고, 이것저것 챙겨 주기 때문이다) 그 내부구조를 샅샅이 알고 있어 소연의 매순간 생활을 상상해 볼 수 있었다. 들고 나는 것은 자유지만, 일단 집으로 돌아온 뒤의 소연은 함께 있지 않더라도 현 여사에겐 상상의 조롱 속에 갇혀 있는 것이나 다름없었다. 또한 아침마다 전화벨 소리와 함께 "일어나셨어요" 하고 잠을 깨워 주는 것도 여전했다. 생각해 보면, 소연이 자기에게 이보다 더 잘할 수는 없는 일이었다.

그런데도 여전히 채워지지 않는 것이 있었다. 채워지기는커녕 알 수 없는 공허감이 마음의 구멍을 점점 크게 만들고 있었다. 소연이 상냥하고 살뜰해질수록 현 여사는 한바탕 소동이라도 벌여서 기어이 그녀의 가면을 벗겨 보고 싶은 것이다.

지난밤 꿈자리가 몹시도 뒤숭숭했다. 잠을 깨어 보니 아직 이른 새벽이었다. 불을 켜고 천장의 한 점을 지켜보노라니 갑자기 밑도 끝도 없는 외침이 가슴 한복판에서 솟구쳤다.

'이게 아니지 않은가.'

현 여사는 가슴 언저리를 포근하게 지려누르고 있는 명주 이불 자락이 자기를 다독이고 기만하려는 소연의 손길이나 되는 듯이 거칠게 밀어 던지고 벌떡 일어났다. 머리카락을 결단낸 뒤로 밤낮으로 맥놓고 누워 있던 잠자리에서 쉰내가 물씬 풍겼다.

냉장고에서 생수병을 꺼내어 병째 물을 벌컥벌컥 들이켜고 나서 현 여사는 소리내어 중얼거렸다.

"이게 아니다. 나는 너를 사랑하는 것이지, 그냥 좋은 관계로 지내자는 게 아니야."

돈독한 친교를 맺어 생일에 카드를 보내고, 문병을 가고, 찻집이나 레스토랑에 앉아 세상 얘기를 나누고, 신변에 생긴 걱정을 함께 나누고, 공허할 때 상대에게 전화를 걸어 투정을 하기도, 투정을 들어 주기도 하는 그런 관계를 원하는 것이 아니다.

현 여사는 소연의 원룸이 내다보이는 서쪽 창문을 열었다. 깊은 잠에 빠진 5층 건물이 밝아 오는 새벽의 여명 속에 희미한 윤곽을 드러내고 있었다.

캄캄한 소연의 방을 지켜보는 동안, 소리없는 외침은 더욱 드높아졌다. 너를 사랑한다, 사랑해. 지금까지 그 누구도 나를 이만큼 뒤흔들어 놓은 일이 없었다. 뒤흔들어라. 다시는 제정신으로 돌아오지 못하도록, 사랑 안에서 숨이 끊어지도록 나를 세상 끝으로 데려가다오. 사랑이란 이 세상에 사랑할 사람이 없어서 귀한 것이 아니라, 사랑할 사람은 많아도 나에게 그 감정이 불러일으켜지지 않으면 사랑을 할 수가 없기 때문에 귀한 거야. 우리는 누군가를 사랑하면서도 세상의 다른 의미와 가치를 동시에 추구하지. 젊은 날에는 살아갈 날이 많다는 것만으로 사랑을 두 번 세 번 거듭 경험할 수 있으리라고 생각하기 쉽지. 그 때문에 우리는 사랑에 충실하기보다는 살아가는 데 필요한 그 무언가를 얻기 위해 더 많은 정열을 바치지. 중요한 것은 살아가야 할 나날들이 아니라, 오늘 이 순간 나를 사로잡는 사랑이란 감정이야. 나는 지금 당장 너를 안아야 되겠어.

현 여사는 자리옷 위에 급히 코트를 걸쳤다. 미친 바람처럼 오피스텔을 뛰쳐나와서 보니 머리에 모자나 스카프라도 뒤집어쓸걸 하는 생각이 스쳐 갔다. 뿐만 아니라 발도 맨발이었다. 다행히 길에는 지나다니는 사람이 아무도 없었다. 뒷골목 주택가의 닫혀 있는 문들 앞엔 간혹 신문이 떨어져 있었다.

3층까지 한달음에 계단을 뛰어올라 소연의 방 앞에 이른 현 여사는 한쪽 손으로 가슴을 누르며 벨을 눌렀다.

한 번, 두 번 벨이 울리는데도 안에서는 아무런 대답이 없었다. 다시 세 번 네 번 다섯 번 여섯 번까지 눌러 보아도 아무런 기척이 없었다. 곤히 잠이 들었다 해도 귀머거리가 아닌 이상 이 소나기 같은 벨소리를 듣지 못할 리가 없었다. 사람이 안에 없거나, 있는데도 열어 주지 않거나 둘 중에 하나였다. 하지만 간밤에 자정이 넘어서 화실을 나간 사람이 그 시간에 어디로 간단 말인가. 뿐만 아니라 소연이 돌아가고 나서 십 분쯤 뒤에 창가로 가보았을 때, 그녀의 방에는 분명 불이 들어와 있었다. 하지만 그 불은 그녀가 나올 때 미리 켜 두었을 수도 있다. 가족과 함께 살 때라면 몰라도 오롯한 혼자만의 공간을 가진 지금, 밤늦은 시각에 누구를 꼭 만나야 할 사람이 있다면, 굳이 자신이 나가지 않고도 상대를 원룸으로 불러들일 수 있지 않을까.

그녀는 지금 현관 안쪽에서 맨발로 살금살금 걸어와서 보안경에 눈을 붙이고 밖에 누가 와 있는지 살피고 있는지도 모른다. 당연한 일이다. 이 새벽에 벨소리를 듣고 덜컥 문을 열어 줄 사람은 아무도 없을 것이다. 하지만 방문객이 현 여사 자기인 것을 확인하고도 문을 열어 주지 않는다면 도대체 무슨 이유에서란 말인가. 남자와 함께 있는 것일까.

무서운 전율이, 터질 듯한 고뇌가, 기만당한 괴로움이 살점을 떨리게 했다. 아니면 이 의심이 잘못되었단 말인가. 후들거리는 다리로 간신히 몸을 지탱하고 다시 용기를 내서 벨을 눌러 보았다. 혹시나 보안경에 비친 자기를 잘못 알아볼 수도 있을 것 같아 목청을 돋우어 "소연아, 소연아" 불러 보기까지 했다. 역시 곤란한 사정이 있는 것이 틀림없다.

온몸에서 맥이 쭉 빠지고 무릎이 꺾였다. 등을 기댄 벽에서 미끄러져 바닥에 주저앉았다. 층계참은 어두컴컴했고, 바닥은 차디찼다. 어디선가 화장실 물 내리는 소리가 들려왔다. 침대로 돌아간 그녀에게 사내는 팔베개를 내어 주며 물어 볼 것이다. "이 새벽에 누가 찾아온 거야?" "집을 잘못 찾은 사람예요."

생각해 보면, 젊은 그녀가 남자를 만나 잠자리를 같이했다고 해서 그것이 심히 부도덕한 행위라고 매도할 수는 없다. 그러나 현 여사에겐 그 사실이 죽느냐 사느냐의 문제일 수도 있었다. 이런 일이 생길 때를 대비해서 얼마 전 소연은 자기가 남자를 사랑하게 되더라도 너그럽게 수용할 수 있어야 한다고 미리 선수를 쓴 것일까. 그렇다면 원룸으로 이사를 온 것은 가까이에서 현 여사를 지켜 주기 위해서라는 말과는 달리, 부모님의 간섭을 받지 않고 자유롭게 저 좋아하는 남자를 만나기 위함이 아닌가.

생각해 보면 볼수록 그녀의 깜찍한 계산속에 자기가 이용당하고 있는 게 아닌가 하는 의구심을 떨쳐낼 수 없다. 당장이라도 문을 따고 들어가서 그녀의 상냥한 웃음 뒤에 감추어져 있는 진실의 정체를 벗기고 싶은 충동이 가슴을 울렁거리게 했다. 현 여사는 또 한 벌의 열쇠를 가지러 가기 위해 자리에서 일어났다. 어떤 점에서 벽에다 코를 박듯, 자신의 두 눈으로 그녀의 배신 행위를 목격하는 충격만이 이 저주스런 매임에서 풀려날 수 있는 해법이 될지도 모르겠다. 오피스텔로 가자. 가서 열쇠를 가지고 오자.

생각은 그렇게 하는데도 발이 움직여지지 않았다. 헤어질 결심을 하는 것만으로도 초죽음이 된 뒤끝이 아닌가. 또다시 그런 고통을 감당해 낼 용기가 없다.

어느새 날이 밝아 층계참이 환해졌다. 보이지 않는 거울에 비친 자기 모습에 소스라치게 놀라는 심정으로, 현 여사는 손으로 몸을 더듬거렸다. 세상 사람들이 곤히 잠든 한밤중에 홀로 지옥에 잡혀와 악마로부터 실컷 놀림을 당하고 이제 간신히 풀려난 것 같은 느낌. 집으로 돌아갈 일이 막막했다.

머리에 숯불을 얹고

현관문에 열쇠를 꽂기 전에 잠시 계단 아래쪽을 살폈다. 비록 자기가 얻어 주었고, 살붙이처럼 가까운 사람이 거처하는 곳이라 해도, 사는 사람 모르게 열쇠로 문을 열고 들어가려니 속이 메스꺼울 정도로 낯이 뜨거워진다.

문이 열리자마자 현 여사는 재빨리 등뒤로 문을 닫았다. 등을 문에 붙이고 한동안 두근거리는 가슴을 진정시키고 나서 실내를 훑어보았다. 방 안은 깔끔하게 정돈되어 있었다. 책꽂이와 책걸상은 허름한 옛 것이었으나, 경대와 침대, TV 세트는 최근에 새로 구입한 듯 아직 상표가 그대로 붙어 있었다. 화장을 거의 하지 않는데도 화장품이 골고루 갖추어져 있는 것이 뜻밖이었다.

침대를 사라고 돈을 주었으므로 현 여사는 특히 침대를 눈여겨 살펴보았다. 더블베드를 염두에 두었으나 그 침대는 독신자용이었다. 침대에는 짙은 청색 커버가 씌워져 있었고, 비교적 크긴 하지만 하나뿐인 베개는 흰색이었다.

현 여사는 어젯밤의 악몽을 되살렸다. 두 사람이 이 침대에서 뒹굴었다면 어딘가 그 흔적이 남아 있을 것이다. 하지만 침대와 베개는 마치 가구점에 진열되어 있는 견본품처럼 깨끗했고 구겨진 자국도 거의 없었다.

여벌의 열쇠가 있다는 사실을 소연이 이미 알고 있는 것일까. 그래서 자기가 출근한 뒤에 언제라도 이쪽에서 들어와 볼 수 있으므로, 책잡힐 만한 흔적은 모두 지워 버린 것일까. 그렇게 봐서 그런지 한두 시간 전 출근을 하면서 바쁘게 서두른 흔적은 어디에도 없었다. 방 안은 지나치리만큼 청결했다. 아침에 커피와 토스트를 해 먹고 컵과 접시를 쌓아 두었을 법한데, 싱크대엔 물 한 방울 남아 있지 않았다.

하기는 소연이 그렇게 허술하게 꼬리를 남겨 두었으리라고는 생각되지 않았다. 현 여사가 찾으려는 것은 소연의 일기장이었다.

언젠가 소연은 십 년 전부터 일기를 매일 써왔다고 말했다. 그 일기장에는 모든 비밀이 감추어져 있을 것이다. 그녀의 과거와 현재의 모든 것이. 거기에는 현 여사 자기에 관한 것도 쓰여 있을 것이다. 불과 반년 남짓한 그 시간들이 현 여사에겐 지금까지 살아온 세월을 모두 합친 것보다 더 많은 고뇌와 고통을 담고 있었다.

현 여사는 소연의 진심이 무엇인지 기어이 알아내야만 할 것 같았다. 최근 들어 두개골이 빠개질 듯 머릿속을 어지럽히는 이런저런 의혹들이 설사 사실로 드러나더라도. 매일매일 피를 말리는 고통으로 서서히 죽어 가느니 독침처럼 치명적인 것이 단숨에 목숨을 앗아가 주기를 바라는지도 몰랐다.

도대체 일기장은 어디에 숨겨져 있단 말인가. 현 여사는 노트북이 놓여 있는 책상 앞 의자에 걸터앉았다. 나무책상에는 양쪽으로 서랍이 네 개씩 달려 있었다. 오른쪽 맨 윗서랍부터 차례차례 열어 보아도 일기장 비슷한 것은 찾아낼 수 없었다. 그중 서랍 하나에는 현 여사가 준 선물들만 담겨 있었다. 라피스석이 박혀 있는 은목걸이에서부터 카르티에 만년필, 시계, 손지갑 등 서랍 하나가 가득 찰 정도로 가짓수가 많았다. 소연은 왜 이것들을 쓰지 않고 모아 두기만 했을까. 어쨌든 그것들은 소중히 간직된 느낌이기는 했다.

결국 일기장을 찾아낼 수 없었다. 공간이 빤했기 때문에 더 이상 찾아볼 만한 데가 없었다. 그 동안 써온 일기장들을 집에다 두고 왔을 수도 있다. 어떻게든 그녀를 설득해서 일기장들을 집에서 가져 나오게 해야 할 텐데.

그제서야 현 여사는 화장실에 가고 싶은 것을 내내 참고 있었다는 사실이 생각났다. 세면대에서 손을 씻고 나서 수건걸이에 걸려 있는 수건에다 손을 닦으려다 말고 멈칫했다. 까실까실한 수건에 손을 닦으면 물기가 마른다 해도 흔적이 남을 것이다.

젖은 손을 입김으로 후후 말리면서 문득 눈길이 벽거울에 닿고 말았다. 그 거울에 비친 여자는 나이 들고 얼굴이 초췌한 데다 맨머리를 감추느라고 검은 모자를 쓰고 있었다.

저건 내가 아니야.

거울 속을 뚫어질 듯이 들여다보며 현 여사는 입을 씰룩거렸다.

일 기

원룸으로 이사를 온 것이 점점 후회가 된다. 현 여사로 하여금 내 생활을 환히, 가까이 들여다볼 수 있게 함으로써 쓸데없는 의심을 없애 보려고 했으나, 결과는 그 반대로 나타나고 있다.

그녀에 대한 내 마음은 이전보다 훨씬 진지하다. 어떤 점에서 지금이야말로 나는 그녀를 진심으로 이해하고 사랑한다. 그럼에도 우리 관계는 날로 날로 불편해지고 있다. 서먹하고 껄끄러운 침묵이 우리에게서 말을 앗아가고 있다. 그녀는, 내가 퇴근 후의 거의 모든 시간을 자기에게 할애하는데도, 밤이 늦어 원룸으로 돌아가려고 하면 표정이 야릇하게 일그러진다.

"너 참 이상하다. 여기서 자나, 거기 가서 자나 마찬가지일 텐데 왜 굳이 돌아가려고 하는지 모르겠다."

"가서 내일 쓸 기사자료를 좀 훑어봐야 돼요."

"그럼 이리로 가져와서 해. 방해하지 않을 테니."

"제가 곁에 있으면 선생님이 잠을 못 주무셔요."

"내 걱정은 하지 않아도 돼."

"어쨌든 가야 돼요."

"너, 밤에 누가 찾아오는 사람이 있니?"

"그게 아니라는 건 선생님이 더 잘 아시잖아요."

"아니, 모르겠어. 난 너를 모르겠어."

모르는 것이 아니다, 그녀는. 어쩌면 믿고 싶지 않은 건지도 모른다. 이제 나는 더 이상 그녀와 육체를 섞고 싶지 않다. 그토록 절박한 방법이 아니라도 사랑이 가능해진 것이다. 그녀가 내 이 진심을 볼 수 있다면 좋겠다.

하지만 그녀의 마음은 갈수록 뜨거운 불길이 넘실거리는 화택(火宅)으로 변하고 있다. 그 지경에 이르른 것은 내 책임이 크다. 그 때문에 손목을 잡히어 화염 속에 함께 서 있으려는 것이다. 순간순간 참을 수 없을 만큼 괴롭고 고통스럽다. 모멸스럽기도 하다.

그녀에겐 내 방 문을 열 수 있는 여벌의 열쇠가 있다. 내 것과 똑같은 열쇠가 그녀의 욕실 선반에 놓여 있었다. 모르는 척했다. 아마도 그녀는 내가 출근한 뒤 그 열쇠로 문을 열고 내 방을 둘러볼 것이다.

그녀는 어제, 실수로 담배 꽁초 하나를 책상 위의 재떨이에 남겼다. 꽁초에 묻은 초콜릿 빛깔의 입술연지, 나는 짙은 빛깔의 입술연지를 쓰지 않는다. 그녀는 무엇이 궁금한 것일까. 내게 따로 사귀는 남자가 있는지 없는지 궁금하다면, 그 대답은 이미 그녀가 알고 있다.

김민서를 만날 때마다 나는 그녀에게 그 사실을 공개적으로 알린다. 그녀가 물어 보면 있는 그대로 대답해 준다. 때로는 내 대답이 그녀에게 잔인한 것은 아닐까, 걱정스럽기도 하지만, 그렇게 해서 언젠가는 그녀가 진실을 직시하도록 해야 하는 것이다.

오늘 그녀는 내 방 문 밖에서 나를 기다리고 있었다. 하마터면 나는 "왜 여기 계세요? 안에 들어가 계시지"라고 말할 뻔했으나 "웬일이세요?"라고 얼른 말을 바꾸었다.

"왜 그렇게 놀라지?"

현 여사는 층계 아래쪽을 유심히 살폈다. 그것은 딱히 내게 동행이 있는지 살피기 위해서라기보다, 나를 화나게 하려는 몸짓인 듯했다.

"많이 기다리셨어요? 아까 전화로 말씀드렸잖아요. 친한 친구가 연출하는 공연이 있다구요."

"그렇다구, 이 시간까지 극장에 있었다는 말은 아니겠지."

"어쨌든 아틀리에로 가세요. 제가 모셔다 드릴게요."

"흥, 누가 오기로 했군."

"아이, 이 밤에 누가 오겠어요. 피곤하실 텐데 어서 가서 쉬셔야죠."

"네가 피곤하니 차 한 잔 주기도 싫은가 보지?"

"들어가세요, 그럼."

나는 문을 열었다. 어둠 속에서 시계가 저 홀로 째깍거리고 있었다. 불을 켰다. 등뒤에 서 있는 그녀의 존재감이 두 어깨를 짓누르는 듯했다. 갑자기 피곤이 몰려왔다. 그녀 몰래 한숨을 쉬면서 주전자에 물을 받아 가스불 위에 얹었다.

"프림과 설탕을 넣을까요?"

그녀는 내 말을 못 들은 체했다. 아니, 정말 못 들었는지도 모르겠다. 마치 터지기 직전의 폭발물인 양 두 손으로 자신의 머리를 감싸 쥔 채, 침대 앞에서 오락가락 하는 그녀를 지켜보노라니 마음이 조마조마했다. 답답하기도 안타깝기도 했다.

"왜 그러세요?"

하는 수 없이 나는 스스로 그녀의 시비 속으로 걸어 들어갔다.

"몰라서 물어? 너는 그깟 연극 때문에 나를 문 밖에 세 시간이나 세워 놓았어."

드디어 뇌관이 무시무시한 소리를 내며 터졌다.

"없는 줄 알면서 뭣 때문에 그런 수고를 하시냐구요."

나는 절대로 흥분하지 않으리라 다짐했다.

"지금 누구 탓인가를 따지자는 거야?"

"제가 몇 시에 돌아오겠다고 약속해 놓고 그 시간을 어긴 것은 아니잖아요."

"그럼 너를 기다린 내 잘못이 더 크단 말이지?"

"그런 뜻이 아니에요."

그녀의 잔에 따르는 커피가 넘치고 말았다. 마른 행주로 받침접시에 고인 커피물을 닦아 내며 나는 밭아진 숨을 다독였다.

"너, 내 말 잘 들어."

그녀의 젖은 눈빛이 푸른 날처럼 내 목을 겨누었다. 어쩐지 슬픈 기분이 되어 몸이 녹아 내리는 것 같았다.

"나의 일 분 일 분은 피 한 방울 한 방울 같은 거야. 내가 너와 함께하는 시간은 네가 다른 사람들과 함께하는 시간과 전혀 다른 거야. 그것은 이 세상에서 너를 기다리는 것 이외에는 다른 아무것에도 쓸 수가 없는 그런 것이야."

갑자기 그녀가 두 손으로 팔꿈치를 거머쥐고 선 채로 몸을 부들부들 떨기 시작했다. 나는 가슴을 그녀의 등에 포개고 그녀를 등뒤에서 끌어안았다.

"나를 모욕하지 말아."

그녀가 나를 거칠게 밀어냈다. 나는 또다시 그녀를 끌어안고 침대로 갔다. 맥없이 침대에 쓰러지는가 싶던 그녀가 다시 나를 밀쳐내며 몸을 일으켰다.

"너는 내가 네 몸이 그리워서 이러는 줄 아니?"

소리치는 그녀의 음성에서 묻어나는 비통함이 몸 깊숙이 파묻어두려고 결심했던 슬픔을 뒤흔들었다.

"알아요. 그게 아닌 줄 알아요. 제발 거기 누워서 진정 좀 하세요."

나는 일어나는 그녀를 또다시 침대 위에 쓰러뜨렸다.

우리는 마치 힘이 넘쳐나서 그 힘을 서로 겨루어 보고 있는 씨름꾼들처럼 헐떡거리며 쓰러뜨리고 일어나기를 되풀이했다.

얼마나 시간이 흘렀을까. 우리는 쓰러져 몸을 포갠 채 맥을 놓아버렸다. 포개진 가슴과 가슴 사이로 적막한 침묵이 흘렀다. 슬픔이 모두 탕진되어 너무나 허탈해지자 또다시 가슴이 아렸다.

그녀가 비틀거리며 몸을 일으켰다. 나는 말없이 그녀를 놓아주었다. 갑자기 어디선가 나타난 오토바이가 폭음을 끌며 사라졌다. 나는 침대에 걸터앉아 멍하니 그녀를 지켜 보았다. 힘겨운 손길로 흐트러진 옷매무새를 가다듬고 있긴 하지만 그녀는 곧 주저앉을 것만 같았다. 그러나 비틀거리며 현관문으로 가서 문을 열고 밖으로 사라졌다. 그녀의 하얀 울스웨터 어깻죽지가 길게 뜯겨진 것을 본 것은 그때였다.

옷장에서 겉옷 하나를 꺼내 들고, 그녀를 뒤따라갔다. 걸음을 따라잡고 옷을 건네 주고 싶다고 생각했지만, 길에는 인적이 끊겨 그녀의 옷차림을 눈여겨볼 사람은 아무도 없었다. 꽁꽁 얼어붙은 길을 앞서가는 그녀의 휘청거리는 발걸음소리가 마룻장을 울리듯 크게 들려왔다. 세상은 여전히 시간에 맞춰 곤한 잠에 빠져 들었는데, 그녀만은 아까워 나에게밖에 쓸 수 없다는, 피 같은 시간을 살고 있었다. 그러나 어쩌랴, 이미 내 마음에선 돌이킬 수 없는 것이 시작된 것을.

그녀의 뒷모습이 오피스텔 건물 입구로 빨려 들어간 뒤에도, 얼마 동안 나는 길 위에서 서성거렸다. 마침내 그녀의 방에 불이 들어오는 것을 보고 돌아섰다.

슬픈 육체

술을 많이 마셨다. 휘청거리는 몸을 남자의 어깨에 기댄 채 현 여사는 엘리베이터 문이 열리기를 기다렸다. 몸이 텅 빈 듯 공허했다.

문을 열려다 손에서 열쇠를 놓쳤다. 마치 그것 때문인 듯 현 여사는 처연한 눈길을 복도의 천장으로 돌렸다. 박 감독이 열쇠를 집어서 현 여사의 손에 얹어 주었다.

불을 켜고 창가로 갔다. 소연의 방은 캄캄했다. 현 여사는 한동안 차가운 유리창에 이마를 붙이고 가만히 서 있었다. 건너편 빌딩의 옥상 모서리에 둥근 달이 얹혀 있었다. 난 왜 아직 너를 붙잡고 있는 거야, 빌어먹을. 맘속으로 힘없이 중얼거리며 현 여사는 버티컬 끈을 잡아당겼다. 베이지색 버티컬이 왼쪽에서 오른쪽으로 펼쳐지며 유리창을 덮었다.

현 여사는 외투의 단추를 벗기며 남자 쪽으로 돌아섰다. 다리를

꼬고 소파 등받이에 팔을 길게 걸친 자세로 그는 현 여사를 호기심 어린 눈빛으로 쳐다보았다

"지금 무슨 생각했어요?"

"제가 좋아하는 어떤 배우를 많이 닮으셨군요."

"감독은 배우한테 뭐든지 요구할 수 있겠죠?"

"영화 속에서만."

"사는 게 영화보다 더 영화 같지 않아요?"

"지금같이 특별한 경우에만."

"그럼 나한테 뭐든지 요구해 봐요."

"봐주지 말고?"

"그래요. 봐, 주, 지, 말, 고."

남자는 빙긋 웃으며 소파에서 일어나 오디오 앞으로 갔고, 현 여사는 장의자로 가서 쓰러졌다. 넘실거리는 취기가 몸을 몽롱하게 적시고 있음에도, 의식은 외롭고 추웠다.

"먼저 춤을 한 곡 추실까요?"

일부러 꾸민 정중한 말투. 박 감독은 현 여사의 팔을 잡아 일으켰다. 잔잔하고 느린 곡조의 음악에 맞추어 춤을 추는 시늉을 하는 동안, 현 여사는 남자의 어깨 너머로 벽시계에 시선을 멈추고 있었다. 열 시 사십오 분. 소연은 김민서와 저녁 약속이 있다고 했다.

"이젠 저기 식탁 위로 올라가세요."

"거긴 왜? 아니, 됐어요."

"그리고…… 옷을 한 가지씩 벗으세요."

현 여사는 거부하는 몸짓을 해보이다 갑자기 웃음을 터뜨렸다.

"힘드시면 그만두셔도 됩니다."

남자는 뒷짐을 지며 거만하게 말했다.

"아냐, 계속합시다."

시계는 열한 시를 가리키고 있었다. 현 여사의 입가에서 남은 미

소가 사라졌다. 무섭도록 진지한 표정이 되어, 조금쯤 어색해서 눈길을 비키고 있는 남자의 시선을 끌어당겨 자신의 정중앙을 바라보게 했다. 너는 잠시도 눈길을 비켜선 안 돼. 내가 다시는 그녀를 생각하지 못하도록 날 모욕해 보란 말이야. 눈으로 그렇게 말하며 현 여사는 옷을 한 가지씩 벗기 시작했다. 얇은 겨자색 터틀셔츠, 흰 면내의, 브래지어, 회색 바지, 흰 면내의 팬티 순으로 모두 벗었다. 이제 남은 것은 머리에 두건처럼 감고 있는 검정색 스카프뿐이었다.

그새 박 감독은 사뭇 당돌해져, 눈을 현 여사의 나신에 고정시킨 채, 한 걸음 정도 떨어진 거리에서 둥근 식탁을 빙빙 돌고 있었다. 그도 이젠 처음의 장난스런 기분을 벗어던지고, 현 여사의 절망적 자학행위에 충실히 가담하고 있었다. 그가 현 여사 머리에 두른 스카프를 가리켰다. 문득 현 여사는 벼랑에서 몸을 날렸으나 죽음의 공포마저 사라진 듯한 이상한 열기를 느꼈다. 머리에 두건처럼 감고 있던 스카프를 풀자, 머리카락 없는 맨머리가 드러났다. 남자는 마음의 충격을 미소로 감추었다.

남자에게 안기어 식탁에서 내려온 현 여사는 사뭇 비장한 눈으로 남자를 재촉했다. 이제 다음엔 또 뭐죠? 사실은 소연이 지금쯤 귀가하는 길에 잠시 화실에 들를지도 모른다는 생각이 현 여사의 어금니를 사려물게 했다.

"다음엔 장미를 바치겠습니다."

박 감독이 화병에서 붉은 장미 한 송이를 뽑아 들고 소파로 가서 앉았다. 그 꽃은 이틀 전 소연이 가져온 것이었다.

"저기 현관 쪽으로 가세요."

장미 향기로 현 여사를 유혹하는 시늉을 하며 그가 손짓을 보냈다. 이러고도 내가 네 생각을 끊지 못한다면……. 실오라기 하나 걸치지 않은 온몸이 열기도 없이 핫핫거렸다. 현 여사는 칠팔 미터쯤 걸어가서 장미를 향해 손을 뻗었다.

"아니요." 그가 심술궂게 장미 송이를 뒤로 감추며 덧붙였다. "이건 그렇게 쉽게 가질 수 있는 게 아니에요. 다시 가서 네 발로 오세요."

잠시 망설인 끝에 현 여사는 바닥에 엎드렸다. 바닥을 짚은 손이 후들후들 떨렸다. 취기는 진작 달아나 버렸고, 의식은 독사의 혀처럼 선연했다. 현 여사가 장미를 향해 무릎으로 기어가고 있을 때 문이 열렸다.

현 여사는 움직임을 멈추지도 돌아보지도 않았다. 놀란 것은 박 감독이었다. 그는 자리에서 벌떡 일어났다.

"오, 세상에!"

소연의 외마디 소리에 현 여사는 그제서야 재처럼 폭삭 바닥에 무너졌다.

신음하는 나날들

소연의 오는 발길을 끊어 놓기엔 충분했다. 아침이 되어도 낮이 되어도 저녁이 되어도 전화기는 잠잠했다. 하루 종일 이불을 뒤집어쓰고 잠이 깨면 수면제 먹기를 되풀이하던 현 여사가 또다시 잠이 깼을 때는 밤 열두 시였다. 자리에서 일어나자마자 현 여사는 창가로 갔다. 버티컬 틈 사이로 내다본 소연의 방엔 불이 켜져 있었다. 집으로 돌아왔으면서도 그녀는 전화를 하지도, 찾아오지도 않고 있다. 결국 마음의 문을 완전히 닫아 버린 것이다.

이미 짐작된 일이었다. 각오는 하고 있었지만……. "오, 세상에!", 그녀의 외마디 소리가 귓가에 맴돌았다. 발로 가슴팍을 펑 채인 듯한 모욕감이 되살아났다. 모든 것이 일순간에 멎는 듯한 그 모욕감까지 주고받았으니 이제는 더 갈 곳이 없는 것이다. 넋을 놓고 불빛을 바라보는 동안, 소리 없는 눈물이 뺨을 적셨다. 오, 하느님. 그녀를 잊게 해주세요. 바닥에 주저앉아 무릎을 끌어안고 주문을 외듯 기도를 되풀이했다. 그렇게 첫날이 지나갔다.

이튿날이었다. 단념이 될 것 같았다. 마음속에 무엇이 있어 그런 느낌이 드는지는 알 수 없었다. 눈을 뜨면 이끌리듯 창가로 가서 소연의 방부터 바라보던 것을 멈추었다. 양치를 하려고 치약을 짰으나 약이 잘 나오지 않았다. 가위로 튜브를 찢었다. 자기도 모르게 필요 이상으로 갈가리 찢었다. 칫솔로 튜브 속을 샅샅이 훑고 있는 동안, 그만 양치를 하겠다는 생각을 잊고 말았다. 마음이 이전처럼 산란한 것은 분명 아니었다. 오히려 모든 것을 잊고 오직 그것에만 몰두하게 하는 어떤 묵직하고 결정적인 것이 마음에서 다져지고 있었다.

현 여사는 폰뱅킹으로 예금잔액을 조회했다. 그러고 나서 방배동 집으로 전화를 했다.

"아줌마, 감자전 좀 부쳐 주세요. 잠시 후에 갈게요."

깊은 겨울날의 찌푸린 날씨였다. 택시를 잡기 위해 오랫동안 길에서 있어야 했다. 간신히 모범택시 한 대를 잡았다. 창 밖으로 미끄러지는 세상이 어쩐지 깊숙이 마음에 와 닿았다. 남편의 마지막 며칠도 이런 기분이었을까. 세상은 먹지를 댄 듯 촉촉하고 선명했다.

"손님은 어떻게 생각하세요?"

운전기사의 느닷없는 질문이 창 밖으로 쏠린 현 여사의 마음을 안으로 끌어당겼다.

"뭘요?"

"어제 대통령 아들이 구속됐잖아요."

"아, 그런 일이 있었어요?"

"그럼요, 텔레비전 뉴스, 신문에도 나오고, 온통 그 얘기뿐인데."

"그런데요?"

"그거 정치쇼 아니겠어요. 아무 직위도 없이 아들이란 것만으로도 수십억 원을 긁어 모을 수 있었던 권력이 갑자기 검찰 앞에서 아무런 손도 쓸 수 없다, 이거 어디 누가 믿겠어요."

그렇구나, 사람들은 여태도 청문회니, 한보 비리니 하며 시끌벅적하고 있구나. 미친듯이 빠르게 자기를 돌리던 회전목마가 이제 서서히 멈춘다 해도 다시는 이전의 자기로 돌아갈 수 없으리라.

"제가 손님을 귀찮게 했나요?"

"아뇨."

감았던 눈을 뜨고 현 여사는 서둘러 가방을 열었다.

열흘 만에 찾은 집. 두 마리의 개들이 반가워하며 길길이 뛰어올랐고, 주방에선 감자전 부치는 고소한 냄새가 진동했다. 현 여사는 가방을 식탁 위에 내려놓자마자 뜰로 나가서 귀남이의 목에 줄을 묶었다. 동네를 한 바퀴 돌고 집으로 돌아오니 식탁이 차려져 있었다. 수저를 들기만 했지, 음식이 좀체 줄지 않는 것을 보고 아주머니가 걱정스러운 낯으로 참견했다.

"먹고 싶다고 해서 아침 내내 감자를 갈아서 만든 건데, 왜 안 드세요."

"아줌마, 지난번 아줌마 딸 가게 빌리는 데 모자라는 돈이 얼마라고 하셨어요?"

"그건 왜 물으세요?"

"그냥 알고 싶어서요."

현 여사는 수저를 내려놓고 식탁에서 일어났다.

"아무것도 안 드셨네. 얼굴이 영 반쪽이네요. 무슨 일인지 모르지만 이제 그만 아드님을 용서하시고……."

"올라가서 좀 쉴게요. 깨우지 마세요."

이층에 올라가기 전 지훈의 방을 잠시 들여다보았다. 바쁘게 나갔는지 옷가지들이 여기저기 널려 있었다. 그냥 방문을 닫을까 하다 들어가서 옷가지들을 개어 놓고, 침대도 반듯이 정돈했다. 너저분하게 어질러진 책상 한켠에 사진틀 하나가 놓여 있었다. 지훈의 고등학교 입학을 기념하는 사진이었다. 앞엔 남편과 현 여사가 나란히 앉아 있고, 지훈은 뒤에 서 있었다. 그 시절의 가물거리는 기억들이?…… 지금은 되살리고 싶지 않아 현 여사는 얼른 사진틀을 제자리에 내려놓았다.

오랫동안 비어 있던 방 안엔 냉기가 감돌았다. 경대, 옷장, 침대, 벽에 걸려 있는 그림들은 변함이 없는데, 이미 이전의 그가 아닌 사람만 변해서, 그 사물들을 낯설게 아주 낯설게 바라보고 있었다. 현 여사는 옷장을 열고 옷걸이에 걸려 있는 옷들을 쓰다듬어 보고, 경대 앞의 화장품 가운데 하나를 집어 뚜껑을 열어 보고 냄새를 맡아 보았다.

침대에 걸터앉아 스탠드를 켜 보고 다시 껐다. 여섯 달 전 어느 날의 날짜에 펼쳐져 있는 메모책엔 소연의 신문사 전화번호가 적혀 있었다. 펜을 들고 그 전화번호를, 이제는 맘속에 새겨져 눈감을 때까지 잊히지 않을 그 일곱자리 숫자를 천천히 써보았다. 미처 다 쓰기도 전에 얼굴을 베개 속에 묻고 말았다. 베개가 이내 축축히 젖었다.

둘째 날은 그렇게 지나갔다.

다음날 현 여사는 잠에서 깨어난 뒤에도 천장만 쳐다보며 가만히 누워 있었다. 남편이 떠난 직후의 시간으로 되돌아간 듯, 몸은 속이 다 파여 텅 빈 듯했고, 마음은 모든 것을 놓아 버렸지만 아직 목숨의 끈 하나만은 쥐고 있어, 그것을 언제 놓을지, 그 때문에 스산한 긴장이 감도는 그런 상태였다. 소연을 만나 파란을 일으킨 감정이 시시각각 초조, 불안, 노여움, 질투에 휩싸여 격정의 만다라를 지어내며 광란, 질주, 소진으로 이어져 왔지만, 그 어지러웠던 목마의 회전이 멈추려 하는 지금 분명해지는 것은, 변함없이 마음 밑바닥에 깔려 있는 그 긴장이었다. 그렇다면 소연은 자신에게 무엇이었을까. 인생의 무상감에 젖어 허탈해하는 지친 영혼을 실컷 놀리다 사라진 환영이었을까. 아니면, 그녀는 그저 스물여덟 살의 호기심 많은 조금은 대담하고 건방지고 제멋대로인, 그러나 사실은 두려움도 수줍음도 많은 소박한 처녀일 따름인데, 자신이 그녀에게 재앙의 가면을 씌워 더 깊이 더 고통스럽게 침탈하도록 가슴을 들이댄 것은 아닌지?

어쨌든 현 여사는 모진 병에 걸린 환자가 죽음을 앞당겨 느껴 봄으로써 마음에 깃드는 절망적 휴식상태에 자기를 맡기고 있었다.

다시 잠에 빠져 든 현 여사는 몇 시인지도 모를 시각에 일어났다. 일어나자마자 잠가 놓은 남편의 서재방 열쇠를 가지고 아래층으로 내려갔다. 방으로 들어가서 다시 문을 닫아 걸고, 늦도록 남편의 유품을 정리하는 데 몰두했다.

셋째 날은 그렇게 지나갔다.

넷째 날, 현 여사는 변호사 부인인 친구에게 전화를 해서 점심 약속을 했다. 두 사람은 강남의 어느 호텔 로비 레스토랑을 약속장소로 정했다. 현 여사는 십 분쯤 먼저 나가서 친구를 기다렸다. 오 분쯤 늦게 나타난 친구가 주위를 두리번거리며 걸어오는 것을 현 여사는 침울하게 지켜보았다. 친구에게 비밀을 털어놓은 뒤, 괴로울 때마다 전화를 걸어서 횡설수설하다가 슬그머니 내침을 당한 이후 처음 만나는 것이었다.

"너, 모자가 잘 어울린다. 이제 모자를 자주 써도 되겠다."

친구는 자기가 얘기를 들어줌으로써 현 여사의 광분하는 마음이 진정되기는커녕 더욱 심해진다는 판단에서, 냉정하게 밀어내기는 했지만, 내심 그녀의 행보가 걱정스러운 참이었다. 쓰지 않던 모자를 쓴 것이며, 화장을 전혀 하지 않은 푸석푸석한 얼굴이 조금 이상해 보여도, 이전의 그 쫓기는 듯했던 허둥거림은 다소 진정이 된 분위기였다. 그래도 친구는 무슨 얘기든 들어줄 용의가 있다는 뜻으로 앞에 놓인 재떨이를 현 여사 앞으로 넌지시 밀어 놓았다. 현 여사는 그 재떨이를 다시 다른 쪽으로 밀어 놓았다.

"담배를 끊었어?"

"그런 건 아니지만, 지금은 생각 없어."

현 여사의 눈을 유심히 들여다보며 친구는 빙긋 웃었다.

"뭘 먹을까?"

"넌?"

"난 아무 생각 없지만, 뜨거운 국물이 있는 거면……."

종업원이 주문을 받아 간 뒤였다.

"아 참, 세종문화회관 앞에서 지훈이를 만났어. 너 계속 화실에만 있다며?"

"며칠 전 집으로 들어왔어."

"느이 아들 볼수록 준수하게 생겼더라."

고개를 끄덕이며 현 여사는 눈길을 창 밖으로 돌렸다. 친구가 조심스레 말을 건네 봐도 좀체 대화가 길게 이어지지 않는다. 띄엄띄엄 몇 마디씩 대화가 이어지는 가운데 두 사람은 맛없는 식사를 마쳤다.

현 여사가 커피를 스푼으로 저으면서 지나가는 말처럼 물었다.

"그 사람들이 요구한 합의금이 얼마랬어?"

"이천오백이라지?"

"며칠 내로 마련해 본다고 저쪽에다 말해 줘."

"조금 조정할 수 있을걸."

"됐어. 나 좀 집에 데려다 줄래?"

"그뿐이야, 할 얘기가?"

"응."

친구는 미심쩍은 듯 고개를 갸우뚱했지만, 더 이상 캐묻지는 않았다.

집으로 돌아온 현 여사는 또다시 아주머니에게 깨우지 말라고 당부해 놓고 자리에 들었다.

그렇게 또 하루가 지나갔다.

다섯째 날은 전화벨 소리로 시작되었다. 현 여사는 수렁처럼 음울한 잠에서 빠져 나오며 수화기를 집어들었다.

"여보세요."

"……."

"여보세요?"

여전히 상대는 말이 없다. 현 여사는 윙 소리뿐인 침묵 속에서 뭔가 단서가 될 만한 것을 건져 내려고 수화기를 더 바짝 귀에 들이댔다.

"여보세요!"

음성이 다급하게 바뀌었다. 그러자 전화는 뚝 끊기었다. 갑자기 맥박이 빠르게 뛰기 시작했다. 그녀가 틀림없어. 낙담으로 멍이 든 마음이 흔들리기 시작했다. 현 여사는 자기의 짐작이 맞다는 것을 자신에게 확신시키기 위해, 그 근거를 생각해 보기 시작했다.

시간이 지남에 따라 충격은 가라앉고, 이성을 되찾게 된 소연은 생각해 보지 않을 수 없을 것이다.

그녀는 박 감독과 깊은 관계일까?

아니다.

그렇다면 그 지독한 장면은 나를 의식해서 연출한 것일까? 무엇 때문에?

나로 하여금 정을 끊게 하려고. 자기 힘으로 자기 맘을 돌이킬 수 없으므로.

아픔은 어쩌려고?

충격이 너무나 컸으므로, 소연은 유추를 통해 이쪽에서 자기를 모욕할 뜻이 전혀 없다는 사실을 깨닫게 되었다 하더라도, 당장은 전화를 하거나 찾아오기가 거북할 것이다. 그러나 궁금한 마음은 갈수록 높아져 창문을 통해 화실을 수시로 살펴봤을 것이 틀림없다. 며칠이 지나도 방에 불이 들어오지 않는 것을 보고 무슨 일인지, 답답해하던 끝에, 전화를 받으면 이내 끊어 버릴 생각으로 화실에 전화를 했을 것이다. 전화를 받지 않자 더욱 궁금해져 집으로 전화를 해 본 것이고, 여보세요, 하는 소리에 그대로 끊어 버린 것이다.

자기 중심적이긴 하지만 이 유추를 통해 느껴지는 두 사람 사이의 끊을래야 끊을 수 없는 끈이 현 여사에게 뭉클한 위안을 주었다. 삼십 년 넘게 살 섞고 살았어도 그 마음에 심은 것 없어 덧없다 허망하다 몸부림친 남편과의 관계에서도, 그 영혼에 찍힌 인연의 인(印)이 반드시 있을 것이다.

하지만 방금 전의 그 전화는 소연의 전화가 아닐 수도 있다. 그녀의 외마디 소리, 그것은 치명적인 상처의 아픔에서 나오는 소리였던 것이다. 그런 상처를 입으면 다시는 돌아보고 싶지 않겠지. 결국 그녀의 마음을 확인해 보려는 욕심이 지나쳤던 것이다. 끓어오르는 회한으로 가슴이 미어졌다. 그녀가 아니라면 누가 전화를 해놓고 끊어 버린단 말인가?

박 감독이었을까? 그날 그는 도구로 쓰였을 뿐이지만, 그렇게 헤어지고 나서 마음이 편치는 않을 것이다. 그가 자기에게 어떤 느낌을 가지고 있든, 현 여사는 관심이 없었다. 하지만 전화를 해놓고 그냥 끊을 만한 사정이 얽혀 있는 사람은 그밖에 없었다.

박 감독에게 전화를 해보면 알 수 있겠지. 그날은 술이 취해 있었고, 몇 날 며칠 계속된 신경전에 숨이 막혀 죽을 것만 같았기에, 무슨 일이든 저지른다는 심정에서 그를 끌어들였지만, 막상 전화를 하려니 생경하고 곤혹스러웠다. 그러나 방금 전의 그 전화가 소연에게서 온 것인지 아닌지를 알 수만 있다면, 그깟 곤혹스러움쯤은 능히 견딜 수 있겠다.

박 감독의 전화번호가 적혀 있는 수첩이 화실에 있었으므로, 현 여사는 집을 나와 화실로 갔다.

화실에 들어서자마자 창가로 가서 소연의 방부터 살폈다. 소연은 물론 집에 없겠지만, 커튼이 드리워져 있는 빈방을 바라보는 것만으로도 숨쉬기가 쉬워졌다.

전화번호를 누르자 박 감독의 음성이 이내 전화를 받았다.

"나, 현석화예요."

"아, 예—."

머쓱해하는 느낌. 이쪽도 덩달아 당혹스러워진다.

"내가 전화할 줄 몰랐죠?"

"예, 좀 의외라서요."

"그날은 우리가 술이 좀 너무 과했었죠?"

"전 어느 시점부터는 필름이 끊겨서 아무것도 생각나지 않아요. 제가 무슨 실수라도?"

"실수는요. 박 감독 매너는 아주 깨끗했어요."

"그렇게 봐주시니 감사합니다."

"그런데 내가 실수한 건 없어요?"

"글쎄요, 필름이 끊겨서 생각나는 게……."

"됐어요, 그건 그렇구……."

뜨악해하며 몸을 사리는 그의 태도로 보면 전화를 했을 것 같지 않았다. 그래도 분명히 확인해 보기는 해야 할 텐데, 도무지 무슨 말 끝에 본심을 내비칠지, 말을 이끌어가기가 힘겨웠다. 그때 문득

"아틀리에 열쇠를 어디 두었는지 박 감독 혹시 기억나요?"

"열쇠가 없습니까?"

"아무리 찾아도 없네요. 밖에서 흘렸을까?"

"그건 아니에요. 우리가 열쇠로 문을 열고 들어갔으니까."

"그럼 화실 안에 있을 텐데."

"잘 찾아보세요."

"아까 혹시 나한테 전화하지 않았어요? 열쇠를 찾다가 없길래

……."

"아뇨, 전 열쇠에 대해선 아무것도 모르겠습니다."

"어쨌든 전화를 하신 일이 없다구요?"

"예. 그때문에 전화를 하신 거라면……."

현 여사의 음성은 안개가 걷힌 듯 밝아졌고, 박 감독은 은근히 전화를 끊고 싶어했다.

역시 그 전화는 소연이 한 게 분명했다. 그렇다면 그녀가 다시 전화를 걸어 올 가능성도 있지 않을까?

기다림은 그렇게 다시 시작되었다. 이젠 전화벨이 울릴 때마다 송곳으로 머리를 쑤시는 듯, 충격이 너무나 커서 그때마다 간이 오그라드는 것 같았다. 마음에 다져지던 묵직하고 결정적인 생각에 눌려 일시적 무감각 상태에 빠졌으나, 불안, 초조, 괴로움, 의혹들이 되살아남으로써 숨쉬기가 너무나 힘들어 심장에서 덜그럭거리는 소리가 날 지경이었다. 직접 전화를 걸 용기는 없고, 오직 기다려야만 한다고 생각하니, 그 기다림이 더욱 지옥 같았다.

한나절을 아무것도 안 하고 오직 전화만 기다렸는데 현 여사는 흠씬 얻어맞은 사람처럼 축 늘어졌다. 그 사이 집으로 몇 차례나 전화를 했다. 또다시 집으로 전화를 해본다.

"아줌마, 아직도?"

"예, 좀전에 어떤 여자분이 전화를 하셔서, 화실로 전화를 하라고 가르쳐 줬는데요."

"안 왔어요, 나한텐. 목소리가 젊어요?"

"그런 것 같아요."

"목소리가 야무진 것 같으면서도 맑지 않아요?"

"글쎄요. 그것까진 모르겠는데요."

"뭐라고 하면서 날 찾아?"

"현 여사님 계시냐고 그러든데요."

"선생님이라 하지 않고 여사님이라 그랬어요?"

"그러고 보니, 선생님이라 한 것 같기도 하네요."

"아줌마, 확실히 말해 봐요."

"에이, 모르겠네요. 이번에 다시 오면 잘 들어 둘게요."

안타까움만 더할 뿐이었다. 현 여사는 마침내 소연의 방 열쇠를 찾아가지고 화실을 나섰다.

미 망

이틀 내내 지켜보았으나 소연의 방엔 불이 켜지지 않았다. 그 이전부터 방은 비어 있었던 듯했다. 아주머니를 시켜서 집과 신문사로 전화를 해보게 한 결과, 출장갔다는 것을 알게 되었다.

현 여사는 신문사로 다시 전화를 해서 좀더 자세한 것을 물어 보았다. 소연은 부산 해운대 P호텔에서 열리는 아시아 영화 공동제작에 관한 심포지엄을 취재하러 갔다고 했다.

그 즉시 현 여사는 항공사에 비행기표를 예약하고, P호텔에도 전화를 걸어 방을 예약했다. 찾아가서 만날 형편은 못 되지만, 그녀를 먼발치로라도 볼 수 있다면, 하는 기대가 없지 않았다. 현 여사는 상상해 보았다. 엘리베이터 안에서나 호텔의 로비, 또는 찻집이나 칵테일 라운지에서 소연과 맞닥뜨린다면? 웬일이야? 이곳엔 언제 내려왔어? 나? 나는 부산에서 화랑을 하는 사람과 약속이 있어서.

속 들여다보이는 거짓말도 서슴지 않을 셈인가? 실소가 새어 나왔다. 하지만 상황은 좋은 방향으로 전개될 수도 있지 않을까. 예기치 않은 곳의 예기치 않은 만남이 불러일으키는 놀람과 흥분으로 해서 소연은 화실에서의 충격을 잊고 닫았던 마음의 문을 다시 열게 될지도 모르겠다. 겉으로는 우연히 만난 듯이 꾸미고 있는 현 여사의 속임수를 모르는 체하지만, 내심 부산까지 자기를 찾아온 것에 감동을 받을지도 모르겠다.

공항에 나가려면 시간이 넉넉치 않았다. 현 여사는 가벼운 짐을 꾸렸다.

부산의 하늘은 청명했다. 비행기가 고도를 낮추자 그린 듯한 해안선과 해안을 따라서 늘어선 아파트 숲과 부두에 정박해 있는 크고 작은 배들이 손에 잡힐 듯 가까이 보였다. 선미(船尾)에 하얀 물거품의 띠를 매단 여객선 한 척이 부두를 떠나 난바다로 나아가고 있었다. 기내 방송이 흘러나오기도 전에 현 여사는 안전벨트를 하고 큰숨을 들이쉬었다. 벌써 가슴이 두근거리기 시작했다.

택시에서 내렸을 때 호텔 입구에 걸려 있는 심포지엄 현수막이 현 여사의 막연한 불안감을 가시게 했다. 이제 소연이 시야에 나타나는 것은 시간문제인 듯했다. 이 건물 어딘가에서 그녀는 귀에 이어폰을 꽂고 발제자의 강연을 듣고 있을 것이다. 또 어쩌면 엘리베이터에서 불쑥 로비로 걸어 나올지도…….

로비는 한산했다. 정면에 칵테일 라운지가 있었고, 측면으로 로비 찻집이 있었다. 소연이 만약 칵테일 라운지나 찻집에 앉아 있다면, 이내 그녀의 눈에 뜨임직했다. 승강기 뒤편에 있는 접수대로 가는 동안 현 여사는 등이 뻣뻣해질 만큼 걸음이 부자연스러웠다.

"예약한 사람인데요……."

넌지시 뒤를 살피는 현 여사의 마음이 두 갈래였다. 맞닥뜨림을 바라기도, 바라지 않기도 했다.

"여기 숙박계 좀 써주십시오."

기록을 끝낸 숙박카드를 넘겨주며 현 여사는 접수대 뒷벽에 걸려 있는 시계를 쳐다보았다.

"심포지엄은 언제까지 하지요?"

"오후 네 시에 끝납니다. 네 시 반부터는 리셉션이 있구요."

"투숙객 중에 방소연이란 사람이 있는지 확인해 주시겠어요?"

접수부원이 컴퓨터 모니터를 들여다보고 있는 사이에, 현 여사는 또다시 뒤를 살폈다.

"그런 분은 안 계십니다. 여기 카드 받으세요. 417호실입니다."

경비를 절약하기 위해 다른 곳에 숙박하고 있는 걸까. 어쨌든 취재를 하려면 이곳으로 오지 않을 수 없겠지.

"대회의실은 어디에 있지요?"

"로비 찻집 앞을 지나 똑바로 가시면 됩니다."

감색 양복에 넥타이를 단정히 맨 깔끔한 접수부원이 가리키는 방향. 거기에 그녀가 있다? 조금쯤 불확실함에도 그 가능성이 현 여사를 한없이 긴장시키고 떨리게 했다. 그 긴장과 떨림은 마음에 저장된 열정이 거의 다 소진된 지금에 이르러선 살아 있음의 마지막 불꽃과도 같았다.

방은 온돌방이었고 훤히 트인 베란다 창 너머로 바다가 펼쳐져 있었다. 창 앞에는 방석과 교자상 크기의 탁자가 놓여 있어, 편안한 마음으로 바다를 바라보며 명상에 잠겨 보라는 암시처럼 보였다. 현 여사는 탁자를 옆으로 밀어 놓고 선 채로 바다를 바라보았다. 바다는 수평선을 물고 꿈꾸는 듯 잔잔했다. 일순간 밀려드는 고달픔. 그녀를 만나 어찌할 수도 없으면서 이곳까지 내려와서 먼발치로라도 바라보겠다고 하는 자기 마음의 부질없는 기도가 한없이 처량하게 느껴졌다. 설사 그녀와의 맞닥뜨림이 의외의 밀월로 이어져서 화실에서 입힌 모멸감을 용서받고, 다시 화해한다 한들 무엇이 달라질 수 있을까. 소연과 김민서의 관계가 얼마만큼 진전되고 있는지 알 수 없지만, 소연은 그를 좋아한다고, 사랑한다고 분명히 말하지 않았는가. 그녀 마음의 중심에 있지 못한다면 화해를 한다 해도 다시 결핍과 허전함에 시달리다 상처를 주고받는 식으로 갈등이 재연될 뿐이다.

그런데도 현 여사는 좀체 미련을 버릴 수가 없다. 아니, 미련이 버려지지 않는다. 사람의 마음이 그렇게 쉽게 옮겨다닐 수 있는 건가. 소연은 세상의 눈을 의식해 위장하고 있는 것이다. 그녀의 영육 깊숙이 진정으로 마음과 몸이 포개어진 사람은 자신이다. 왜냐하면 아무도 그만큼 깊이 타인의 내면으로 내려가기를 원하지 않기 때문에. 그럴 필요를 느끼지 않기 때문에.

사는 일이 비록 부질없고 덧없다 하더라도 그렇게 맺어진 관계의 매듭만은 시간의 어떤 변주 속에서도 고스란히 남아 있을 것으로 현 여사는 믿고 싶은 것이다.

손목시계를 들여다본다. 사십 분 뒤엔 회의가 끝날 것이다. 그녀가 리셉션에 참석할 것인지의 여부는 알 수 없어도, 일단 이십 분쯤 전부터는, 회의실의 출입구가 잘 보이는 곳에 자리를 잡고 기다려야 할 것이다.

시간을 보내기 위해 샤워를 했다. 십 분이 채 못 걸렸다. 욕실에서 나와 이끌리듯 베란다 앞으로 갔다. 한 남자를 태운 하얀 요트가 물살을 가르며 바다 위를 질주하고 있었다. 개와 함께 해변을 산책하는 여자에게서 시선을 거두고 돌아설 즈음이었다. 멀리 바다를 바라보고 앉아 있는 한 사람의 뒷모습이 어쩐지 낯익어 보였다. 거리가 너무 멀어 확실치는 않지만 녹색과 검은색의 체크무늬 옷을 입고 있는 것만은 확실했다.

베란다로 나가 난간 위로 몸을 숙여 좀더 자세히 보려고 노력했다. 단정할 수는 없지만 아무리 봐도 그 뒷모습이 소연과 닮았다. 얼굴을 이쪽으로 돌려 본다면 확실히 알 수가 있을 텐데, 그 사람은 그린 듯이 미동도 하지 않고 있다. 현 여사는 애가 탔다. 밖으로 나가 좀더 가까운 데서 알아볼 수도 있을 테지만, 그 사이 그 사람을 놓칠까 봐 움직일 수가 없다.

소연이라면 왜 회의장에 있지 않고 바닷가에 나와 앉아 있을까.

연사의 불참으로 회의가 예정보다 일찍 끝난 것일까. 아니면 두통이 나서 혼자 회의장을 빠져 나와 바람을 쐬고 있는 걸까. 그럴 리 없겠다고 생각해 보니, 그 사이에 회의가 끝나 참석자들이 모두 흩어져 버릴까 봐 걱정스럽고, 돌아서자니 소연이 아니라고 단정할 수도 없었다.

마침내 뒷모습의 사람이 자리를 털고 일어났다. 어깨에 기방을 메고 돌아서서 해변을 가로질러 호텔 방향으로 다가오고 있었다. 이제는 목에 검은 머플러를 하고 있는 것이 확실히 보였다. 모래사장을 지나 도로로 올라온 사람이 갑자기 시야에서 사라졌다. 늘어선 택시에 모습이 가려 버린 것이다. 택시들이 지나가고 여기저기서 나타난 행인들 사이에 끼여서 걷고 있는 그 사람이 좀더 호텔 쪽으로 가까이 다가와 있다. 거리가 많이 좁혀져 걸음걸이의 특징과 갈색 부츠를 신고 있는 것이 확실히 보였다. 그 사람이 어느 순간, 마치 자기를 바라보는 시선을 느낀 것처럼 고개를 젖혀 호텔 건물을 올려다봤을 때 현 여사의 가슴이 쿵 내려앉았다. 그와 동시에 현 여사는 몸을 돌려 안으로 들어왔다. 그녀가 확실했고, 호텔로 오고 있는 것도 분명했다.

목욕가운을 벗어제치고 급히 옷을 갈아입었다. 나중 일은 어떻게 되든, 당장 뛰어 내려가서 그녀와 맞닥뜨려볼 참이었다. 엘리베이터가 로비에 멈추자 현 여사는 조심스럽게 주위를 살피며, 그러나 걸음은 민첩하게 로비를 지나, 해변 방향으로 트여 있는 찻집을 또한 지나서 그녀가 오고 있는 길로 뛰어나갔다.

위에서 바라볼 때와는 달리, 자동차들과 행인들로 붐비는 길의 혼잡스러움이 현 여사를 어지럽게 했다. 아래쪽에서 호텔 방향으로 올라오고 있는 사람들을 하나하나 뜯어봐도, 녹색과 검은색 체크무늬 옷에 검은 머플러, 갈색 부츠 차림의 여자는 찾아볼 수 없었다. 샛길로 빠져 나간 것일까. 현 여사는 얼마쯤 길을 거슬러 올라가며 샛길까지도 눈여겨보았지만, 해변가의 그 사람의 모습은 간곳이 없었다.

호텔로 되돌아온 현 여사는 허둥거리는 맘으로 이곳저곳 기웃거리며 체크무늬 옷의 사람을 찾아보았다. 찻집, 칵테일 라운지, 로비 어디에도 그 사람은 없었다. 아마도 해변의 사람은 그녀가 아니었던 모양이다. 취재를 하러 온 사람이 왜 바닷가에 앉아 있겠는가. 잘못 본 것이다.

시간이 네 시 이십 분으로 접어들고 있었다. 그녀가 얌전히 취재를 하고 있었다면 아직은 회의장을 벗어나지 않았을 것이다. 현 여사는 한층 절박한 기분으로 걸음을 회의장으로 옮겼다.

심포지엄이 끝난 자리에서 호텔 종업원들이 리셉션 파티를 준비하고 있었다. 명찰을 가슴에 붙인 사람들이 여기저기 모여 서서 한담을 나누고 있는가 하면, 한편에선 카메라와 마이크를 든 취재진들이 몇몇 외국인들을 둘러싸고 인터뷰를 하고 있었다. 그들 중 두 사람은 여기자였으나 소연은 아니었다.

어찌 된 셈일까. 잠시 자리를 뜬 것일까. 현 여사는 회의장 한쪽 구석에 앉아 들고나는 사람들에서부터 모여 서 있는 사람들에 이르기까지 한 사람씩 낱낱이 훑어보았다. 그렇게 시간이 삼십 분 남짓 흘렀다.

현 여사가 얼굴을 붉히며 자리에서 멈칫 일어난 것은 어떤 일본인 때문이었다. 그는 손에 음식접시를 들고 웃으며 말을 걸어 왔다. 회의장을 도망치듯 빠져 나왔으나, 여전히 거기 어딘가에 소연이 있을 것 같아 뒤가 아쉬웠다.

로비의 찻집으로 가서 현 여사는 또다시 사람들을 살필 수 있는 자리에 자리를 잡았다. 파티마저 끝나, 모인 사람들이 모두 흩어질 때까지 지켜보았으나, 소연의 모습은 눈에 띄지 않았다. 첫날에 있었던 강연만 취재하고 서울로 돌아간 것일까? 아니면 역시 해변의 사람이 소연이었던 것일까. 좀더 일찍 뛰어 내려가서 그녀인지 아닌지 알아보지 못한 것이 새삼스레 아쉽고 후회스러웠다.

밖에는 어둠이 내리고 있었다. 현 여사는 해변으로 내려가서 체크무늬 옷의 여자가 앉아 있었음직한 위치까지 걸어가 보았다. 소연을 먼발치로라도 바라볼 기대마저 스러진 지금, 이 바다, 찰싹이는 물결소리, 축축하고 끈끈한 바람, 신발 속에 든 모래알까지 아무런 느낌이 없었다. 자신이 유령 같았다.

방으로 올라왔다. 어둠이 내리는 밤바다를 마주하고 한동안 멍하니 앉아 있었다. 이제는 더 이상 부산에 있을 이유가 없었다. 그러나 돌아갈 차표를 구할 수 없었다. 쏟아지는 피로인가, 쓰라린 낙담인가, 몸을 가누기가 어려웠다.

무슨 영화제라고 했다. 푸른색과 흰색의 깃발이 촘촘히 꽂혀 펄럭이고 있는 거리. 거리라고 하지만 긴 다리 같은 느낌도 있었다. 밀려드는 사람들이 발 디딜 틈조차 없이 거리를 메우고 어딘가로 가고 있는데, 그게 한 방향이 아니고 가는 사람의 흐름이 있는가 하면, 오는 사람의 흐름이 있었다. 자신은 가는 사람의 흐름에 파묻혀 걷는다기보다는 밀리고 있었다. 앞에서도 뒤에서도 밀리는 인파의 물결이 점점 흐름을 어렵게 했다. 다리 건너편 먼 동네에는 불빛이 휘황했고, 한 건물의 옥상에 설치된 와이드 비전에는, 실내에서 벌어지고 있는 영화제 개막식 장면들이 비치고 있었다. 또한 동네에 설치된 확성기에서는 장중한 교향곡이 흘러나오고 있었다.

음악 때문인가. 인파는 남편의 장례식에 모여든 조문객이라고도 했다. 아무리 주위를 둘러보아도 아는 사람이 한 사람도 없었다. 친구나 가족들도 눈에 띄지 않았다. 자기는 상주인데 남편의 장례행렬을 놓쳤다고 했다. 손에 들고 있는 하얀 국화꽃 한 송이가 녹슨 쇠빛으로 변해 있었다. 인파를 밀치고 행렬을 쫓아가려고 안간힘 하고 있는데, 어디선가 피에로 복장을 한 사람이 나타나 손을 잡아 끌었다. 그 피에로는 낯모를 사람이었는데, 다시 보니까 소연이었다. 두 사람은 손을 잡고 인파를 헤치며 이리저리 길을 만들어 가며 한적한 골목길로 들어와 있었다. 그 골목에는 마치 로마의 어느 광장에 있는 것과 같은 자그마한 분수대가 있었다. 분수대 안에는 맑은 물이 고여 있었다. 숨이 가쁘고 목이 말랐다. 두 손으로 물을 움켜 소연에게 먼저 먹여 주려고 보니, 그녀는 온다 간다 소리도 없이 저만큼 뒤를 보이며 모퉁이를 돌아가는 참이었다. 그녀의 긴 그림자가 떨어져 있는 곳은 축축이 젖어 있었다. 뒤쫓아 달려갔을 때 그녀는 이미 모퉁이로 사라졌고, 모퉁이를 돌아보니 다시 인파가 붐비는 다리였다. 노란 고깔모자를 쓴 소연의 머리가 사람들의 머리 위로 솟았다 가라앉았다 하면서 저만큼 떠밀려 가고 있었다. 인파를 밀쳐 내며 그녀를 뒤쫓아가면서도 시선은 내내 그 모자에 멈추어져 있었다. 그런데 갑자기 소연이 남편으로 변해 똑같이 인파에 파묻혀 머리가 가라앉았다, 솟았다 했다. 그 머리가 가라앉았을 때는 아무 소리도 들리지 않고 아무것도 보이지 않는 캄캄한 영사막이었다가, 그 머리가 다시 솟았을 때는 알 수 없는 아우성과 확성기로 흘러나오는 교향곡, 인파로 넘치는 거리의 한복판에 여전히 허우적거리며 남편을 잡으려는 자신이 있었다.

아, 그렇구나. 사는 게 꿈이로구나.

마치 한 모금의 시린 물이 가슴을 찌르르 훑어 내리는 느낌에 문득 잠이 깼다. 밤바다 앞에 멍하니 앉아 있던 자세로, 탁자 위에 쓰러져 잠이 들었던 것이다. 아직도 속을 훑어 내리는 찌르르한 느낌이 거꾸로 꿈속에서의 장면 하나하나를 선명하게 되살려 주는데, 그것이 바로 자기가 살고 있는 현실이었다.

뒤를 밟히다

"그게 언제였어?"

기분 나쁠 만큼 가슴이 뜨끔했다. 나는 찻잔에서 레몬조각을 건져내며 혜란을 쳐다보았다.

"나흘 전쯤이었나?"

"왜 너를 만나자고 했을까?"

"나도 그게 궁금하다니까."

"무슨 얘기를 했는데?"

"별로. 스크립터 일이 어떤 거냐고 물어 보았고……." 그쯤에서 흐지부지하려던 혜란은 내 눈빛을 보고 생각을 바꾸었다. "아드님 얘기도 했던 것 같고…… 아드님이 오지훈 PD라면서? 나는 그 남자 만나 본 일은 없지만 방송가에서는 인정받는 사람이거든. 그래서 그런 얘기도 좀 했고…… 참 나한테 네 소식을 물어 보더라."

"그래서?"

"못 만난 지 두 달이 넘는다고 했지. 표정이 뭔가 아주 실망하는 빛이었어. 이상해서 내가 그랬지. 무슨 궁금한 일이 있으면 직접 전화를 해보시라고. 그러마고 하더라. 너한테 전화 안 갔어?"

혜란은 그 이외엔 더도 덜도 할 얘기가 없다는 표정이었으나, 나는 미심쩍었다.

"며칠 동안 부산에 출장을 갔었어."

"부산? 너도 부산에 갔었단 말이야?"

"응"

"그분도 부산 얘기를 하시던걸."

"무슨 얘긴데?"

"뭐, 별 얘기는 아니었어. 남쪽이어서 확실히 날씨가 푸근하더라고."

긴장을 놓아도 괜찮겠다는 생각이 들었다. 현 여사가 내 친구에게 큰 실수를 하지 않았나 걱정스러웠으나, 혜란은 속에 감추고 있는 것이 없어 보였다.

"너 어서 그 파이, 마저 먹어. 영화 시작할 시간 됐어."

그녀가 부산까지 나를 쫓아왔단 말인가? 그렇다면 이틀 전 동숭동의 '마로니에' 카페 구석진 자리에 그녀가 앉아 있었던 것도 우연이 아니고 내 뒤를 밟고 있었던 것일까. 내 쪽에서 그녀를 먼저 발견했다. 우연히 만난 것이라고 생각했는데, 그것이 아니고 그녀가 나를 따라 거기까지 왔었던 것일까. 불이 꺼지고 영사막에 스태프진들의 이름이 비치고 있었으나 나는 영화에 몰입할 수 없었다.

그날 그녀의 화실에서 본 광경은 내게 충격적이긴 했으나, 그때문에 상처를 입을 만큼 나는 그 일을 심각하게 생각하지 않는다. 그것은 내 반응을 보기 위한 그녀의 계획된 연출이었다. 그녀와의 관계가 시작된 이후 되풀이된 일이었다. 처음엔 내가 그녀의 마음을 확인하기 위해 상처를 입히고 달아나기를 되풀이했으나, 지금은 그녀가 내 마음을 확인하기 위해 모진 연출을 하고 있는 것이다. 하지만 나는 그것이 연출이라는 것을 알면서도 상처를 입은 체해 보이기 위해 화실로의 발길을 중단했다. 내 마음의 진실은 그녀가 상처를 입혀도 그것이 더 이상 아픔이 되지 않는다. 그녀에게 정말 아픔이 되는 것은 그녀가 내게 상처를 입혀도 내가 더 이상 괴로워하지 않는다는 것이다. 어떤 점에서 내가 상처를 입은 체함으로써 그녀의 고통의 시간을 더욱 길게 늘이는 결과가 될지도 모르겠다. 그녀가 내 뒤를 밟고, 내 주변을 몰래 맴돌고 있는 사실이 바로 그렇다.

한숨이 절로 나온다. 열정의 창(槍)을 남의 가슴 깊숙이 찔러 넣었다가 빼내기도 이렇게 어렵고 힘드는 문제라는 것을 새삼 깨닫게 된다.

영화는 막바지로 치닫고 있다. 그리스 해운업계의 실력자, 타노스

소유의 '페드라' 호는 폭풍을 만나 좌초했다. 그 소식을 접한 타노스는 아들 알렉시스를 포함한 측근들과 회의실에 모여서 대책을 숙의하고 있다. 밖에는 상복(喪服) 차림의 선원들 가족들이 회의실을 에워싸고 침통한 분위기에 잠겨 있다. 한쪽은 파산의 위기에 몰려 있고, 다른 한쪽은 남편과 자식을 잃어 비통해하고 있다. 이때 선원 가족들을 비집고 타노스의 아내 페드라가 나타난다. 표정이 비장하고 단호하다. 그녀는 충격을 받아 허둥거리고 있는 남편을 옆방으로 불러내어, 아들 알렉시스를 사랑한다고 고백한다. 이미 죽음을 결심했으므로 두려움 없는 그녀의 고백은, 남편이 처해 있는 참담한 상황과 가족을 잃어 비통해하는 선원 부인들의 애곡까지도 압도해 버린다. 재산과 명예, 현세에서의 모든 영광을 던져 버린 그녀의 선택은 오히려 그들의 비통함을 구차하게 만들어 버린다. 타노스가 미친 듯이 노여워하는 것은 아내의 배신도 배신이지만, 벼랑에 몰린 자기의 처지와 스스로 벼랑을 선택한 아내의 두려움 없는 자유 의지에 더 큰 패배감을 맛보았기 때문이다. 여기에 알렉시스까지 아버지의 불같이 노여운 매질에 얼굴이 피투성이가 되면서도, "사업을 물려받는 일, 나는 관심 없어요. 그녀를 사랑해요"라고 외치며 죽음으로 치닫는 운명의 배에 올라탄다. 그렇게 각기 금기와 맞서 죽음을 선택한 두 연인은 차고에서 만나 이 세상에서 마지막이 되는 포옹을 한다. 그 포옹에서 두 사람은 완벽하게 서로의 것이 되었음을 확인한다. 그들에게 있어 서로의 가슴은 드디어 온전히 자기를 헌정하는 제단이 된 것이다.

언제부턴가 뺨을 적신 눈물이 흐느낌으로 변해, 나는 어깨를 들먹였다. 바흐의 〈토카타와 푸가〉를 따라 부르는 알렉시스의 절망적인 노래 속에 파묻혀 나는 소리내어 흐느꼈다.

영화가 끝나고 사람들이 모두 흩어진 뒤에도 나는 울음을 멈출 수 없었다. 어깨에 얹혀 있는 혜란의 손이 내 울음을 진정시키려 애쓰고 있었다.

얼마 후 영화관을 나오면서 혜란이 나에게 물었다.

"왜 그렇게 울었니?"

"나 자신이 싫어서."

하늘이 잔뜩 찌푸려 있었다. 금방이라도 비가 내릴 것 같았다. 팔을 뻗쳐 빗방울을 받는 시늉을 해보았다.

몰디브 섬을 꿈꾸며

현 여사가 내 뒤를 밟는 것을 더 이상 두고 볼 수만은 없다. 요즘 들어 그녀는 내 주위에서 시도 때도 없이 나타났다 사라지곤 한다. 어느 땐 취재를 하고 있는 장소에, 너무도 가까운 자리에서 그녀의 뒷모습을 발견할 때도 있다. 그녀가 아직까지 내게 해가 되는 행동을 한 일은 없지만, 언제 돌발적인 행동을 해서 나를 난처한 지경에 빠지게 할지 걱정스럽다. 그녀의 손을 잡고 제발 이러지 마세요, 라고 사정하고 싶지만, 그것이 그녀의 감정을 또 다른 국면으로 몰아갈 빌미가 될까 봐 참고 있다. 가령 갑작스럽게 차도로 뛰어들어, 달리는 차들로 하여금 급브레이크를 밟게 할지도. 어제는 수련의인 내 친구 현정이를 찾아왔더라고 한다. 소아과 전문의인 그녀에게 위내시경을 부탁하더라고 한다. 현정이는 그녀의 방문을 대수롭지 않게 전했지만, 나는 그 얘기를 듣는 순간 가슴이 서늘해졌다. 이제는 그녀가 그저 내 주위를 맴도는 것과 다른 기미가 느껴졌기 때문이다.

현 여사는 한 달 만의 내 전화를 어제 일인듯 태연히 받았다.

"개나리가 피었군."

"그래요. 봄이에요."

"개나리꽃에도 향기가 있나 몰라."

그녀의 천연덕스런 말투가 오히려 나를 불안하게 했다. 그녀는 이미 정신이 조금 이상해진 것일까, 아니면 멀쩡한 속으로 자기 행동에 대한 내 반응을 가늠하면서 나를 놀리고 있는 걸까.

"그 동안 전화를 왜 안 했는지 물어 보지 않으세요?"

"글쎄, 별로 궁금하지 않은걸."

그녀를 만나 정면돌파를 시도해 보려는 내 결심이 불현듯 부질없게 느껴졌다. 침을 한 번 삼키고 나서 다시 마음을 가다듬었다.

"저는 궁금했어요. 몹시 걱정두 되구."

침묵. 나는 잠자코 기다렸다. 긴 한숨소리를 들은 것도 같았다.

"뭐가?"

"선생님의 모든 것이. 어쨌든 만나뵙고 드릴 말씀이 있어요."

"화실로 오지."

"……밖에서 만나면 어떨까요?"

"그러지."

그녀는 한껏 멋을 내고 약속장소에 나타났다. 빈틈이 없으면서도 세련되고 멋스러운 차림이었다. 이제 반 뼘 남짓 자란 머리카락은 반전 여가수 오 코너(O'Connor) 머리 스타일처럼 다듬어져 그녀의 나이를 십 년은 젊어 보이게 했다.

"그래, 어떻게 지냈어?"

앉자마자 그녀가 먼저 말문을 열었다. 초조해하고 허둥거리는 표정이 아니었다. 그녀를 번민의 지옥, 혼란으로부터 단호히 끌어올리리라 결심하고 있던 나는 마음이 움츠러들었다.

"검도를 배우고 있어요."

"검도?"

반문하고 있지만 그녀는 이미 알고 있을 것이다. 스포츠센터의 로비 한구석에서 그녀의 뒷모습을 보았으니까.

"선생님은요?"

"전시회 준비를 하고 있어."

"작품은 잘 되세요?"

"아직은. 곧 손이 풀리겠지."

"건강은 어떠세요?"

"그럭저럭 버티고 있어."

고개를 숙인 채 그녀가 계속 스푼으로 커피를 휘젓고 있었다. 커피에는 아무것도 넣지 않았다. 틈이 엿보이고 있었다.

"왜 날 만나자고 했어?"

느닷없는 기습이었다. 나는 머뭇거렸다. 거짓된 대화를 바로잡을 기회였다.

"드릴 말씀이 있어서요. 그런데 선생님을 뵈니까 제가 뭘 잘못 생각하고 있는 느낌이에요."

"뭘 잘못 생각해?"

"말하고 싶지 않네요."

"사람을 불러내 놓고 우습게 만드는군."

"바로 그런 선생님의 태도가 저를 당혹스럽게 해요."

"너를 당혹스럽지 않게 하려면 어떻게 해야 하는 건데?"

"선생님은 지금 진심을 감추고 계시잖아요."

내 얼굴이 점점 달아올랐다. 기어이 정면돌파를 해서…….

"내 진심을 알아서 네가 어떻게 할 건데?"

"모르겠어요."

"내가 네 주위를 맴돌고 있어 무섭니?"

갑자기 그녀의 속얼굴이 나타났다. 그녀가 말을 계속했다.

"아직 내 마음을 어쩔 수가 없어서 그러는 거야. 멈출 날이 있겠지."

"이미 멈췄어요. 지금 선생님을 사로잡고 있는 것은 제가 아니라,

선생님 자신 속에 있는 어떤 환영이에요. 환영에 눈이 가려 선생님은 제 진심을 못 보고 계신 거예요."

"환영?"

"환영이든 아니든, 어쨌든 제 뒤를 밟고 제 주위를 맴돈다고 일이 해결되는 게 아니잖아요. 상처를 입든, 입히든 저하고의 관계는 저하고 풀어 가셔야죠. 제 친구들이나 주변 사람들의 눈에 선생님이 우스꽝스럽게 비쳐지는 거 괴롭고 슬퍼요."

나는 그녀의 손을 끌어다가 두 손으로 감싸쥐었다. 눈을 지그시 감고 있는 그녀의 눈꺼풀이 파르르 떨리고 있었다.

"저 그렇게 비열하지는 않아요. 아뇨, 어떤 점에서 비열하다고도 할 수 있어요. 얼마 전 영화 〈페드라〉를 봤어요. 선생님이 늘상 말하시던, 마음과 몸이 온전히 포개어지는 상태라는 게 저런 거구나, 하는 장면이 있었어요. 두 사람 다 죽음을 결심하고 상대의 가슴에 얼굴을 파묻을 때였어요. 선생님도 아마 제 마음을 그 자리에 붙잡아 놓고 싶으시겠죠. 그러기엔 저는 너무 겁이 많아요. 그래서 살아가야 할 나날들로 마음 자리를 옮긴 거예요. 하지만 선생님이 보고 계시는데 등을 돌려 떠나지는 않겠어요. 저를 맘껏 괴롭히세요. 그러다 보면 선생님 맘속 환영이 선생님을 놓아줄 때가 있겠지요."

나를 바라보는 그녀의 눈빛이 조용하면서도 섬뜩하도록 깊었다.

"며칠 동안 휴가를 낼 수 있겠니?"

"……."

"너를 데리고 몰디브 섬에 가보고 싶어."

"……."

이번엔 그녀가 내 손을 감싸쥐었다.

"그 이상 더 바라지 않을게."

"언제요?"

"빠를수록 좋겠지."

"이삼 일만 여유를 주세요."

비취빛 바다와 금빛 모래사장. 시간이 시작된 시원의 장소. 그곳이라면 연인들에겐 운명의 마지막 기항지가 될 수 있는 곳이지. 그녀의 가슴이 내 짧은 생의 마지막 제단이 될 수 있을까. 나는 잠시 영화 속의 연인이 되어 보는 상상을 했다.

시간의 무덤

이삼 일만 여유를 달라고 했으나, 소연은 아직 아무 연락이 없다. 그녀로부터 연락이 오면 즉시 떠날 수 있도록, 여행사를 통해 비행기 표와 호텔 예약까지도 마쳐 놓았다. 경비 또한 온라인으로 송금해 놓았다. 한 주일 정도 섬에서 시간을 함께 보내며, 소연이 오래 기억할 수 있는 아름다운 추억을 만들어 줄 참이다. 그런 다음 그녀를 놓아줄 생각이다. 그런데 너는 나의 이 마지막 기도, 피맺힌 결심을 저버리려는 것인가.

처음엔, 기쁜 목소리로 휴가를 얻었노라는 연락이 올 것을 의심치 않았다. 자기 입으로 말하지 않았는가. 상처를 입든, 입히든 두 사람의 관계는 두 사람이 끝까지 함께 풀어 가자고. 그러나 시간이 흐름에 따라 불길한 예감이, 좌절의 아픔이, 패배의 노여움이 서서히 마음의 뿌리를 적시기 시작했다. 이번에 만약 네가 내 마지막(그렇구말구, 마지막이지) 청을 저버린다면, 그땐 너를 죽여 버리겠다. 그와 동시에 현 여사는 그녀에게 품고 있는 자기의 사랑이 얼마나 진실한 것인지 증명해 보이고 싶은 광적인 열망에 사로잡혔다.

전화통을 끌어안은 채, 이틀을 꼬박 굶고, 술만 마셨다. 한 잔의 술을 입 안으로 쏟아 부을 때마다 맘속으로 중얼거렸다. 네가 아직도 내 진심을 의심한다면 내 몸을 망쳐 보이지. 아주 폐인이 돼서 너로 인해 내가 망쳐졌다는 것을 확실히 보여 주지. 아무것도 아끼지 않았다는 것을 확실히 보여 주지.

천장의 무늬가 바람개비처럼 빙빙 돌고 있는 것을 노려보다 의식이 까무룩해졌고, 취기가 가시며 천장의 무늬가 돌기를 멈추면 또다시 술을 마셨다.

시간이 몇 시인지 알 수 없었다. 꿈을 꾸며, 꿈속에 남편이 평소 즐겨 입었던 바바리 코트 차림으로 나타났구나, 라고 생각했다.

절간이라고는 하지만 사실은 방배동집 거실이었다. 어찌 된 셈인지 벽에 걸린 500호짜리 그림을 향해 화병을 집어던지고 닥치는 대로 물건을 부수는 건 현 여사 자기였고, 지훈이 이를 말리려고 애쓰고 있었다. 남편이 어디선가 나타났고, 그때는 부부가 함께 집으로 돌아오는 길이라고 했다. "말해 봐요." 이미 던져진 의문을 곱씹듯 현 여사가 남편의 대답을 재촉했다. 남편은 침울하고 싸늘한 표정으로 자기 앞의 문만 바라볼 뿐이었다. 그리고 기어이 아무 대답 없이 문 안으로 들어가려는 그의 내심을 눈치챈 현 여사가 급기야 분통을 터뜨렸다. "왜 그랬어요? 당신이 왜 그랬는지 나는 그 이유를 모르겠어요." 남편은 못 들은 듯이 문을 밀었다. 캄캄한 어둠이 열린 문 너머로 켜켜이 쌓여 있었다.

그리고 어둠이 이내 남편의 모습을 삼켜 버렸다. "당신이 왜 그랬는지 난 정말 모르겠어요." 이제는 딱히 남편의 대답을 기다리는 것이 아닌 채로 속울음 같은 소리를 중얼거리며 현 여사는 어느새 무덤 위의 잔디를 쥐어뜯고 있었다.

정신이 돌아왔을 때는 잔디를 쥐어뜯을 때 손톱 밑에 흙이 긁히는 느낌까지 선연했고, 꿈속의 그 비통한 슬픔으로 가슴이 미어지는 듯했다. 그러고 보니 내일이 남편의 생일이었다.

장례식 이후 현 여사는 남편의 무덤을 한 번도 찾지 않았다. 꿈속에서처럼 풀리지 않는 의문을 중얼거리며 잔디를 쥐어뜯는 짓은 하고 싶지 않았다. 사고가 있던 날 저녁 그가 본 것이 무엇이었는지, 설사 그 대답을 알아낸다 해도, 그것이 현 여사의 비통한 마음에 대한 해답은 결코 될 수 없을 것이다. 수십 년 살 섞고 살았어도 하루 아침에 저버림을 당한 자가 느끼는 관계의 허망함을 풀어 줄 그 어떤 해답이 있을 수 있단 말인가.

현 여사는 비틀거리며 자리에서 일어났다. 속이 쓰렸고, 창자가 뒤틀리는 아픔에 구역질이 났다. 욕실로 가서 세면대를 짚고 토해 보려 했으나 헛구역질만 났다. 현 여사는 수도꼭지를 누르고 흐르는 물에 손을 씻다 말고 조용히 멈추었다. 한번은 그 손이 남편 무덤의 잔디를 비통하게 잡아뜯던 손으로 보이다가, 다음 순간엔 소연의 멱살을 잡아 비트는 손으로 보였다.

내가 사로잡혀 있는 것이 환영이라고? 그러나 나는 나를 풍차처럼 미친 듯이 돌려 주는 너라는 환영을 사랑한다. 그 사랑에서 깨어나고 싶지 않아. 거짓투성이, 의미없는 삶으로 돌아가고 싶지 않아. 이 미친 질주 자체가 삶이 감추고 있는 저 메스꺼운 공허에 대한 통렬한 도전이다.

다시 자리로 돌아온 현 여사는 빈 잔에 술병을 기울였다. 술을 한 모금 가득 입에 문 채 자리에 누워, 천장을 쳐다보며 꿀꺽 삼켰다.

욕조에는 물이 가득 차 있었다. 손을 넣어 보니 알맞게 따끈한 느낌인데, 보기에는 얼음처럼 차디차 보였고, 수증기도 피어오르지 않았다. 욕조 안으로 들어가 물 속에 누웠다. 옆에는 미리 준비해 놓은 칼이 있었다. 그 칼은 어린 시절 이발소에서 보았던 것처럼 날이 한쪽만 있는 접는 칼이었다. 오른손으로 칼을 잡고 왼 손목의 동맥을 깊숙이 끊었다. 통증도 두려움도 없었다. 단지 피가 나야 돼,라고 말하는 목소리에만 신경이 쓰였다. 그러자 자신도 그 목소리를 따라 피가 나야 돼,라고 중얼거렸다. 손목에서 피가 펑펑 쏟아지며 욕조의 물을 붉게 물들였다. 누군가 가까이 다가오는 발자국소리가 들려왔다. 눈을 감으며 나는 이미 죽었어, 라고 생각했다. 욕실의 문이 열리고 누군가 들어서는 기척. 죽었음에도 그것이 소연이라는 느낌에 온몸이 오그라드는 것처럼 긴장되었다. "오, 세상에!" 소연이 소리치며 자기의 몸을 흔들었다. 두려움에 떠는 느낌이 팔을 잡고 흔드는 손을 타고 자기 몸에도 전달되었다. 왜 그런지 그녀를 두렵고 놀라게 했다는 사실이 흐뭇했다.

현 여사는 눈을 떴다. 또다시 꿈이었다. 그러나 곁에는 친구가 있었다.

"정신 차려라."

"피가 많이 났어."

아직도 꿈속의 흐뭇한 기분에 잠겨 현 여사는 팔을 들어 손목을 살펴보았다.

"피라니, 무슨 피."

"꿈에 내가 동맥을 끊었어. 그런데 너 어떻게 들어왔니?"

"문이 열려 있더라. 마치 누구 들어오라고 기다리고 있는 것처럼." 주위를 둘러보는 친구의 표정이 놀랍다 못해 측은하게 바뀌었다. "너 아직도 그 여자아이 때문에 이 지경이 된 거니?"

"네가 보기엔 우습겠지."

"우스운 기분이면 차라리 좋겠다. 일어나 옷 입어. 병원 가서 며칠 동안 입원해 있어야겠다."

"병원엔 왜 가니? 동맥은 꿈속에서 끊었다니까."

현 여사는 귀찮고 성가신 기분을 숨기지 않았다.

"이대로 그냥 두었다가는 정말 죽을 것 같아서 그런다. 너는 그 하찮은 아이한테 미쳐서 목숨을 대수롭지 않게 생각하는지 모르지만, 내게는 네 목숨이 더 소중하다."

"내 앞에서 그 아이를 그렇게 말하지 말아. 나 화낼 거야."

"도대체 왜 이러고 있니? 실연이라도 당했어?"

"쓸데없는 거 묻지 말고 생수나 좀 갖다줘."
'정'의 바깥에서 친구가 매섭게 힐난을 계속했다.
"까미유 끌로델이 따로 없군. 그래도 그 여자는 로댕이란 거물을 붙잡고 씨름했지. 넌 도대체…… 아무튼 기가 막혀 말이 안 나온다. 그림이구 살림이구 다 팽개쳐 버리고 죽자고 술만 마셔댔구나. 도처에 술병이 낙엽처럼 뒹굴고 있어. 자, 물 마시구 병원에 가자."
"날 내버려둬."
"그렇겠지. 그 아이가 와서 너의 이런 모습을 보고 감동해 주기를 기다려야 하겠지."
현 여사의 고집에 상심한 친구가 어조를 비정하게 바꾸었다.
"그러나 그 아이는 오지 않을 거야."
"네가 걔에 대해서 뭘 안다구 함부로 말해."
"세상은 넓고도 좁은 거야. 내 조카가 너의 방소연이하고 아주 친한 친구라더라. 아, 물론 너는 그 아이의 신상에 대해서 구체적인 말은 한마디도 내비치지 않았지. 내가 알게 된 것은 내 조카가 자기 친구로부터 들은 얘기를 함부로 흘리는데, 그게 바로 너였다는 거야."
"네 조카가 경솔한 아이지, 소연이는 내 얘기를 함부로 흘리고 다닐 아이가 아니야."
"너를 보니, 그 아이가 어째서 너를 이 지경으로 만들어 놓았는지 알 만하다. 어수룩한 데다 물불을 안 가리고 매달렸을 테니, 심술궂게 대하고 싶은 충동이 일어날 만도 했겠다."
"아무래도 너는 사람을 잘못 알고 있어. 네 조카가 누구니?"
"한국춤 추는 양진경."
그제서야 현 여사는 아찔한 표정으로 신음을 삼켰다.
"나도 어쩐지, 너에 대해 심술궂어지고 싶어져서 하는 말인데……."

"그만해, 듣고 싶지 않아."

"네 열병이 그만한 채찍으로 떠나갈까? 그 아이들은 자기들끼리 너를 두고 뭐라고 하는지 아니?"

"……."

"스토커래."

"스토커?"

"지긋지긋하게 쫓아다니는 사람."

"그건 소연이가 네 조카한테 뭔가를 위장하느라고 그랬겠지."

"위장하다니, 뭘?"

"날 사랑한다는 사실."

"너 설마. 그걸 진짜로 믿고 있는 건 아니겠지?"

"마음의 일은 두 사람만이 아는 거야."

"속물적 시각에서 내가 소연이다 하고 너를 보는 느낌을 정직하게 말해 줄까?"

"나는 정말 그 아이를 사랑해. 그 아이가 날 사랑하는 건, 그 아이를 사랑하는 맘이 없으면 볼 수 없는 거야."

"바로 그거야. 넌 남편을 잃고 인생의 무상감에 빠져 있을 때, 뭔가에 사로잡힐 대상이 필요했던 거야. 그리고 그 대상이 발견되자, 너에게 상실감을 안겨 준 인생에 복수라도 하듯, 일시적인 감정에다 열과 성의를 쏟아부은 거야. 너는 네가 그 아이에게 품고 있는 감정이 일시적이라는 사실을 인정하기 싫어서, 자꾸 자기 안에다 기름을 끼얹고 있어. 그 아이라고 그것을 모를 리 있겠니? 거기다 그 아이 입장도 생각해 봐라. 걔에겐 인생이 아직 많은 선물을 감추고 있는 끌러지지 않은 보따리 같은 거야. 비록 네가 주는 선물이 신기하다 하더라도, 아직 보따리 안에 감춰져 있는 다른 많은 선물들과 바꿀 만큼 절대적일 수는 없지 않겠니?"

"인생은 그 안에 선물을 감추고 있는 것이 아니라, 헛되고 헛되도

다 하는 탄식을 감추고 있을 뿐이야. 그 아이가 앞으로 삼십 년을 더 살아서 깨닫게 되는 것이 겨우 그것뿐이라는 것을 내가 지금 미리 가르쳐 주려는 것이지. 다만 존재와 존재의 합일만이 인생이 줄 수 있는 최상의 선물이라는 것을 그 아이가 깨닫게 된다면, 이미 최상의 선물을 나로 인해 받은 것이지. 그만큼 나는 성실했어."

"그건 너의 기준이지. 그 아이는 너로부터 절대로 얻지 못하는 어떤 것이 있을 수 있지 않겠니?"

"예를 들면?"

"그 아이가 이성에게서 얻을 수 있는 것, 자연의 순리랄까."

"인간은 성 이전에 영적인 그 무엇이야. 인간이 성으로 차별되는 것은 육체 때문이지. 육체를 넘어선 차원의 합일은 성과 무관한 것이야. 영혼끼리 섞일 때 남성 여성 성별이 문제가 되는 건 아니잖아? 어쨌든 나도 이젠 지쳤어."

"지쳐라, 그래야 빨리 단념을 하지."

친구의 표정이 뭔가를 감추고 있는 듯했지만 차마 물어 볼 용기가 나지 않았다. 친구가 어색하게 눈길을 빗겼다. 이불자락에 묻어 있는 뭔가를 털어내는 시늉이었지만, 현 여사는 계속 친구의 입을 주시했다.

"오월에 약혼을 한다더라. 너의 그 아이가."

가슴이 찢어지는 듯한 아픔에 현 여사는 숨을 멈췄다. 그 침묵이 너무도 침통하고 그늘이 깊어, 친구는 섬뜩했다.

갈 수 없는 섬

저녁을 함께 하고 김민서가 집 앞까지 데려다 주었다. 여느 땐 건물 현관 앞에서 작별하고 돌아섰던 그가 내 방 문 앞까지 따라

왔다.

"그럼, 가보세요."

그가 아쉬운 듯 머뭇거렸다. 집 안으로 들어오게 해서 차라도 한 잔 대접할까,라고 생각해 봤으나 내키지 않았다. 한 손으로 벽을 짚고 나를 막아섰던 그가 팔을 내렸다.

"그럼, 좋은 꿈 꾸고, 나를 너무 오래 기다리게 하지 말어. 무슨 뜻인지 알지?"

나는 고개를 끄덕였다. 그가 미소를 지으며 엄지와 검지를 퉁겨 확신한다는 시늉을 했다. 계단을 두세 개씩 건너뛰어 내려가는 그의 가볍고 경쾌한 발걸음소리를 들으며 현관문에 기대어 서 있었다. 고개를 떨어뜨리고 발부리를 부비고 있는 동안, 발걸음소리는 점점 멀어져 더 이상 들리지 않았다. 내 마음의 이 쓸쓸함의 정체는 뭘까.

대학 때 나는 그로 인해 무던히 마음을 끓이고 고통스러워했던 시절이 있었다. 지금에 비하면 그때의 그는 모든 면에서 볼품이 없는 사람이었다. 창백한 얼굴에, 미간에 늘 주름살을 세우고 짜증과 불만으로 가득찬 인상이었다. 그럼에도 그를 애모하는 내 감정은 날이 갈수록 뜨거워졌다. 그의 동생인 내 친구와의 친밀한 우정에 매달려서 이런저런 구실을 내세워 그의 집을 자주 찾아갔던 나는 집 안에 있는 그의 기미에만 신경이 온통 묶여 있었다. 간혹 그가 방에서 나와 수염이 덥수룩한 얼굴로 뜰을 서성일 때면 가슴이 두근거려 숨이 턱턱 막히는 듯했다.

이제 먼 길을 돌아 멋지고 유능한 남자로 변신한 그는 자기 발로 나를 찾아왔다. 그와의 재회 때 불러일으켜진 설레임과 두근거림은 만남이 거듭되는 동안 서서히 신뢰와 편안함으로 바뀌었고, 그런 내 마음의 추이가 문득 문득 쓸쓸하게 느껴졌다. 머지않은 장래에 나는 그의 청혼을 받아들이게 될 것이다. 그러나 예전에 내가 그에게 느꼈던 것 같은 가열한 사로잡힘이 아니라, 이성적 편안함에서 이 청혼을 수락한다는 것이 어쩐지 망설여진다.

가방에서 열쇠를 꺼내어 문에 꽂으려다 말고 나는 현 여사를 떠올렸다. 몰디브에 함께 가자는 그녀의 제의에 대해 아직 대답을 못하고 있다. 초조하게 내 전화를 기다리고 있을 그녀에게 이제는 더 이상 대답을 미룰 수 없다는 생각이 든다.

계단을 천천히 내려오는 발걸음이 무겁디 무거웠다. 내 대답은 처음부터 정해져 있었다. 그녀에게 한없이 빠져들 무렵의 어느 때 나는 열에 들떠 생각했다. 우리를 아는 사람이 아무도 없는 곳에 가서 단 한 달 만이라도 푹 파묻혀 봤으면. 이제 그곳, 인도양의 푸른 물위에 하얀 모자처럼 떠 있는 몰디브는 손만 뻗으면 잡을 수 있을 만큼 가까이에 있다. 사람들의 의심스런 눈초리, 두터운 관습의 벽, 자질구레한 근심과 염려, 갖가지 책임과 의무 등등이 더 이상 범접할 수 없는 곳. 눈이 시리도록 푸르게 펼쳐져 있는 드높은 하늘과 드넓은 바다 앞에서 벌거벗은 맨몸으로 그녀와 손을 잡고 완만하게 굽은 해안선을 따라 한없이 걸어 볼 수 있겠지.

그런데 지금의 내 마음은 더 이상 그 섬을 열망하지 않는다. 열망의 빛이 걷힌 그 섬은, 이제 더 이상 절대적인 바람의 대상이 아니다. 많은 사람들이 배낭을 메고 짧은 바지 차림으로 떠나는 곳. 직장에서 받은 휴가원과 다소의 넉넉한 여유돈만 있으면 갈 수 있는 곳이다.

나 역시 배낭을 메고 짧은 바지 차림으로 그녀를 따라나설 수 있다. 하지만 과연 그래도 되는가. 이미 예전의 마음이 아닌 마음으로 그녀와 함께 몰디브에 간다는 것이 그녀에게나 나에게나 무슨 의미가 있을까. 지금 내 마음이 와 있는 이 마음자리는 김민서와 무관한 것이다. 김민서의 출현이 현 여사에게 깊이 빠져 허우적거리던 나에게 마음의 전기(轉機)가 되어 준 것은 사실이지만, 그와의 만남이 현 여사를 저버리게 한 것은 결코 아니다. 어쩌면 격렬한 허우적거림 그 안에서 이미 뭔가가 지나가고 있었으며, 그것이 내 마음을 지금의 이 자리에 옮겨 놓은 것이다. 그녀 안에서 죽고 싶다고 느끼는 그 순간조차도, 그 감정은 지나가고 있었다는 사실이 너무나 슬프고 쓸쓸하다. 목숨을 걸고 다짐하는 맹세일지라 그 어떤 기막힌 것도 지나가 버리고 만다는 것, 이것이 인생이 감추고 있는 진실의 정체라니.

걸음을 멈추고, 나는 어둠 속에 우뚝 솟아 있는 오피스텔 건물을 쳐다보았다. 늦은 시각임에도 5층 화실의 불빛은 주위의 어둠까지도 모두 사르는 듯 유난히 환했다. 애타게 기다리는 그녀의 마음이 불빛으로 타오르며 나를 부르는 것 같았다.

그립다. 화실에 고여 있는 테레핀유 냄새, 그녀가 즐겨 피우는 라일락 담배 향, 벌거벗고 그네에 앉아 마시는 커피 맛, 그녀의 긴 머리카락이 손가락 사이를 빠져 나가며 남기는 저릿한 감각, 등뒤에서 브래지어 후크를 채워 줄 때 어깨에 서리는 따뜻한 입김, 밤늦은 시간에 속옷차림으로 머리를 맞대고 먹는 매운 라면 맛, 화실의 어느 곳에 있든지 하나의 꽉 찬 그림처럼 보이는 그녀의 단호한 뒷모습…… 그녀와 나눈 모든 것이 그립다. 터무니없는 시비와 다툼까지도.

너무나 그리운 나머지, 나는 나를 속이고 불빛을 향해 달려가고 싶어진다. 그래요, 우리 몰디브에 함께 가요.

울음을 참아야 했다. 나의 처소로 터벅터벅 돌아오는 길에 나는 24시간 편의점으로 들어갔다. 계란과 오이, 햄, 양상치, 구운 김을 샀다. 축 늘어진 검은 비닐봉지가 무릎 아래서 걸을 때마다 대롱거렸다.

이렇게 해서 나는 인생의 황금빛 모퉁이를 또 한 번 돌아 생활인으로 돌아온 것인가.

마지막 통화

"전데요."

수화기를 무 뽑듯 집어들었으나 말이 나오지 않았다.

"여보세요……."

"그래, 말해."

"편찮으세요?"

"그래."

"아프시면 안 되는데."

또다시 말문이 막혔다. 병 주고 약 주고, 누구를 놀리는 거냐고 소리라도 질러 보면 숨을 막고 있는 노여움이 조금은 풀릴 것 같았다.

"식사는 하셨어요?"

"……"

긴 침묵에 소연의 숨결도 흐트러지고 있었다.

"병원에 가보셔야죠."

그 말의 생뚱맞음을 탓하며 고함이 터져나오려는 것을 간신히 참았다.

"왜 전화했어?"

"내가 왜 전화했지?(혼자말) 선생님이 뭔가를 막 다그치시는 것 같아 제가 얼었나 봐요."

"뭘 다그친다는 거야. 가만히 있는 사람한테."

"제가 그럼 과민한가 봐요."

뒷말이 이어질 듯했으나 소연은 잠자코 있었다. 현 여사는 드디어 폭발하고 말았다.

"할말 없으면 끊어."

"아녜요. 끊지 마세요."

도박이었다. 소연이 그냥 전화를 끊어 버렸다면 터트릴 대상을 잃어버린 노여움이 자신을 까맣게 태워 버릴 것이다.

"지난 번 말씀하신 몰디브 여행 있잖아요. 못 가겠어요."

"……."

"실망하실 거 알아요. 그러나 정직해지고 싶어요."

"약혼을 했다지?"

"어머, 누가 그래요?"

"그런 일 없단 말이야?"

"그런 일 있었다면 선생님께 먼저 의논을 드렸겠죠."

"알 수 없는 일이군."

소연의 말을 불신하는 심중이 현 여사의 어조에 고스란히 묻어 있었다.

"내가 너를 그토록 지긋지긋하게 쫓아다녔어?"

내친김이었다.

"그건 또 무슨 말씀이에요?"

"너가 더 잘 알 텐데. 고작 그 정도였어, 네 인격이?"

"아이 참, 무슨 말씀이세요?"

"혼자 잘 생각해 봐."

현 여사는 수화기를 쾅 소리나게 내려놓았다. 약이 오른 나머지 소연이 먼저 수화기를 내려놓기 직전이었다. 숨을 내쉬자 어깨가 들썩했다. 코밑이 뜨끈했다. 손을 대어 보니 코피였다. 손에 묻어난 붉은 피를 망연히 내려다보고 있는 동안, 그것을 바라보는 처연한 감정과 흡사한, 잊혀진 날의 일이 선연하게 떠올랐다. 전국이 태풍권 내에 접어든 그날, 정 사장과 박 감독이 기다리고 있는 아래층 거실로 내려가는 층계참에서 옷자락에 걸려 산산이 깨어진 도자기 꽃병을 바라볼 때의 비장한 감정 속엔, 어쩐지 지금의 이 상황이 이미 예고 되어 있었던 것 같기도 했다.

전화벨이 다시 울렸다. 티슈를 뽑아 코를 막고, 다른 한 손으로 수화기를 집어들었다.

"선생님이 어디서 무슨 소리를 들으셨는지 모르지만, 저는 아직 선생님한테 부끄러운 일 저지른 것 없어요. 다만 한 가지 꺼림칙한 것은 몰디브에 함께 가지 못한다는 말을, 직접 찾아뵙고 말씀드려야 하는데, 전화로 말씀드린 것이 정말 죄송해요."

코를 틀어막고 있는 티슈가 한층 축축하게 젖어드는 것을 느끼며 현 여사는 생각했다. 소연의 말은 그냥 말이 아니라 비수였구나. 내 몸이 그걸 먼저 알아챘어. 이제는 그녀의 마음이 돌이켜지지 않는다는 것을 먼저 눈치챘어. 그렇군, 이 아이는 나와의 약속을 지켰어. 적어도 비수를 등뒤에서 꽂는 짓은 하지 않았어.

숨가쁜 격정이 시시각각 지어낸 어지러운 만다라가 일시에 걷히는 느낌. 희고 깨끗한 피가 몸 속을 서늘하게 돌고 있었다. 어느 순간 자신이 하얀 구름의 형태로 드넓은 하늘에 떠서 지금의 자기를 무심히 내려다보고 있는 것 같았다.

"더 이상 말할 것 없어. 이렇든 저렇든 지금의 너가 정직하다는 것보다 더 큰 진실은 없으니까. 됐어."

그러고 나서 오랜 침묵이 흘렀다. 양쪽 다 수화기를 든 채로 가만히 있었다. 현 여사는 그 사이 피로 흠씬 젖은 티슈를 버리고, 새 것으로 바꾸었다. 양쪽 다 이제 전화를 놓으면 다시는 전화할 일이 없으리란 것을 알고 있었다.

"끊을까요?"

마침내 소연이 침묵 끝에 마침표를 찍었다.

현 여사는 들고 있던 수화기를 가슴으로 가져가 아프게 눌렀다. 독한 것. 탄식을 잇새에 질끈 물고 수화기를 다시 귀로 옮겨 갔다. 전화는 이미 끊어져 있었다.

남은 자들의 봄날은

늦잠을 잤다. 아침에 취재가 있어 곧장 약속장소로 나갈 참이었다. 세수를 하며 거울에 비춰 본 얼굴이 누렇게 부어 있었다. 간밤에 라면을 두 개나 삶아 먹은 탓이었다. 감옥에서 갓 풀려나온 사람처럼 미친 듯한 식욕으로 냄비에 그득한 라면을 순식간에 다 먹어 치웠다. 배가 불러 식곤증으로 몸이 나른한데도 좀체 잠이 오지 않았다. 이제야말로 그녀와의 관계가 끝이라는 생각이 들었다. 그리고 밤새도록 악몽에 시달렸다.

하다 보니 화장이 이상하게 진해졌다. 딴 사람 같았다. 앞으로 무엇으로 내 안의 이 큰 상실감을 감당해 낼까.

원룸을 나선 것은 열한 시 사십 분. 큰길로 나가는 길목에 커다란 밴 트럭이 길을 막고 물건을 내리는 중이었다. 뒷길로 돌아가는 수밖에 없었다. 골목 안쪽에서 앰뷸런스 경보음이 들려왔다. 이어서 흰 차체가 모습을 나타내며 빠르게 내 차 앞을 지나 큰길로 사라졌다. 갑자기 두꺼운 얼음짱이짱 갈라지는 듯 온몸에 차가운 전율이 지나갔다.

앰뷸런스가 빠져나온 길로 들어가 그녀의 오피스텔 쪽으로 차를 몰았다. 저만큼 보이는 건물의 현관 앞에 사람들이 모여 서서 웅성거리고 있었다. 주차장에 차를 넣을 겨를도 없이, 현관 앞에 차를 세우고 뛰어나갔다.

"화가라지요?"

"왜 그랬대요?"

"가망이 없나요?"

사람들이 두서없이 수군거리는 소리를 가르고 계단을 마구 뛰어올라갔다. 계단을 모두 뛰어올랐을 때, 마치 길게 펼쳐져 있던, 그녀와 내가 함께했던 시간의 필름이 빠르게 접히는 것 같은 느낌이었다. 그리고 그 필름의 한 장면 장면 속에 깃들여 있는, 당시에는 알지 못했던 진실들이 누가 내 머릿속에 부어넣어 주는 듯 깨달아졌다.

그래, 그녀는 나를 만나기 이전부터 이미 죽음을 예감하고 있었어. 남편의 뒤를 계속 쫓아가며 죽음의 이유를 만들어 온 거야. 그녀는 나를 거쳐 곧장 남편을 향해 달려간 거야. 그러나 그녀가 나에게 남겨 준 죽음의 이유만큼은 내 것이야. 그녀에게 나는 절대라는 환영이었어. 환영이 스러지기 전에 그녀는 육체를 버림으로써, 자신에게서 끌어낸 절대를 저세상으로 이어 놓았어.

잠겨 있는 화실 문 앞에 점점이 핏방울이 떨어져 있었다.

열쇠로 문을 열었다. 화실 안이 너무도 캄캄해서 나는 내가 남의 방으로 잘못 들어선 줄 알았다. 잠시 후 그 불길한 암전(暗轉) 현상이 사라지며 낯익은 화실의 풍경이 되돌아왔다. 화실이 그처럼 깨끗이 정돈되어 있는 것을 보기는 처음이었다. 띄엄띄엄 떨어진 핏방울이 '정'의 앞으로 이어져 있었다. 아, 이 모든 일이 꿈이 아닐까. 하지만 무슨 이유에선지 나는 그녀가 아주 가까이 있다고 느껴졌다. 뿐만 아니라, 그녀가 그 어느 때보다 있는 그대로의 나를 깊이 이해하고, 용서하고 있다는 것도 알 수 있었다.

나는 그녀의 장례식에 가지 않았다. 평상시처럼 신문사에 출근해서 기사를 쓰고, 검도 연습을 하고, 돌아오는 길에 시장에 들러 반찬거리를 조금 샀다. 키보드를 두드리다가, 샤워를 하다가, 사람들과 이야기를 주고받다가, 문득 문득 고개를 떨어뜨리고 숨을 죽인 채 가만히 있었다. 바람이 꽃에 와서 살랑거리듯이, 영혼이 된 그녀가 그토록 우아하고 따스한 기미로 나를 어루만지고 있는 듯했다. 사람의 관계란 한 번 맺어지면 끊어지는 법이 없다는 것을, 그 따스한 기미가 나에게 말해 주고 있었다. 그녀 자신이 살아 있을 땐 얻지 못했어도, 육체를 벗은 뒤엔 무언가 엄청난 조화의 비밀을 깨친 거라고 믿어졌다.

열흘쯤 지났을 때 나는 정 변호사란 사람으로부터 전화를 받고 그를 만났다. 그는 나에게 현 여사가 직접 작성해서 법적 절차를 밟아 놓았다는 유언장을 보여 주었다. 나는 그녀가 자기의 재산 전부를 나에게 남겼다는 그 뜻만 거두고, 실제적인 처리는 아들인 지훈이 하도록 해달라고 부탁했다.

다시 한 달이 지나갔다. 봄꽃들이 피었다 지는 자리마다 그녀의 부재가 일깨워져, 무르익는 봄이 내게는 무척 힘겨웠다. 그녀를 아는 사람과 함께 있는 것만으로도 위안이 될 것 같았다. 지훈을 계속 떠올리면서도 나는 정작 용기를 내지 못하고 있었다. 그럴 즈음 그에게서 전화가 왔다.

"우리 한 번 만나야 하지 않을까요? 지금 집안일을 하고 있는데 와서 좀 도와 줄래요?"

당장 가겠다고 대답했다. 그도 나처럼 이 화창한 봄날이 힘든 것이겠지.

현 여사의 방배동 집 뜰엔 꽃들의 흐드러진 축제가 한창이었다. 목련은 이미 지고 라일락과 산당화, 영산홍이 만개한 데다, 팬지, 활련, 데이지 같은 일년초들도 일제히 꽃을 피워 눈이 부셨다.

저 강렬한 눈부심 때문에 그녀의 부재의 빈 자리가 더 커보이는 걸까.

문득 내 눈길을 스윽 잡아당기는 것이 있었다. 개집이 텅 비어 있었다. 나는 뜰 안을 두리번거렸다.

"개들요? 장례식 치르고 와보니 없어졌어요."

사다리 위에 올라 이층 유리창을 닦고 있던 지훈이 아래로 내려오며 말했다.

"안 돌아왔군요."

"전단을 만들어 뿌려 봤는데, 녀석들 어디로 사라졌는지 찾을 수가 없어요."

“그 개들 진돗개였나요?”

내 의중을 눈치챈 지훈이 입가에 희미한 미소를 떠올렸다.

“진돗개든 아니든, 개는 사람 따라가지, 집 따라 오는 게 아니거든요.”

“뜰이 손질이 잘되어 있군요.”

“꽃들이 알아서 빈 자리를 채워 가고 있는 거지요, 뭐.”

“그래서…… 더욱 아파요.”

지훈의 깊은 시선이 내 옆얼굴에 오래 머물러 있었다. 위안을 느꼈음일까. 나는 울고 있었다. “그저 옆에 있는 수 밖에는…….” 혼자말을 중얼거리는 지훈의 음성도 떨리고 있었다.

삶의 폐허에서 벌인 굿과도 같은 소설

**상처가 깊은 사람들은 망령들에게 파먹힌 아픈 기억들이 있다.
그들에게도 이 작품이 하나의 악몽이자, 통과의례가 되어, 이 작품을
세상에 내놓는 이유 아닌 변명으로 거두어지길 바란다.**

서 영 은

연재를 시작해서 책으로 묶기까지 이 작품은 나에게 하나의 지독한 악몽이었다. 그러나 한 번은 치르지 않으면 안 되는 통과의례이기도 했다.

죽음, 상실감, 동성애, 상처의 치유에 대해 심도 있게 다루어 본다는 것이, 자신이 아예 그 문제에 깊이 침윤되어 죽음의 문턱까지 끌려갔었다. 내가 내가 아니고 내 안에 들어와 사는 망령들의 집이었다. 당연히 소설은 엉망이 될 수밖에 없었다.

과연 그런가. 소설은 오히려 전투가 휩쓸고 지나간 내 삶의 폐허에서 벌인 굿은 아니었는지? 다만 분명한 것은 어둠으로 들어가서 빛으로 나온 사실이다. 그런 점에서 이 소설은 나 자신에겐 중요하고 의미 있지만, 독자들에겐 읽기 힘든 미완의 작품일 수도 있겠다.

상처가 깊은 사람들은 망령들에게 파먹힌 아픈 기억들이 있다. 그들에게도 이 작품이 하나의 악몽이자, 통과의례가 되어, 이 작품을 세상에 내놓는 이유 아닌 변명으로 거두어지길 바란다.

바쁜중에도 해설을 써주셨고, 미흡한 점을 짚어 독자들에게 도움을 주신 김정란 씨에게 깊이 감사드리고, 뒷부분의 수정원고를 끈기 있게 기다려 주신 문학사상 임 사장님, 그리고 연재 때부터 책이 되어 나오기까지 편집에 참여해 주신 여러분께 감사드린다.

릴케의 제4비가 중에서 몇 행을 인용하며, 나는 다음 작품을 향해 화살을 메긴다.

> 오, 삶의 나무여. 오 너의 겨울은 언제인가
> 우리 자연과 일치하지 않노니
> 홍망은 우리에겐 함께 의식되노니
> 아직 어딘가를 거니는 사자가 쇠퇴를 알 리 없다
> 그들의 영광에 찬 삶 지속되는 한.

사랑하는 나에게 매혹된 나

—나는 너를 사랑하지 않는다,
나는 너를 사랑하는 나를 사랑할 뿐이다.

김 정 란(시인 · 문학평론가)

1. 대체 무슨 일이 일어났던 것인가?

그 일은 어떻게 일어난 것일까? 성공한 삶을 살아가던 한 중년 여성화가가 어느 날 느닷없이 젊은 동성의 여성에게 정신없이 빠져든다. 그리고 그녀의 마음을 독점하기 위해서 온갖 노력을 다 하다가, 질투에 눈이 멀어 결국은 자살로 생을 마감하고 만다. 이것이 서영은의 《그녀의 여자》의 중요한 줄거리이다. 도대체 무슨 일이 일어났던 것일까? 왜 너무나 성공적인 생을 살던 한 중견화가가 느닷없이 광기 어린 동성애의 구덩이에 스스로를 던져넣게 된 것일까? 그것도 이성애자로 일생을 살아왔던 여성이?

이 작품에 나타나 있는 사랑의 표면적 특성은 '동성애'처럼 보이지만, 이 작품에서 '동성애'가 큰 비중을 차지하고 있는 것처럼 보이지는 않는다. 왜냐하면, 현 여사와 소연 두 사람 모두 동성애자로서의 성적(性的) 주체성을 명확하게 가지고 있지 않기 때문이다. 두 여성은 모두 양성애자들로 그려진다. 현 여사는 남편과 정상적인 결혼 생활을 했으며, 소연은 남성과의 결혼을 진지하게 고려하고 있다. 그리고 두 여성 모두 이성 친구들과 단순한 친구가 아닌 특별한 감정을 주고받고 있는 것처럼 보인다. 그렇다면, 서영은이 이 작품에서 보여 주는 특별한 사랑은 '동성애'의 문제에 방점이 찍혀 있는 것은 아니다. 작가의 의도는 '동성애'의 문제를 본격적으로 다루려는 것처럼 보이지 않는다. 그렇다면, 이 소설은 어떤 다른 것에 관계되어 있는 것이다.

현 여사의 사랑의 출발에는 죽음이 놓여 있다. 이해할 수 없는 원인으로 남편을 잃어버린 성공한 중년 여성화가, 의붓아들의 젊은 연인, 그녀와의 사이에 느닷없이 생겨난 동성애적 열정, 사랑을 얻기 위한 비참한 시도들, 자살. 따라서 이 작품도 예술가의 탐미성과 죽음을 둘러싸고 벌어지는 이야기라는 점에서 죽음과 탐미성, 그리고 동성애적 페도필리를 다루고 있는《베니스에서의 죽음》의 소설적 장치를 많이 닮아 있다. 그러나 이 작품의 전개는《베니스에서의 죽음》처럼 선명한 방식을 따라가지 않는다. 무엇인가가 계속 은폐되고 있기 때문이다.

처음에 죽음이 있었다. 현 여사의 남편은 2년 전에 택시에 치여 죽었다. 그러나 운전기사는 그 죽음이 자살이었다고 주장하는데, 현 여사도 사실은 그것을 알고 있다.

> "날 사랑했던 게 아녜요. 자신이 본 삶의 끝, 외로움, 공허로부터 달아나고 싶었던 거죠. 그 양반이 죽지 않았으면 내가 그를 죽였을 거예요." (p.16)

이것이 태초의 구덩이이다. 설명되지 않은 채 현 여사의 생 안에 파여진 구덩이는 그것을 메우기 위한 다른 희생물을 찾아 다닌다.

죽음은 다른 죽음을 찾아 다닌다. 남편이 죽고 난 후, 구덩이는 현 여사에게 옮겨 온다. 현 여사는 허망함에 시달리며 "세상을 놓고 지낸다." 그러다가 어느 날 갑자기 자신의 안으로부터 용솟음치는 에너지의 분출을 느낀다. 작품의 첫 장면을 읽어 보자.

> 아무런 느낌도 의욕도 없이, 세상을 놓고 지낸 기나긴 공허감은 그날에 와서 끝이 났다.
>
> 그날은 아침에 눈을 뜨자마자 기묘한 설렘이 마음을 저릿하게 파고들었다. (……) 잠이 든 침상에서 다시 잠이 깼을 뿐인데, 자신이 **아주 다른 사람이 되어 있는 듯했다.**
>
> 머리맡 탁자 위의 시계는 열두 시를 가리키고 있었지만, 그것은 **멈춰버린 상태의 시각**이었다. 정오 또는 자정에.
>
> 부인은 기억을 더듬어 보기 시작했다. M화랑의 큐레이터가 암스테르담에 다녀온 기념으로 사왔다는 **물감**을 두고 갔고, 모친상을 당한 K화백을 **문상**했고, **아들의 잠옷**을 사러 백화점에 다녀왔다. 습관의 충실한 종복인 몸이 더듬어 보이는 행적은 그 정도였다. 그러나 **의식의 아슴푸레한 밑바닥에는 감출 수 없는 어떤 거친 호흡의 발자국**이 새겨져 있었다. (p.11 강조 : 인용자)

그러면 이제 허망함의 구덩이는 정말로 메워진 것일까? 우리는 곧 이어 그것이 메워지기는커녕 더욱더 크고 깊게 파이게 된다는 것을 확인하게 된다. 일단 우리는 현 여사가 남편이 죽은 뒤, '2'년 만에 정상적인 생활로 돌아왔다는 사실에 주의를 기울일 필요가 있다. 그것은, 이 소설이 앞으로 '두 겹'의 실존과 연관된 어떤 이야기를 전개시킬 것이라는 사실을 예고하는 장치라고 볼 수 있다.

그런데, 이 첫 장면의 소품 선택이 흥미롭다. 우선 물감(예술), 문상(죽음), 아들의 잠옷(삶, 새로운 육체). 이 소품들의 선택은 이 작품이 세 개의 주제 축을 따라 진행될 것이라는 것을 예고하는 소설적 소도구들이라고 할 수 있다. 우리의 관심을 끄는 것은 특히 세 번째의 소품인 '아들의 잠옷'인데, 이 소품의 선택 아래에서 희미하게 감지되는 근친상간의 분위기는 잠옷의 "촉감이 아주 좋다"라고 말하는 아들 지훈의 말로 한 번 더 암시된다. 이 '잠옷'은 현 여사가 아들 지훈과 이어지는 간접적 매개물이라고 할 수 있는데, 이제부터 현 여사가 자기의 늙은 살을 집어던지고 젊은 아들의 살에 가까이 다가가 있는 다른 젊은 살을 찾게 되리라는 것은 이 장면에서 이미 어렴풋이 제시되어 있다. 아니나다를까, 현 여사는 "옷도 갈아입지 않고 서랍장을 정리"하기 시작한다. 그녀는 옷가지를 있는 대로 끄집어내어서 침대 위에 어질러놓는다. 그리고는 자신의 안에서 불기 시작하는 불길한 에너지의 부름에 몸을 맡긴다.

> 여섯 개의 서랍을 가득 채웠던 옷들. 아직 잠자리도 정돈되지 않은 데다, 여름옷, 겨울옷, 속옷, 겉옷 등이 뒤죽박죽 엉켜서 침대는 순식간에 옷무더기 속에 파묻혀 버렸다. 그것은 생활의 일부분이었음에도 마치 더 이상 그 자리로 되돌아갈 수 없는 허물처럼 보였다.
>
> 부름…….
>
> 다른 세계로부터의…….(p. 13).

현 여사의 지훈에 대한 근친상간 욕구는 여러 차례에 걸쳐 미묘하게 암시된다. 그러나 작가의 검열 기제에 걸려서 이 주제는 작품 안에서 아주 흐릿한, 희미한 밑그림만을 남기고 있을 뿐이다. 그럼에도 불구하고 몇 개의 지수들은 있다. 좀더 섬세하게 짚어 보도록 하자.

현 여사를 '덮친' 광포한 감정은 소연의 출현의 결과로 촉발된 것이 아니다. 구덩이는 이미 현 여사 안에 존재하고 있다가, 소연을 만난 순간, 표면화된 것이다.

> **아들의 친구**, 그녀가 방에서 나가자 텅 빈 듯한 적막감이 엄습했다. 그녀를 만난 것은 분명 처음인데, **낯익음, 너무나 낯익어서 자기 영혼이나 살의 일부를 얻은 것처럼 흡족한** 신음소리가 새어나왔다. (……) 그녀의 무엇이?…… 알 수 없는 일이었다.
>
> 다만 분명한 것은 아침부터 자신을 휘청거리게 했던 그 설렘의 정체가 이제야 모습을 드러낸 것이라고 깨달아졌다. 아니면 그 **설렘이 스스로 번제의 희생물을 찾아낸 것**일까? 하지만 **왜 하필 그녀란 말인가?**(p.27, 강조 : 인용자)

왜 하필 그녀인가,가 아니라, 하필 그녀다,이다. 검열 기제는 정확하게 작동한다. 작가는 '아들의 연인'이라고 쓰지 않고, 짐짓 심상한 채, '아들의 친구'라고 쓴다. 이것은 오히려 현 여사가 소연이 '아들의 연인'이라는 것을 의식의 표면에 떠올리기를 거부하고 있다는 사실을 나타낸다. 소연은 '하필' '아들의 연인'이기 때문에 선택되었던 것이다. 그렇다면, 소연의 출현이 현 여사의 욕구를 깨운 것이 아니라, 현 여사 내면의 좌절당한 심리적 갈망이 소연에게 투사된 것이라고 할 수 있다. 우리는 그 욕구가 지훈과 직접적인 관계가 있다고 짐작할 수 있는데, 두 사람이 지훈의 침실에서 처음으로 육체적인 관계를 맺는다는 사실(p.92)이 그 한 가지 증거라고 할 수 있다. 다음 대목에서는 아주 애매한 방식으로 표현되어 있기는 하지만, 현 여사의 아들에 대한 감정이 심상치 않은 것이라는 사실이 충분히 암시되어 있다.

> "걔는 내 속으로 난 애가 아니야. 물론 그 때문에 그애를 믿지 않는 게 아니야. 그애는 **두 번씩이나 내 등에 칼을 꽂았어.** 그애가 그런 짓

을 한 것도 내 속에서 나지 않았다고 그런 것은 아닐 거야. 다만 그애와 나 사이에 남편의 죽음이 칼이 된 상황이 있었어. 그때 나는 가만히 있었고, 그애는 칼을 집어 나에게 꽂았어. 내가 먼저 칼을 집지 않은 것은 인생이 쓸쓸했기 때문인데, 걔는 젊었고, 그 쓸쓸함이 무언지 몰랐을 뿐이야. 물론 나는 이해하지. **그러나 용서하지는 못해.**"(p. 119, 강조 : 인용자)

두 사람 사이에 무슨 일이 있었던 걸까? 아들은 어떤 용서받지 못할 행동을 했던 걸까? 아들의 행동은 "안으로 수많은 상처를 끌어안고 있는 병사의 방패 같은 연륜, 남편의 돌발적인 죽음, 아들의 배신까지도 끄떡없이 견뎌낸 세월의 힘"(p. 181)이라는 구절에서 '배신'이라는 말로 분명하게 다시 한 번 언급된다. 어떤 배신? 그러나 작가는 작품이 끝날 때까지 아무 설명도 하지 않는다.

그러나 이러한 암시들을 통해서 현 여사와 지훈의 관계가 성적인 관계라고 단정할 수는 없다. 단지 두 사람의 관계가 예사스러운 계모-아들의 관계가 아니라는 사실만은 충분히 짐작할 수 있다.

"잊으셨어요? 제가 열다섯 살 때 어머니는 저한테도 그렇게 미친 듯이 사랑을 쏟으셨어요. 저는 그 사실을 아버지한테는 비밀로 했어요."(p. 212)

아버지에게도 비밀로 해야 할 정도로 특별한 감정이라면, 두 사람의 관계는 심상한 관계는 아니다. 현 여사와 소연과의 관계가 깊어지고, 그 관계가 무조건적인 매혹의 단계를 지나, 서로 밀고당기는 '겨룸'의 단계로 접어들었을 때, 현 여사는 동해안으로 잠행할 결심을 하게 되는데, 그 사실을 아들에게 알리기 위해 전화했을 때, 아들은 "초등학교 때 입었던 팬티가 난데없이 튀어나왔다"(p. 123)면서 좋아한다. 우리는 이 장면에 이어서 소연과 현 여사가 격렬한 정사를 벌이는 것을 보게 되는데, 그렇다면 이 '조그만 팬티'는 결국 소연과 현 여사의 육체적 관계가 성징이 나타나기 전의 아들과 어머니의 관계의 대체물이라는 결론을 내릴 수 있다. 말하자면, 소연은 지훈의 초등학교 때 팬티를 들고 현 여사에게 다가가는 셈이라고 볼 수 있는 것이다. '조그만 팬티'가 암시하는 무성적(無性的) 성(性), 사실 그것은 현 여사와 소연 사이의 밍밍한 육체 관계와 똑같은 특성을 가지고 있다. 두 여성이 꿈꾸는 것은 성이 제공하는 환희 이상의 것이다. 완전한 합일의 추구. 현 여사는 가장 낮익은 것, 그러나 금지되어 있는 것 대신에, 그 금지된 것의 가장 가까이 있는 가장 안전한 (동성이라는 울타리 안에 감추어져 있는) 대체물을 통해 어린 아들과의 합일을 시도하는 것이다. 작가는 여러 차례에 걸쳐 현 여사와 소연과의 관계는 육체를 넘어서는 그 무엇이라는 점을 강조한다.

> 현 여사는 소연을 안고 있는 팔에 힘을 주며 고개를 끄덕였다. 마음 구석구석까지 퍼지는 햇살 같은 안도감. 아프게 패인 마음 그득히 가득 들어와 있는 존재의 충만한 포개짐. **성의 오르가슴을 넘어서는 그 무엇.** (p. 141)

따라서, 현 여사와 소연의 관계는 일종의 위장된 근친상간의 관계처럼 보인다. 만일 그것이 순수한 동성애라면, 두 사람이 밀애를 나누는 밀실의 이름 '정(釘)'의 선택은 잘 설명되지 않는다. 이 이름이 명백하게 팔루스적이기 때문이다. 작가는 섬세하게 이 이름의 선택이 "바위에 묶여 있는 프로메테우스의 심장을 끊임없이 쪼아대는" (pp. 96~97) 상징성 때문이라는 설명을 덧붙여 놓고 있기는 하지만, 그럼에도 불구하고 이 밀실은 아들 지훈에게 가장 드라마틱한 방식으로 들키기 위해서만 숨겨져 있었다는 느낌이 든다. 소연에게 버림받아서 비참한 몰골이 되어 있는 현 여사가 널부러져 있을 때, 숨겨져 있는 이 방은 아들 지훈의 눈에 추악하게 노출되며, 그 방에서 지훈은 소연에게 노골적인 질투심을 드러낸다.

> "그래서 소연 씨를 비난하자는 게 아녜요. **어떤 점에서는 부러웠다**는 거죠. (……) 우리 어머니의 갈망 속으로 그만큼 깊이 내려가 보고서도 소연 씨는 끄떡없잖아요. 오히려 우리 어머니가 망가지고……."
> (pp. 275~276, 강조 : 인용자)

그런가 하면, 현 여사의 소연에 대한 애정은 애정이라기보다는 일종의 모성애처럼 보이기도 한다. 그녀는 소연이 지고 있는 빚을 갚아 주려고 돈을 마련하면서 "사실 그 기꺼움 속에는 옛날 가난했던 시절에, 지훈의 등록금을 마련하기 위해 동분서주했던 희미한 기억이 포개어져 있기도 했다"(p. 150)고 느끼며 즐거워한다.

소연은 현 여사에게 상처를 주기 위해서 나이 많은 회사의 부장을 일부러 유혹해 가지고는, 그 장면을 현 여사가 목격하게 만든다. 그런데, 그 이후에 곧장 현 여사의 아들 지훈의 부상 소식이 전해진다. 아들에게 가려고 준비하는 현 여사에게 소연은 현 여사가 자기를 사랑하는 것이 아니라, '아이를 낳지 못해서 모성을 쏟을 상대가 필요했다'(p. 200)고 비난을 퍼붓는다. 현 여사는 그 말을 듣고 소연에게 자신이 잘못된 인공유산의 결과 불임이 되었다는 것을 고백한다. 그 뒤에 두 사람은 바닷가로 여행을 떠난다. 두 사람은 어린아이 같은 장난에 몰두한다(pp. 204~209).

이 장면에서 지훈이 입은 상처는, 그가 어머니 현 여사로부터 완전히 버림받았다는 사실을 의미한다. 이제 소연이 현 여사의 좌절된 모성애를 너무나 충족시켜 주는, 제멋대로인, 다정하며 동시에 잔인한 연인-아들(amant-fils)의 역할을 지훈으로부터 가로채어 가버린 것이다. 소연이 못되게 굴수록, 현 여사는 착한 어머니이며 헌신적인 연인이 되는 것이다. 지훈은 소연으로 완전히 대치되어 버렸다. 이제 더 이상 지훈의 자리는 없다. 아들의 침실에서 소연과의 관계를 아들에게 알리며 가슴에 나 있는 소연의 이빨자국을 아들에게 보여 주는 장면(p. 240) 역시 아들을 끊어냄으로써 아들에게 복수하려고 하는 행동으로 보인다(현 여사는 자신과 소연의 관계를 아들에게 숨기기 위해서 별반 노력을 기울이지 않는다. 그녀는 오히려 아들에게 들키기 위해 교묘하게 조작하기까지 한다). 이 일이 있은 후, 아들은 500호 크기의 현 여사의 그림을 부수어 버리는데(제도적 관점에서 보면, 약혼자를 어머니에게 빼앗겨 상처를 입은 것은 분명히 지훈이다), 이 작품의 모든 의미가 가장 극명하게 드러나는 현 여사의 꿈속에서 이 행동은 뒤집힌 방식으로 드러난다.

> 절간이라고는 하지만 사실은 방배동집 거실이었다. 어찌 된 셈인지 벽에 걸린 500호짜리 그림을 향해 화병을 집어던지고 닥치는 대로 물건을 부수는 건 현 여사 자기였고, 지훈이 이를 말리려고 애쓰고 있었다. 남편이 어디선가 나타났고, 그때는 부부가 함께 집으로 돌아오는 길이라고 했다(p. 328).

말하자면, 정작 모든 걸 부수고 싶은 사람은 현 여사 자신이었던 것이다. 내면에 짓눌러 놓은 상처 때문에 발설하지 못한 말은 꿈속에서 터져 나온다. 비명을 질러야 할 사람은 현 여사인 것이다. 현 여사의 복수('부수는' 행동)는 분명히 아들과 관련이 있지만, 그 행동은 남편에 의해 저지당하고, 두 사람은 함께 '집으로 돌아온다'. 즉, 탈출, 집 밖으로 나가기, 제도 부수기는 좌절된 것이다. 현 여사와 아들 지훈 사이의 말해지지 않은 이야기는 작품이 거의 끝나갈 무렵, 소연이 부산영화제(두 사람의 사랑의 행각은 늘 바다를 중심으로 펼쳐진다)에서 보는 영화가 《페드라》라는 사실로 한 번 더 미묘한 울림을 갖는다. 금지된 계모와 아들의 사랑. 왜 작가는 하필 작품의 대단원에서 소연으로 하여금 이 영화를 보게 만든 것일까? 소연은 좌절된 계모와 의붓아들의 사랑에서 역할 대행을 해준 것에 불과한 것일까? 그렇다면, 현 여사는 아들에게 복수하기 위해서만 아들의 약혼자를 빼앗은 것일까? 소연과의 동성애는 좌절된 이성애의 위장된 형태인가? 실제로 소연은 '사내아이' 같은 모습으로 그려지기도 한다. 그러나 작가는 작품 안에서 명확한 답변을 하지 않는다. 작품은 검열 장치에 겹겹이 에워싸인 채, 계속 안개만을 남긴다. 이 안개는 지훈과 현 여사 사이에서뿐 아니라, 남편과 현 여사 사이에도 있고, 정작 미친 듯이 탐닉하는 현 여사와 소연 사이의 동성애에도 있다. 이 사랑은 무엇인가가 석연치 않다. 죽음에까지 이를 정도로 사랑하는 동성애자들이 이성들과도 관계를 맺는다? 뭔가 앞뒤가 맞지 않는다. 작품은 무엇인가 분명하게 말하지 않고 자꾸 에둘러간다. 작가는 계속 '운명적 사랑'을 이야기하지만, 그렇게 덮어 두고 말기에는 현실적인 지수들이 너무 많이 제시되어 있다. 그리고 작가 자신이 그 현실적인 지수들을 사용해서 자꾸 이 사랑을 설명하려고 애를 쓰고 있다. 작가는 무엇을 숨기려고 하는 것일까? 현 여사를 죽음으로 몰아넣은 사랑의 정체는 과연 무엇일까?

2. 동성애? 남성들에 대한 복수의 양식으로서의 자매애?

그러나 그럼에도 불구하고, 두 사람이 동성애에 빠져들게 된 몇 가지 원인이 제시되어 있기는 하다. 우선 현 여사 쪽. 현 여사는 남편이 죽기 전에 유방암에 걸린 남편의 아내를 만나러 간다. 남편의 연인이었던 현 여사는 병들어 죽어가는 남편의 아내를 보는 순간, 격렬한 연민에 사로잡힌다. 욕정을 닮아 있을 정도로 격한 연민.

"알겠니? 그때의 내 감정은 결코 죄의식 같은 것이 아니었어. 한 남자를 두고, 그녀는 남편으로, 나는 연인으로 관계를 맺기는 했지만, 그리고 그녀의 눈 속에서 내가 바로 그 사람이란 것을 그녀가 알고 있다는 사실을 내가 알았다 해도, 죄의식은 아니었어. 뭐랄까, 그때 나는 온몸이 아프도록 저렸고, 그것은 너무도 격렬한 욕정 같은 것이었어. 어쩌면 그녀 속에 빠져 죽고 싶다고 생각했을 때, 내 몸의 어떤 부분이 영원한 남성으로 전환했는지도 몰라." (p. 34)

그러고 나서 현 여사는 병든 여인의 남편인 연인을 불러내어 격렬한 섹스를 한다.

석화가 부둥켜안고 뒹군 것은 그가 아니라, '그녀'였고, 그녀의 고독, 그녀의 슬픔이었다. (p. 34)

그렇다면, 이 연민과 성욕은 일종의 복수의 형태로 발생한 것은 아닐까? '그녀'와 현 여사를 동시에 고통스럽게 하는 사람, 남성에 대한 복수로? 아니, 인간의 허망함에 대한 복수심 같은 건 아니었겠느냐고? 나는 그렇게 생각하지 않는다. 병들어 있는 사람이 남성이었더라도, 현 여사가 똑같이 격렬한 성욕을 느꼈을까? 연민으로 인하여 촉발된 상대와 육체적으로 하나가 되고 싶다는 욕망은 특이한 자매애의 형태를 하고 있다. 두 여자 모두 희생자라는 깨달음으로부터 시작되는 자매애.

이러한 상황은 소연 쪽에서도 마찬가지이다. 소연은 공부 잘하고 똑똑해서 늘 선망의 대상이 되는 어린 시절을 보냈지만, "마음속엔 끔찍한 회색지대"(p. 20)가 있다. 그것은 건달인 아버지 때문인데, 그는 일생 돈을 버는 법이 없이, 어머니를 착취하며 살았다. 그래서 소연은 어린 시절부터 어머니에 대한 보호의식(p. 276)을 가지고 성장한다. 그러한 심성은 중학교 2학년 때 의부(義父)에게 머리채를 잡혀 끌려가는 새로 부임해 온 여자 선생님 김인애에 대한 사랑으로 발전한다. 김인애 선생 쪽에서도 소연에게 은밀한 감정을 가지고 있었지만, 어느 날인가 그녀의 눈앞에서 자취를 감추어 버린다. 우연히 영화관에서 만나게 된 김인애 선생은 자신의 돌연한 사라짐이 이복형제에게 강간을 당했기 때문이라는 사실을 알려준다. (p.46) 따라서, 소연이 현 여사의 구애에 적극적으로 응하게 된 데에는 이처럼 어머니에 대한 연민과 성폭행당한 첫 번째의 동성애의 대상에 대한 연민, 그리고 그것으로 인해 촉발된 여성 전체에 대한 자매애가 복합적으로 작용하고 있다.

> 내가 선생님에게 이끌려든 감정 속에는, 우리 어머니를 포함해서 그동안 나를 스쳐 간 많은 여성들의 슬픔이 포개어져 있었어요. 내 마음의 진실은 선생님에게 나를 다 내어던지지 못했다기보다, 그 마음을 확인해 보기 위해 끊임없이 아닌 척 자기 자신을 위장해 보인 것이라고 할 수 있어요. (p.277)

게다가 소연은 여전히 무능력한 오빠의 빚을 갚아 주느라고 고생하고 있다. 작가는 그런 방식으로 현 여사와 소연의 동성애를 자매애로 설명해 보려는 시도를 한다. 불쌍한 여자들을 보면 남자가 되어 그녀들을 보호하고 싶다는 욕망을 느끼는 여자들 사이의 특별한 애정. 그러나 그래도 두 명의 여성의 파괴적인 사랑놀이가 충분하게 설명되는 것 같지는 않다. 두 사람 사이의 동성애가 그렇게 숭고한 자매애에서 비롯한 것이라면, 그 사랑은 두 사람 사이의 욕망의 밀고 당김을 넘어서서 보다 공동체적인 사랑의 실현으로 이어졌어야 옳다. 만일 그 사랑이 정말로 순수한 자매애에서 비롯한 것이라면, 소연은 끝까지 현 여사의 비참을 지켰어야 마땅하다. 그러나 두 사람은 밀고 당기는 사랑의 게임을 계속하다가, 결국 파괴적인 사랑

안으로 침몰해 버리고 만다. 그리고 소연은 현실적인 고려, 즉 이성인 남편과 결혼해서 평범하게 살아가는 삶을 위해서 현 여사를 저버린다. 그러나 이 저버림마저도 명확한 자기 고백의 형태를 취하는 것이 아니라, 계속 적당한 합리화의 핑계 뒤에 숨겨진다. 소연은 어떨 때는 사랑 앞에 순연한 것 같다가도, 어떨 때는 이기적인 심성을 드러내고, 모든 것을 이해하고 있으면서도 극히 타산적으로 행동한다. 소연의 갈팡질팡하는 태도는 작품의 결을 자꾸 흐트러뜨린다. 소연은 좋은 연인도 아니며, 좋은 친구도 아니다. 자존심이 강한 것 같으면서도, 실리는 챙긴다. 그렇다면, 현 여사에 대한 그녀의 사랑은 무엇일까?

현 여사 쪽에서 보아도 애매하기는 마찬가지이다. 그녀의 소연에 대한 사랑이 남성이라는 강자에게 당하는 여성에 대한 자매애로부터 출발한 것이라면, 그녀는 왜 그토록 소연 한 사람에게만 매달리는 것일까? 그리고 왜 그녀에게 모든 것을 퍼붓고 자살해 버리는 것일까? 왜 보다 큰 사랑에게로 나아가지 못하고, 이기적인 욕망의 덫에 치여 신음하는 것일까? 두 사람의 동성애는 자매애라는 형태로도 충분하게 설명되지 않는다.

3. 공허함과 겨루는 방식으로서의 사랑

그렇다면 이 모든 이야기들은 이 기이한 사랑의 부수적인 설명에 지나지 않는다. 근친상간의 욕구도, 연민으로 촉발된 자매애도, 이 사랑을 부분적으로밖에는 설명하지 못한다. 그렇다면, 우리는 이 사랑의 본질이 전혀 다른 데에 있다는 결론을 내릴 수밖에 없다.

작가의 주장은 이 사랑의 기술에 있어서 현 여사 쪽으로 현저하게 기울어져 있다. 현 여사 쪽의 사랑의 기술은 생생한 리얼리티를 확보하고 있다. 작가의 자연적인 입장(나이)이 현 여사에 가깝기 때문에, 현 여사에 관한 부분을 진술할 때는 리얼리티가 자연스럽게 확보된다고 볼 수도 있지만, 그보다는 작가의 기질이 현 여사의 기질을 닮아 있기 때문은 아닐까 하는 생각이 든다. 그러나 작가는 현 여사의 입장을 채택하는 것을 포기한다. 소설적 어법의 선택에 있어서도 역시 어떤 검열 기제가 작동하고 있다. 작가는 의식적으로 소연의 편을 든다. 현 여사 쪽이 3인칭으로, 그리고 소연의 쪽이 1인칭으로 기술되고 있는 것도 그러한 이유에서이다. 작가는 자신이 소연이 되어 현 여사 쪽으로 자꾸 기울어지는 자신의 입장에 균형을 잡아 보려고 한다. 그래서 소연의 편에는 아주 많은 현실적 지수들이 제시되어 있다. 소연은 일관성 있게 행동하지 못하지만, 작가는 계속 소연을 변호해 준다. 엄밀하게 말하면, 작가가 1인칭 어법을 사용하면서까지 현실적 장치들을 동원해서 소연의 배신을 정당화해 주려고 노력하고 있는 것이다. 그러나 그러한 점이 오히려 이 소설의 밀도가 떨어지게 만들어 버린 건 아닌가 하는 생각도 든다.

나는 이 소설이 오히려 과감하게 현 여사의 시점을 1인칭으로 택해서 밀고 나갔더라면, 훨씬 더 성공적이었을 것이라고 생각한다. 그랬더라면 우리는 아마도 한국 소설사상 아주 특이한 연애소설을 한 편 가지게 되었을지도 모르겠다. 그러나 무엇인가가 끊임없이 작가의 의식을 검열한다. 나는 그 원인을 이렇게 본다; 처음부터 주제 설정에 무리가 있었다. 처음부터 이 소설은 동성애에 대해 기술하는 것이 목적이 아니었던 것이다. 동성애는 "금기를 돌파한다"는 하나의 핑계에 불과하다. 작품의 주제를 무리하게 동성애로 설정하는 바람에, 작품은 동성애를 설명하기 위한 이런저런 장치를 마련하느라고 밀도를 잃어버린다. 달리 말하면, 이 작품에서 논의되고 있는 동성애는, 작가의 표현에 따르면 "동성이라는 우산" 아래에 숨겨진 전혀 다른 종류의 사랑, 끔찍하기까지 한 격렬한 사랑이다. 동성애는 오히려 중년의 나이에 광란의 사랑에 몰두하는 현 여사를 보호하기 위한 안전장치에 불과한 것처럼 보인다. 어쨌든, 보수적인 한국의 성문화 풍토 하에서 성적 색채가 희미하게 지워진 모녀의 사랑과 같은 현 여사와 소연의 동성애는 중년 여자와 아들 또래의 젊은 남자의 사랑보다 훨씬 덜 위험스러워 보이지 않는가. 이 작품의 본질적 주제는 전혀 다른 데에 있다. 그것은 오히려 중년 여자의 성적 주체성에 관한 이야기이다. 중년 여자에게는 성적인 욕망이 없는가?라는 주제. 중년 여자의 성적인 욕망은 어떤 방식으로 표출되어야 하는가?라는 주제. 그것은 어떤 방식으로 젊은이들의 사랑과 다른가, 라는 주제.

따라서 나는 이 작품에서 일체의 현실적 지수들을 걷어내고 막바로 현 여사의 내면으로 다가가는 것이 훨씬 더 올바른 독법이라고 생각한다. 실은 작품의 출발에서부터 이 점은 명백히 암시되어 있다. 현 여사의 내면에 어떤 설명할 수 없는 일이 일어났다. 다른 모든 것은 부수적인 장치에 불과하다. 작품은 연역적 구성을 하고 있다. 일은 일단 벌어진 것이다.

> 가운을 걸치고 아래층으로 내려가는 **그녀의 옷자락이 표연히 어둠을 가로지르는 밤새의 날개**처럼 계단 하나하나를 쓰레질했다. 그녀가 계단을 다 내려온 뒤에도 옷자락은 접히지 않은 채, 현관과 거실 입구에 놓인 커다란 장식 꽃병을 쓰러뜨렸다. **병은 여지없는 어떤 힘으로부터 일격을 받은 것처럼 산산조각**이 났다. 자신의 실수를 내려다보는 부인의 표정은 안타깝다기보다 **보이지 않는 경계를 넘어선, 서늘한 비장함**이 있었다. (p.13, 강조 : 인용자)

이처럼 《그녀의 여자》는 현 여사의 내면적 시점을 택할 때, 명확한 리얼리티를 확보하고 생생함을 얻는다. 이 대목에서 중요한 것은, 현 여사가 지금까지 성공한 여성화가로서의 부르주아적 삶의 방식에 종지부를 찍기로 했다는 사실이다. 더 이상 이렇게 살기 싫어.

나는 더 본질적인 삶을 원해. 예술가들을 만나고, 적당히 우아한 대화를 나누고, 세속적으로 그럴듯해 보이는 문화귀족의 삶을 영위하는 것, "그 모든 것이 다 무어란 말인가." (p. 17)

이 장면에서 '길게 쓸리는 옷자락'은 현 여사가 꿈꾸고 있는 삶의 방식이 '존재의 연장'과 관련이 있다는 것을 나타낸다. 긴 옷자락은 길게 늘어난 현 여사의 육체이다. 그 늘어난 육체가 '장식 꽃병'을 깨뜨렸다는 것은 의미심장하다. 부르주아적인 장식적인 삶의 취향과 이제 현 여사가 추구하는 삶의 방식은 함께 어울릴 수 없는 것이다. 삶의 안전한 윤곽은 부서진다. 이제 내면의 살덩이가 뭉글뭉글 솟아오를 것이다.

현 여사는 이제 더 이상 그럴듯한 부르주아적 외피에 둘러싸인 허위적 삶에 관심이 없다. 그녀는 전에는 미술계 동료들과 흔히 나누었던 전시회 얘기 따위에 흥미를 느끼지 못한다. 그녀는 전시회에 대해 얘기하는 동료의 말을 "아, 재미없는 얘기로군요" (p. 17)라고 퉁명스레 잘라 버린다.

> 그녀의 **내면 가득 갑작스럽고도 절박하게 차오른 생에 대한 명쾌한 확신**, 그것은 날아가 꽂힐 과녁을 찾아야 했다. 죽음에 이르도록 깊이 꽂힐…….
>
> (……)
>
> "나는 시니컬한 게 아니에요. 다만 사람들이 보지 못한 것을 봤을 뿐예요. 이제는 군더더기들을 벗어내고 중심을 향해 곧게 걸어가고 싶을 뿐예요."
>
> "그것은 용기입니까?"
>
> "아뇨. 내 삶이 이르러 있는 마음자리예요. 자기 자신과 세상에 대해서 여지없고 가차없어진다고 할까."
>
> "그게 바로 용기 아닙니까?"

"용기는 대상화한 감정이지요. 내 경우는 **살아 있음의 끝** 같은 거예요."(pp. 17~18, 강조 : 인용자)

따라서, 현 여사를 '덮친' 사랑의 감정에 대해, 그것이 근친상간적 욕구와 맞닿아 있건, 자매애적 동성애와 관련이 있건, 그 현실적인 심리적 동인을 추적하는 것은 큰 의미가 없다. 중요한 것은, 그것이 육체를 매개로 발현하는 '사랑'의 형태로 그녀의 내면에서 분출했다는 사실이다. 그것은 일체의 제도적 접근과 상관없는 곳에서 분출한다. 근친상간이나 동성애나 모두 그 사랑의 비(非)제도적 성격을 설명하는 부수적 장치에 불과한 것이다. 현 여사의 사랑은 일종의 '한계의 탐험'으로서 의미를 부여받는다. 이 사랑의 비제도적 성격은 현 여사와 소연의 첫 만남이 '뒤쪽'으로 이루어진다는 설정을 통해 설명된다. 소연은 지훈의 안내로 현 여사를 만날 때, 현 여사의 '뒷모습'에 큰 충격을 받는다.

나는 지훈을 따라 그쪽으로 다가가면서도, 등을 지고 앉아 있는 그 사람이 몸을 돌려 이쪽을 바라보면 어쩌나 싶게 마음이 두렵고 떨렸다. 무슨 이유에선지는 몰라도, 그녀가 몸을 돌리게 되면 나는 그 자리에서 얼어붙은 듯 몸이 굳어질 것 같았다.

그것은 그저 사람이 앉아 있는 모습이 아니었다. (p. 25)

존재의 감추어진 '뒤쪽'으로 치고 들어온 기이한 사랑. 그 사랑은 광포한 에너지를 분출하며 '앞쪽'의 존재를 황폐함으로 몰고간다. 특히 현 여사에게서 그렇다. 어쩌면 노년에 찾아온 마지막 에로스의 작열일까? 작가는 그 사랑의 존재를 '수렁'이라고 표현한다. 현 여사는 "자신의 삶이 온통 직물로 짜여진 성(城)이었던 것처럼, 어딘가에서 그 끝을 잡아당김에 따라 술술 풀려 나가면서, 그 안에 있던 벌거숭이의 자기 자신이 모습을 드러내려는 것처럼"(p. 35) 느낀다. 그렇다면, 그 수렁은 일체의 가치가 무화되는 삶의 '심연' 같은 것, 작가의 표현을 빌면 '시간의 얼굴', 대면하기 힘든 삶의 근원적 허망함 같은 것이다. 현 여사는 육체라는 부실한 창을 들고 그 구멍에 도전장을 던진 여자 돈키호테이다. 갈 데까지 간다. 그 끝에 아무것도 없더라도 좋다. 나는 내 육체를 한번 다 써본다. 따라서, 현 여사를 덮친 감정은 사랑이라기보다는 '싸움'에 가깝다. 소연은 이 '싸움'에 현실적 매개물로 동원된 것에 불과하다. 현 여사는 소연과 밀고 당긴 것이 아니라, 소연을 통해 현 여사가 얼핏 들여다본 생의 심연과 드잡이한 것이다. 소연의 존재는 현 여사를 기껍게 하지만, 그녀가 제공하는 기꺼움은 현 여사의 내면에서 들끓는 에너지에 비하면 형편없이 초라하다.

> 그녀 속에 있는 한없이 깊고 단단한 것의 정체가 맹목적인 훼파 심리, 또는 공격 심리를 끓어오르게 하여 물어뜯고 흔들고 부수고 찔러서 허물어지는 것, 무너지는 것을 보고 싶은 안타까운 조바심에 쫓기면서도, 한편으론 마치 **포획물을 앞에 둔 맹수처럼 아직도 남아도는 힘 때문에 그 대상이 성에 차지 않는 것 같은 미흡한 감정**이 교차하고 있어, 현 여사는 비감하게 자신에게 묻고 있었다.
>
> 너는 도대체 누구냐. 내 숨을 쥐었다 놓았다 하는 것이 진정 너란 말인가. 이미 인생에서 아무것도 대수로운 것이 없어진 내가, 죽음이 무엇이란 것까지 알아 버린 내가, 몸달아하며 빠져들고 있는 것이 바로 너인가.
>
> 사실 가까이 마주앉아 있는 **소연은 현 여사가 어떤 대가를 치르더라도 얻고자 하는 그 대상이라기엔, 다소 철없고 연약하고 범속해 보였다.** (p. 67, 강조 : 인용자)

그러나 현 여사는 현실을 직시하지 않는다. 어떻게 해서든 자신의 빈약한 사랑의 대상에게 광휘를 부여하기 위해서 그녀는 점점 더 자기 고집 속으로 침몰한다. 바로 너야, 너임에 틀림없어. 내가 너를 사랑하니까, 너는 내가 원하는 그 존재가 되지 않으면 안 돼. 몸을 일으켜, 내가 너를 아름답게 만들어 줄게. 현 여사는 자신이 원하는 만큼 단호하지도 않고, 뛰어나지도 않은 상대를 계속 억지로 잡아 늘린다. 그렇게 하기 위해서 그녀는 선물 공세를 하고, 돈을 주고, 유산을 몽땅 소연 앞으로 남기는 등, 가망 없는 사랑에 매달려 점점 더 추한 몰골로 변해 간다. 네가 나를 이렇게 만들었어. 책임져. 네가 내가 원하는 만큼 아름답지 않기 때문이야. 이제 사랑은 상처 주기 게임으로 변질된다. 그렇다면, 현 여사가 사랑하는 것은 소연이 아니라, 소연을 사랑하는 자기 자신인지도 모른다. 현 여사는 사랑하는 자기 자신의 아름다움에 매혹되어 있다. 소연을 사랑하는 그녀는 그녀가 알고 있는 가장 아름다운 그녀이다. 그녀는 그 광휘를 잊지 못해 고통스러워한다. "앞으로 나는 지금보다 더 아름답고 순수할 자신이 없다."(p.262)

4. 마지막 꿈의 분석

그런데, 집요할 정도로 소연에게 매달려 '수렁'과 드잡이하는 현 여사의 심리는, 사실은 본질적으로 아주 종교적인 것이라고 할 수 있다. 현 여사가 자신을 덮친 사랑의 경험을 훨씬 더 형이상학적으로 연장했더라면, 그 사랑은 인간 종(種)에 대한 깊이 있는 영적인 사랑으로 발전할 수 있는 성격의 것이다. 실제로 현 여사는 자신에게 이제 더 이상 사랑은 섹스가 아니며, 영적인 문제라고 여러 차례에 걸쳐 이야기하고 있다.

"인간은 성 이전에 영적인 그 무엇이야. 인간이 성으로 차별되는 것은 육체 때문이지. 육체를 넘어선 차원의 합일은 성과 무관한 것이야."(p.333)

그런데 왜 그녀는 그렇게 하지 못하고 계속 현실적인 사랑의 지수에 목을 매달고 있는 것일까? 그것은, 아마도 그녀 안에 현실적인 상처의 경험이 치유되지 않은 채 남아 있기 때문일 것이다. 현 여사의 내면에 파여 있는 구덩이는 아주 현실적인 원인을 가지고 있는데, 그것은 배신이 아니면서도 배신의 형태를 하고 있다. 그녀는 버림받지 않았으면서도 버림받았다는 분명한 느낌을 가지고 있다. 이 미묘한 배반은 바로 현 여사가 일생 동안 깊이 사랑했다고 믿어 왔던 남편에 의해 저질러진다. 남편은 배반하지 않으면서 배반하는 미묘한 방식으로 현 여사를 떠나 버렸던 것이다.

현 여사와 남편은 격렬한 육체적 사랑을 나누었던 것으로 보인다. 작가는 여러 차례에 걸쳐 현 여사와 그의 섹스가 아주 현란스러운 것이었다는 이야기를 한다. 그럼에도 불구하고, 아내를 둔 남자의 연인으로 출발했던 현 여사와 남편의 관계는 편안하기만 한 것은 아니었던 듯하다. 이 점 또한 명확하게 진술되어 있지 않다. 그러나, 다음 대목을 보면, 두 사람의 관계가 남편의 말년에는 대단히 불안했던 것이 틀림없다.

> 그는 이 년 전 부인의 남편이 타계하기 전, 바로 이 거실에서 목격한 끔찍한 광경이 떠올랐다. 광풍이 휩쓸고 지나간 것처럼 기물들이 파손되어 나뒹굴고 있었다. (……) 거기에서 입은 옷이 갈가리 찢겨져 상대에게 치명적 상처를 입힌 암수 사자 모양 피를 흘리며 헐떡거리는 부부, 피가 철철 흐르는 손으로 백발이 성성한 자신의 머리칼 속으로 깊숙이 손가락을 쑤셔 넣고 웅크리고 앉아 신음하는 남자는 이미 이 세상 사람 같아 보이지 않았다. (p. 15)

남편은 말년에 의처증 증세까지 보였고, 폭력을 행사하기까지 한다. (p. 76) 그리고는 폭력을 행사한 뒤에는 격렬한 섹스가 이어진다.

이런 점으로 미루어 보건대, 그녀의 결혼생활은 행복하기만 했던 것 같지는 않다. 현 여사의 현란한 섹스는 육체의 차원을 벗어나 행복한 정신적 합일의 경지에 도달했던 것이 아니라, 육체의 차원에만 머물러 있었던 것 같다. 만족스러운 섹스에도 불구하고, 현 여사는 사랑의 실체에 도달하지 못한다. 현 여사는 가까운 친구에게 이렇게 말한다.

> "넌 네 남편이 어떤 사람인지 잘 안다고 했지? 난 모르겠어. 정말 모르겠어. 아침마다 그의 고추를 잡고 잠에서 깨어났음에도, 난 그 남자에 대해 아무것도 아는 것이 없는 거야." (p. 30)

현 여사는 남편과의 관계를 "입 안이 피로 흥건하도록 서로가 서로의 목을 물고 놓지 못했던 인연" (p. 230) 으로 묘사한다. 그것은 앞서의 처절한 싸움의 광경에서도 목격되다시피, 섹스의 형태로 벌어지는 일종의 전쟁이다. 즉, 누가 우위를 점하느냐는 권력다툼의 양상을 보이는 것이다. 이 점에 대해서 작가는 두 사람의 관계가 '겨룸' (p. 119) 이었다고 말한다. 이 '겨룸' 에서 약자는 언제나 '더 사랑하는 자' (p. 146) 이다. 이 패턴은 소연과의 관계에서도 고스란히 되풀이된다. 처음에 애정공세로 소연과의 관계에서 우위를 점하려고 시도하던 현 여사는 나중에는 자기학대의 형식으로 상대방으로부터 승리의 기회를 박탈해 버린다. 마지막에 현 여사가 택하는 자살은 결국 자학의 완결된 형태인 셈이다.

현 여사의 남편은 이 '싸움' 에서 결정적인 파울 플레이를 한다. 자살이 아닌 것처럼 위장한 자살을 함으로써 경기장 밖으로 혼자 걸어나가 버린 것이다. 사고가 났던 날, 술에 취한 남편을 부축하고 걷던 현 여사는 "남편의 몸에 서늘하게 흐르고 있는 이 느낌" (p. 229) 을 감지한다. 그리고는 어느 순간, 남편은 혼자서 (그러나 현 여사는 자기가 남편을 놓친 것인지, 남편이 자기의 부축을 밀어낸 것인지 끝까지 알지 못한다) 붉은 신호등이 켜진 차도로 걸어 들어간다.

현 여사는 남편을 따라가면서 멈추라고 소리쳤다. 그것은 비단 신호등에 빨간 불이 들어와 있었기 때문이 아니었다. 이제 그의 **뒷모습에 전모가 온통 드러나 있는 그 서늘한 느낌은 홀로 된 존재의 너무도 휘황한 광휘**였다.

그리고 거기엔 이미 건널 수 없는 강이 가로 놓여 있었다. (p.229, 강조 : 인용자)

뒤쪽으로 들어온 사랑은 뒤쪽으로 빠져 나간다. 남편은 혼자 신성한 현실 속으로 저 혼자 걸어 들어가 버린 것이다. 2년 전, 이 죽음을 받아들일 수 없었던 현 여사는 남편을 친 택시기사를 고발해 놓은 상태이다. 그러나 지금 그녀는 자신이 무고죄로 고발당할 위험을 무릅쓰고, 소(訴)를 취하하려고 한다. 그녀는 이제 자신이 버림받았다는 사실을 받아들인다.

"내가 알고 있는 것은 팩트(fact)일 뿐이야. 왜, 무엇 때문이냐구? 그 양반이 삶을 놓고 죽음 속으로 걸어 들어간 것이. 정말 미칠 일이 아니니? **한평생 서로 깊이 사랑하며 살았다고 믿어 왔는데.**"(p.31, 강조 : 인용자)

상실감은 어느덧 '분노'(p.31)로 바뀌어 있다. 소연을 그토록 사랑하면서도, 현 여사는 남편으로부터 자신이 버림받았다는 분노에서 헤어나오지 못한다. 허망함의 구덩이는 아가리를 벌린 채 그대로 남아 있다. 그녀가 소연과의 관계에서 그토록 폭군처럼 자신의 원리를 강요하려고 애쓰는 것도, 이처럼 이해할 수 없는 방식으로 그녀를 버리고 떠나간 남편과의 관계에서 생겨난 공허를 메우기 위해서인지도 모른다. 진짜 사랑이라고 믿었던 사랑에 대한 배신감. 깊이 사랑했다고 믿었는데, 왜 남편은 느닷없이 공허 속으로 스스로 걸어 들어가 버렸을까?

"그게 네 병이다. 사람이 사람에게 어떻게 그 이상 더 마음을 줄 수 있겠니? 다른 부부들은 너네 부부의 십 분의 일도 못 되는 마음을 주고받으면서도 그러려니 하고 살아가는데."
"그건 사랑의 절대를 믿지 않기 때문이야. 난 남편에게서 그걸 얻지 못했어. 실패한 거야."(p. 126, 강조 : 인용자)

눈앞에서 놓쳐 버린, 뒤돌아선 절대를 향해 현 여사는 손을 뻗친다. 사랑이여, 제발 돌아서다오. 지훈의 구혼을 거절하고 괴로워하는 소연을 비난할 때, 현 여사가 사용하는 절대적인 어법은 아주 인상적이다. 이번에야말로, 내가 원하는 상대에 대해, 절대적으로 나 자신에 의한 나 자신의 원리를 구현하고 말리라. 그렇게 해서 남편이 파놓은 구덩이를 메워 버리리라.

"내가 너에게 주는 사랑은 그 어떤 것하고도 비교되어서는 안 돼. 나는 너에게 내 전부를, 재산과 명예와 목숨 전부를 걸었어. 그런 내 앞에서 감히 괴로움을 드러낸단 말이야? (……) 네가 내 감정을 희롱하면 죽여 버린다고 했지?"(p. 163)

누구든 내 감정을 기만하면 죽여 버릴 테다. 싸워야 한다, 그것도 정직하게. (p. 178)

그렇다면, 소연은 사랑의 목표, 사랑의 기의(記意), 의미의 에피

파니가 아니라, 단순한, 임의의, 대체 가능한 기표(記表)에 불과했던가. 아니, 그것만은 아니다. 소연은 분명히 하나의 계기를 제공하기는 했다.

이 작품 가운데에서 가장 분명한 의미를 드러내는 대목은, 아이러니컬하게도, 작가가 두 차례에 걸쳐 기술하고 있는 꿈 장면인데, 그 꿈 안에서 현 여사의 사랑의 실체는 아주 분명한 얼굴을 드러낸다. 그중에서도 다음의 꿈은 아주 선명한 심리적 진실을 담고 있다. 조금 길지만, 이 작품의 의미가 함축적으로 드러나고 있으므로, 모두 인용하기로 한다.

> 무슨 영화제라고 했다. **푸른색과 흰색의 깃발**이 촘촘히 꽂혀 펄럭이고 있는 거리. 거리라고 하지만 **긴 다리 같은 느낌**도 있었다. **밀려드는 사람들이** 발 디딜 틈조차 없이 거리를 메우고 어딘가로 가고 있는데, 그게 한 방향이 아니고 **가는 사람의 흐름**이 있는가 하면, **오는 사람의 흐름**이 있었다. 자신은 가는 사람의 흐름에 파묻혀 **걷는다기보다는 밀리고** 있었다. 앞에서도 뒤에서도 밀리는 인파의 물결이 점점 흐름을 어렵게 했다. **다리 건너편 먼 동네에는 불빛이 휘황했고,** 한 **건물의 옥상에 설치된 와이드 비전에는, 실내에서 벌어지고 있는 영화제 개막식 장면들이** 비치고 있었다. 또한 **동네에 설치된 확성기**에서는 장중한 교향곡이 흘러나오고 있었다.
>
> 음악 때문인가. 인파는 남편의 **장례식에 모여든 조문객**이라고도 했다. 아무리 주위를 둘러보아도 아는 사람이 한 사람도 없었다. 친구나 가족들도 눈에 띄지 않았다. **자기는 상주인데 남편의 장례행렬을 놓쳤다**고 했다. 손에 들고 있는 **하얀 국화꽃 한 송이가 녹슨 쇠빛**으로 변해 있었다. 인파를 밀치고 행렬을 쫓아가려고 안간힘 하고 있는데, 어디선가 **피에로 복장을 한 사람**이 나타나 손을 잡아끌었다. 그 피에로는 **낯모를**

사람이었는데, 다시 보니까 소연이었다. 두 사람은 손을 잡고 인파를 헤치며 이리저리 길을 만들어 가며 **한적한 골목길**로 들어와 있었다. 그 골목에는 마치 로마의 어느 광장에 있는 것과 같은 **자그마한 분수대**가 있었다. 분수대 안에는 맑은 물이 고여 있었다. 숨이 가쁘고 목이 말랐다. 두 손으로 물을 움켜 소연에게 먼저 먹여 주려고 보니, 그녀는 **온다 간다 소리도 없이 저만큼 뒤를 보이며 모퉁이를 돌아가는 참이었다.** 그녀의 **긴 그림자가 떨어져 있는 곳은 축축이 젖어 있었다.** 뒤쫓아 달려갔을 때 그녀는 이미 모퉁이로 사라졌고, 모퉁이를 돌아보니 다시 인파가 붐비는 다리였다. **노란 고깔모자**를 쓴 소연의 머리가 사람들의 머리 위로 솟았다 가라앉았다 하면서 저만큼 떠밀려 가고 있었다. 인파를 밀쳐내며 그녀를 뒤쫓아가면서도 시선은 내내 그 모자에 멈추어져 있었다. 그런데 갑자기 소연이 남편으로 변해 똑같이 인파에 파묻혀 머리가 가라앉았다, 솟았다 했다. **그 머리가 가라앉았을 때는 아무 소리도 들리지 않고 아무것도 보이지 않는 캄캄한 영사막이었다가, 그 머리가 다시 솟았을 때는 알 수 없는 아우성과 확성기로 흘러나오는 교향곡,** 인파로 넘치는 거리의 한복판에 여전히 허우적거리며 남편을 잡으려는 자신이 있었다. (pp. 318~319, 강조 : 인용자)

꿈에서 깨어난 뒤, 현 여사는 "사는 게 꿈이로구나"라고 생각해 버리고 말지만, 사실 이 꿈은 작품 전체의 의미를 함축하고 있는 계시의 역할을 하고 있는 중요한 꿈이다. 이 꿈의 의미는 검열 기제를 작동시킴으로써 의미가 모호해진 이 작품의 다른 어느 부분보다도 오히려 명료하다.

꿈의 외적 지수는 '부산영화제'인 것처럼 보인다. 아닌게아니라, 현 여사는 부산영화제 취재차 부산에 내려가 있는 소연의 주위를 맴돌고 있다. 그러나 이 꿈에서 '부산영화제'는 전혀 다른 내밀한 심리적 의미를 가지고 있다. 차근차근 살펴보자. 꿈은 종종 실제 상황을 차용한다. 그러나 그것이 강밀한 심리적 의미를 가지고 있는 꿈일 때, 그 실제 상황은 전혀 다른 심리적인 의미를 드러낸다. 이 꿈에서 차용되고 있는 '바다' 와 '영화제' 는 모두 그러한 계시를 수행하기 위해서 꿈이 선택한 미장센(mise en scène)이다. 이 꿈에 나타나는 '영화제' 는 원시사회에서 '연극' 의 형태로 제시되었던 계시의 현대판 변용이라고 할 수 있다.

우선 첫 장면에서 '푸른색과 흰색의 깃발' 은 각기 파도와 포말을 나타내고 있다. '바다' 는 언제나 원초성의 상징으로 등장한다. 현 여사와 소연의 애정행각이 언제나 바다 앞에서 이루어지는 것도 그러한 상징성과 밀접한 연관을 가지고 있다. 꿈에 등장하는 '인파' 는 무의식의 '다수성' 을 나타낸다. '가는 사람들' 과 '오는 사람들' 은, 생의 장면 안으로 들어오는 사람들과 나가는 사람들을 나타내고 있다. 물론, 중년의 현 여사는 '가는' 사람, 그것도, '떠밀려' 할 수 없이 '가는' 사람이다. 흥미로운 것은, 꿈의 장소가 '거리' 같기도 하고, '긴 다리' 같다고 이야기되어진다는 점인데, 꿈이 '거리' 를 보여 주고 있는 것은, 꿈꾸는 자가 개인의 영역을 떠나 공동체적 영역으로의 진입을 내면으로부터 명령받고 있다는 사실을 나타내고 있다. 더더욱 '거리' 가 '다리' 처럼 여겨지기도 하는 것은, 이 꿈이 심리적 '전이' 와 관련되어 있는 꿈이기 때문이다. 존재가 '다른 곳' 으로 이동하고 있는 것이다. '다리 건너편' 의 '휘황한' 장소는 일종의 유토피아이다. 현 여사는 아직 그곳에 가지 못하고 있다. 그곳에서는 '실내에서 벌어지고 있는 영화제' 가 건물 옥상에서 '와이드 비전' 으로 방송되고 있는데. 그것은 개인의 내밀한 내적 추구가 완전히 공동체적 의미를 획득한 상태를 나타내는 것이다. 융의 용어를 빌면 큰 자아(Soi)에 도달한 상태를 나타낸다고 볼 수 있다. 그리고 그 공동체적 자아는 '동네에 설치된 확성기' 를 통해 흘러 나오는

'장중한 교향곡'으로 다시 한 번 더 확인된다. 그러한 자아의 상태에 이른 자는 한 명의 동네 사람이며, 동시에 동네이다.

인파는 '남편 장례식'의 조문객들이라고도 한다. 여기에서 '남편의 장례식'은 현 여사가 겪은 실제 상황이지만, 동시에 일종의 신성한 사건의 역할을 하고 있다. 그 사건의 주인공은 꿈꾸는 사람 자신이지만, 그녀는 아직 그 신성한 사건에 참례할 준비가 되어 있지 않다. 흰 꽃(아주 많은 경우에 내면적 중심의 상징주의는 '꽃'의 이미지를 차용한다. 제라르 네르발의 '푸른 꽃'이 대표적인 경우이다)은 생명을 잃고 '녹슨 쇠'로 변질된다. 행렬을 따라잡으려고 애쓰는 꿈꾸는 자 앞에 '피에로' 복장의 '낯모르는' 여자가 나타난다. 이 '낯모르는 여자'는 꿈속에서 인도령(引導靈, psychopompe)의 역할을 하는 아니마의 인격화된 모습이다. 아니마는 흔히 '얼굴이 없는' 모습으로 등장한다. 여기에서는 그 역할이 소연에게 부여되어 있다. 소연이 입은 '피에로' 복장은 일종의 제복(祭服)이다. 그녀는 꿈꾸는 자의 손을 잡고 골목길, 즉, 매우 내밀한 내적 영역으로 안내한다. 여기에서 '로마의 분수대' 역시 현 여사와 소연이 함께 즐겨 듣던 레스피기의 '로마의 소나무'와 연관이 있는 현실적 지수이지만, 그 내적 의미는 '중심'의 상징주의에 닿아 있다. 즉, 꿈꾸는 자는 소연과의 결합에 의하여 내면의 진정한 중심에 이르는 것이다. 그러나 모색은 좌절된다. 소연의 그림자가 떨어져 있는 곳이 '축축이 젖어' 있다는 것이 특히 흥미로운데, 그것은 이 내적 존재가 여성적 습함과 연관이 있는 존재이기 때문이다. 이 습함은 그녀가 쓰고 있는 '노란 고깔모자'로 한 번 더 확인된다. 이 모자의 '노란'색은 '달'의 상징성을 지니고 있다. 달은 여성적 천체이며, 습한 천체이다. '고깔모자'는 내면 탐구 상상력 안에서 흔히 등장하는 소품으로서, '안으로 뚫고 들어가는' 내면 확보 욕망과 연관되어 있다. 서구 민담에서 '땅귀신(gnome)'(예 : 《백설공주》의 일곱 난쟁이)들은 대부분

고깔모자를 쓰고 있다.

소연은 꿈꾸는 자를 '거리', 즉 공동체의 공간으로 유인한다. 그러나 꿈꾸는 자는 그녀를 따라가지 못한다. 마치 그녀가 남편을 붙잡지 못했듯이. 이제 소연은 남편의 이미지에 겹쳐진다. 소연-남편-달아나는 중심을 꿈꾸는 자는 눈으로 부지런히 뒤쫓는다. 그 존재의 모습이 보일 때, 계시가 쓰여지는 인식의 스크린에는 '알 수 없는 아우성과 확성기로 흘러 나오는 교향곡', 즉 공동체의 언어가 들려오지만, 그 존재의 모습이 보이지 않을 때, 계시의 스크린은 캄캄하게 꺼진다. 꿈꾸는 자는 아직 계시의 비의(秘意)에 이르지 못한 것이다.

이처럼, 겉보기에 황당해 보이는 이 꿈은 매우 정연한 내적 논리를 갖추고 있다. 꿈의 명령은 분명해 보인다. 현 여사는 이제 자신의 개체의 욕망을 버리고, 공동체적 자아에 진입해야 하는 것이다. 그러나 현 여사는 그 소명을 자기 안에 통합하지 못한다. 아마도 이해할 수 없는 남편의 죽음 때문이었으리라. 그 죽음을 받아들일 수 없어서, 어쩌면 현 여사는 아들 지훈과 소연이라는 남편의 대체물을 붙잡고 무망한 절대성의 놀이를 했는지도 모른다. 그렇다면, 현 여사는 위험한 영적 모험을 감행함으로써, '너'를 진정으로 사랑하여 '나'를 부수고 '다른 나'로 태어나려 했다기보다는, 육체라는 사랑스럽고 안전한 존재의 매개물이 보장해 주는 감각적 현기증의 끝에만 머물러 있으려고 고집을 부렸던 것일까? 현 여사 자신도 스스로의 집착에 의문을 던져 보기는 한다. "그건 그녀를 사랑하는 것이 아니라, 그녀를 사랑하는 자기 자신에게 빠져 드는 게 아닐까?" (p.115) 현 여사는 소연에게 매혹되어 있었던 것이 아니라, 소연을 사랑하는 자기 자신에게 매혹되어 있었던 것은 아닐까? "내가 사로잡혀 있는 것이 환영이라고? 그러나 나는 나를 풍차처럼 미친 듯이

돌려 주는 너라는 환영을 사랑한다. 그 사랑에서 깨어나고 싶지 않아." (p. 329)

그러나 거기까지가 서영은이 이 작품에게 부여한 모색의 플랜이다. 작가는 어쩌면 육체의 몫을 끝까지 밀어붙여 보기, 거기까지를 이 책에 나타나는 사랑의 여정의 끝으로 설정한 것인지도 모른다. 아마도 다음 작품에서 우리는 서늘한 영혼의 영역으로 자신 있게 발걸음을 내어딛는 현 여사의 모습을 만나게 될지도 모른다. 그렇게 하려면, 우선 현 여사는 남편을 놓아 주어야 한다. 그의 무덤에서 울면서 잔디를 쥐어뜯는(p.328) 대신에, 그렇게 해서 손톱 밑에 '흙'을 묻히는 대신에, 깊은 내면의 영역으로 용감하게 여행을 떠나야 한다. 그러나 육체를 데리고, 이 망할 예쁜 애물단지를 데리고. 왜냐하면, 육체는 어쨌든 존재의 부정할 수 없는 거점이기 때문이다.

하지만 깊고 서늘한 영혼의 영역에 이르기 위해 우리는 얼마나 피투성이가 되도록 지옥을 헤매야 하는 것일까? 오 잔인한 생이여.

그녀의 여자

초판 1쇄 — 2000년 6월 10일
초판 6쇄 — 2000년 7월 25일

지은이 — 서 영 은
펴낸이 — 전 성 은
펴낸곳 — (주)문학사상사
주소 : 서울특별시 송파구 오금동 91번지(138-130)
등록 : 1973년 3월 21일 제1-137호

편집부 — 3401-8543~4
영업부 — 3401-8540~2
팩시밀리 : 3401-8741~2
홈페이지 : www.munsa.co.kr
전자우편 : munsa@munsa.co.kr
우편대체 계좌번호 : 010017-31-1088871
지로구좌 : 3006111

ISBN 89-7012-349-0 03810